D1234321

German

Über dieses Buch

Männer haben auch in der Sprache die Macht, und Frauen sind ohnmächtig. Männer geben den Ton an, wenn Frauen und Männer miteinander sprechen, und Frauen verhalten sich still und unterwürfig. Implizite Regel scheint zu sein: Die beste Frau ist die, die nicht redet. Das Redeverbot »Die Frau schweige in der Gemeinde« gilt auch heute noch für das Reden von Frauen in der Öffentlichkeit: Es finden sich nur wenige Frauen an den Rednerpulten, ob in der Politik, der Wirtschaft, der Wissenschaft. Meinung und Urteil von Frauen scheinen weniger hoch bewertet zu sein als von Männern.
Die Sprachwissenschaftlerin Senta Trömel-Plötz zeigt in den in diesem Band gesammelten Aufsätzen Zusammenhänge zwischen gesellschaftlicher Wirklichkeit und Sprache auf, erforscht Ungleichgewichte in den Bezeichnungen für Frauen und Männer und macht Vorschläge für neue sprachliche Wendungen, mit denen die Benachteiligung von Frauen vermieden werden kann. Wenn die Sprache Frauen und ihre Leistung ignoriert, wenn sie Frauen nur in Abhängigkeit von Männern beschreibt und Frauen in herablassender Weise demütigt und lächerlich macht, dann ist sie sexistisch. Die Autorin kommt zu dem bestürzenden Schluß, daß der Sexismus – die Unterdrückung von Frauen aufgrund ihres Geschlechts – sprachlich in ganz ähnlichen Formen zum Ausdruck kommt wie der Rassismus und der Antisemitismus.

Die Autorin

Senta Trömel-Plötz, geboren 1939 in München; Studium der Anglistik und Germanistik in München; Studium der Linguistik in den USA; Promotion 1969 an der University of Pennsylvania, Philadelphia, Pa.; psychotherapeutische Ausbildung; Habilitation 1978 über Sprache und Psychotherapie. Professorin am Fachbereich Sprachwissenschaft der Universität Konstanz. Forschung und zahlreiche Veröffentlichungen auf dem Gebiet der formalen Linguistik, der feministischen Linguistik und der Psycholinguistik. Im Fischer Taschenbuch Verlag erschien ihr Buch »Gewalt durch Sprache« (Band 3745), eine Sammlung von Arbeiten amerikanischer und deutscher Forscherinnen, die die Vergewaltigung von Frauen in Gesprächen aufzeigen und Gegenstrategien entwickeln.

Senta Trömel-Plötz

Frauensprache –
Sprache der Veränderung

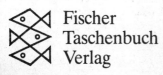

Fischer
Taschenbuch
Verlag

Acadia University Library
Wolfville,' N.S. Canada

Lektorat: Ingeborg Mues

Vaughan
P 120
. S48T65
1982
c. 2

35.–40. Tausend: April 1986

Originalausgabe
Veröffentlicht im Fischer Taschenbuch Verlag GmbH,
Frankfurt am Main, Juni 1982

© 1982 Fischer Taschenbuch Verlag GmbH, Frankfurt am Main
Umschlagentwurf: Susanne Berner
Druck und Bindung: Clausen & Bosse, Leck
Printed in Germany
1280-ISBN-3-596-23725-4

Inhalt

Für meine Mutter
und
für meine Freundinnen
Helga
Edith
Hilde
Eva
Anna Maria
Ann
Fern
Sandy
Gila
Doro
Irmgard
Immie
Grit

Zur Geschichte dieses Buches

Während meiner Gastprofessur in Bielefeld im Sommer 1977 habe ich zum ersten Mal mit Frauen geredet.

Ich mußte fast 40 Jahre alt werden, bis ich zum ersten Mal erfahren konnte, wie Frauen miteinander reden können.

Etwas von der Qualität dieser Gespräche zu schildern, was ich daran liebe und immer in den ersten Sekunden wiedererkennen werde, wenn ich es mit einer Frau erfahre, ist selbst für mich als Linguistin schwierig. Eine Schriftstellerin wäre nötig. Aber ich habe auch bei Schriftstellerinnen vergeblich gesucht und keine Beschreibung gefunden von dieser besonderen Atmosphäre, von diesem besonderen Gefühl der totalen Lebendigkeit und Befriedigung, von dieser Sättigung, von dieser intellektuellen Sinnlichkeit und sinnlichen Intellektualität in den wundersamen Gesprächen mit Frauen.

Dank für die Einführung in diese Welt des innigen und ernsten Redens sei Angela Lambrou, Gisela Pawlowski und den Frauen des Bielefelder Frauenzentrums. Sie kamen auf mich zu mit einer Fülle und einer Dringlichkeit, die jedes Gespräch wichtig und absolut notwendig machte, sie forderten, daß ich mich völlig hineinbegebe in das Gespräch, wo nichts anderes zählte als die unmittelbare Befriedigung des Miteinandersprechens, ein Ansturm von Sensualität, dem ich nicht entweichen konnte, sinnliche Stimmen und Satzmelodien, die mich verzauberten, sinnliche Frauen, die mich gewannen, sinnliche Wörter – Frauensprache. Und ich lernte, daß alles an unserem Sprechen hängt, daß es die einzige Weise ist zur Nähe und zur Autonomie.

Dank für die liebevolle Wiederholung, für die immer wieder neue Herstellung dieser Gesprächswelt sei allen Frauen, die mir seit damals immer wieder unmittelbare Nähe und Offenheit gaben, ohne Absprache, ohne mich zu kennen, ohne mir Leistung abzuverlangen. Wie unerwartete Geschenke fallen sie mir zu, ein unendliches Glück in unseren Begegnungen, große, starke, gescheite, schöne, sensible Frauen:

Heidrun Sarges mit der bestechenden Intelligenz einer Mathematikerin, die alles versteht, und einer Wärme, die alles einfühlend erschließt und umschließt. Wir trafen uns im Gespräch mit unseren beiden Neugierden und wollten vorsichtig alles voneinander wissen und alles einander anvertrauen.

Gunda Georg und Christina Vanja, die mir von Anfang an bedingungslos so viel Kredit gaben, daß all unsere Unterschiede in Fachgebieten, Lebensstilen und feministischem Vorwissen hinfällig wurden, von denen ich wieder neu lernte, daß Akzeptieren in Gesprächen Wohlgefühl bringt, daß Unterschiede vernachlässigbar sind, daß Annehmen und Angenommenwerden nicht auf größtmöglichen Ähnlichkeiten gründen muß, daß Frauen annehmen können: unsere wortlosen Gespräche, in denen ich euch erfühlte, in denen ihr mich, meinen Mann, meine Kinder, meine Welt erfühltet.

Theresia Sauter-Bailliet, fesselnd, sprühend, intellektuell, immer politisch denkend, zutiefst um das Dilemma wissend, Frau zu sein und Wissenschaftlerin, und deshalb gezwungen, immer radikaler feministisch zu werden. Aus unseren wenigen Gesprächen habe ich gelernt, daß Sensibilität und feministisches Bewußtsein uns das Leben nicht erleichtern, daß es schmerzhaft ist zu durchschauen, daß wir zerbrechen können. Aber in unseren wenigen Gesprächen habe ich auch erfahren, daß wir uns in diesem Wissen gegen diese Realität unterstützen können.

Ingrid Guentherodt, kämpferisch, angespannt, verletzbar und zugleich immer kooperativ, helfend, gebend, männliche Normen analysierend und bewußt durchbrechend. Frauen unterstützend aufgrund feministischer Überzeugung, auch Frauen, die unsolidarisch sind. Von ihr habe ich in vielen Gesprächen gelernt und lerne noch, was es heißt, *für* Frauen zu sein, von ihr muß ich noch lernen, was es heißt, ausnahmslos, bedingungslos *für jede* Frau zu sein.

Ursa Krattiger, Barbara Sichtermann, Carmen Thomas, Heidi Reindl-Scheuering, was für ein Genuß, eine Wollust, vom ersten Kontakt an wichtigste Einsichten voraussetzen zu können, weil wir sie teilen, zusammen arbeiten, zusammen lachen, zusammen spielen zu können mit Kind und Kegel und sogar unseren Männern, was für reiche Gespräche, was für ein Reichtum an Erlebtem, an Kreativität, an Intuition, ein Reichtum, in den wir eintauchen können, mit dem wir alles bewältigen können.

8

Helen Schmidt, leidenschaftlichste Feministin, dichte Gespräche, Intellektualität, aufgehoben in Wärme, Umhegtheit, Bedachtsein, ein Anrühren an die tiefsten Saiten, sie zum Klingen bringend.

Luise Pusch, dringend nötige Kollegin mit immer verläßlicher Solidarität, unsere variablen Gespräche, in allen Stimmungen kennen wir uns, Freundinnen, ehe wir Feministinnen waren, und es stellt sich heraus, daß der Feminismus uns mehr verpflichtet als langjährige Freundschaft, daß wir negative Gefühle bearbeiten, überwinden müssen, unsere Gespräche nicht zerbrechen dürfen an Differenzen, jedes Gespräch uns die Verantwortung auferlegt, daß es gelingt, befriedigt, ob angespanntes Arbeitsgespräch oder – wie selten – gelassenes Geklöne.

Marie-Luis Wallraven-Lindl, hochsensibilisiert und hochsensibel, konsequent feministisch denkend und lebend, unsere wunderbaren Gespräche voller Unterstützung und Zartheit.

Meine Studentinnen von Konstanz, insbesondere Helga Kotthoff, Cornelia Hummel, Ilse Grundler, Susanne Günthner, Gisela Rosenbaum-Scholz, Andrea Zaumzeil, und Studentinnen von anderswo, die mit ihrem guten Willen voller Optimismus, voller Vertrauen und voll von Lebendigkeit auf mich zukommen; alles ist noch möglich in der Phantasiewelt dieser Gespräche – in jedem Gespräch werde ich froh, daß es sie gibt, und hoffe wieder, daß, weil es sie gibt, Änderung möglich ist.

Jutta Heinrich, strotzend vor Leben, strotzend vor Erotik, strotzend vor Intellekt, wort- und sprachgewaltig, Annäherung aufgrund der Faszination mit Sprache – nein, es genügt nicht –, aufgrund der absoluten Wichtigkeit von Sprache, Sprechen, Gesprächen, weil für uns die Erfassung der Welt durch Sprache geschieht, unser beider Leben die Sprache ist.

Ich habe versucht, Aspekte herauszuisolieren aus meinen Gesprächen mit Frauen, ihre Vielfalt aufzuzeigen, die auf der gemeinsamen Basis des Feminismus gründet, eine unerwartete Vielfalt, farbig, gescheit, verstehend, kreativ, liebevoll, intelligent. So verschieden diese Frauen sind, so ähnlich sind sie und würden sich alle treffen im Gespräch. Sie sind meine eigentlichen Quellen; die Gespräche mit ihnen sind der Erfahrungshintergrund, auf dem meine Arbeiten, die hier versammelt sind, entstanden.

Zuallererst der Artikel *Linguistik und Frauensprache,* der im Herbst 1978 in der Fachzeitschrift *Linguistische Berichte* das Thema in Deutschland einführte, nachdem ich im Sommersemester 1978 die erste Veranstaltung über Frauensprache an der Universität Konstanz mit meinem Kollegen, dem Philosophen Mike Roth, abgehalten hatte. Um genau zu sein: Er gab zum großen Teil die Veranstaltung an der Universität, und ich begleitete sie wegen einer Schwangerschaft von meiner Terrasse aus, mit Blick auf den ganzen Bodensee, traf Arbeitsgruppen, besprach Probleme, beriet, regte an und wurde angeregt, an dem Thema zu arbeiten. Mein Dank für seine großzügige Unterstützung bei meiner Arbeit an *Linguistik und Frauensprache* gebührt Mike Roth. Mit diesem Artikel begann sozusagen die feministische Linguistik in Deutschland, und er brachte sofort eine kontroverse Diskussion in Gang, die sich bis heute fortsetzt. Wo es damals internlinguistische Argumente über markierte und unmarkierte Formen waren, ist die Diskussion heute politisch und geht z. B. um die Frage, ob eine Arbeitsgruppe über Sprache, Geschlecht und Macht, die nun schon ganze zwei Male bei der Jahrestagung der Deutschen Gesellschaft für Sprachwissenschaft vertreten war, ein drittes Mal tagen kann. Die Arbeitsgruppe wurde übrigens abgelehnt.

In chronologischer Abfolge kam nach meinem Artikel in den *Linguistischen Berichten* im Februar 1979 meine Antrittsvorlesung an der Universität Konstanz: *Frauensprache in unserer Welt der Männer.*

Sie war ein Ereignis an der Universität und erregte Aufsehen. Sie war die größte Antrittsvorlesung, die je in Konstanz stattgefunden hatte, und die erste Antrittsvorlesung einer Frau an der Universität Konstanz. Ich hatte dort einen Ton gefunden, der Frauen begeisterte und Männer faszinierte – alle fühlten sich angesprochen. Ich hatte entdeckt: Ich kann beide, Frauen und Männer, ansprechen und wollte auch beide ansprechen. Dies änderte sich, als meine Entwicklung weiterging. Ich entfernte mich mehr und mehr von den Männern; abgesehen von ganz wenigen hochsensiblen Männern – darunter hauptsächlich Psychoanalytiker, Psychologen, Philosophen, ein paar meiner Studenten, auch hie und da ein Mathematiker, z. B. mein Mann – wurde mir die Reaktion von Männern immer weniger wichtig. Zunächst habe ich noch mit ihnen diskutiert, so nach meiner Antrittsvorlesung und nach meinem Vortrag in Marburg: *Männer reden – Frauen schweigen: Frauensprache,* der im Juni 1979 der Antrittsvorlesung folgte.

Hier kam schon ein neuer Aspekt in mein Thema, nämlich der der Macht. So wie die Mächtigen die stereotypen Vorstellungen, die in einer Kultur gelten, bestimmen, bestimmen die Mächtigen noch mal in der Wissenschaft, welche stereotypen Vorstellungen, welche Meinungen, welche Gemeinplätze bestätigt werden dürfen. An der Untersuchung von Unterschieden über geschlechtsspezifische Verhaltensweisen bei Kindern war mir klar geworden, Mädchen dürfen da besser sein, wo es nicht zählt. Unsere wissenschaftlichen Arbeiten sind so angelegt, daß sie nur da weiblichen Sprecherinnen bessere Fähigkeiten zugestehen, wo sie folgenlos sind. Im Einklang damit steht, daß da, wo es zählt, kompetentes sprachliches Verhalten von Frauen nicht besser bewertet wird, d. h., Kompetenzen nicht als Kompetenzen gesehen werden. Und umgekehrt, Inkompetenz bei Männern nicht als inkompetent beurteilt wird.

In den Diskussionen nach diesen beiden Vorträgen habe ich erfahren, wie Männer, obwohl sie in der Minderheit waren, dominierten, wie sie sich nicht auf die Atmosphäre, die Situation, andere Sprecherinnen und Sprecher beziehen konnten, sondern Macht ausübten, nicht aufgrund ihrer Gesprächskompetenzen, sondern aufgrund ihres Geschlechts. Ich habe erlebt, wie festgefahren die Muster sind, nach denen wir uns Rederechte nehmen oder nicht nehmen, wie ich sie nicht aufbrechen kann.

Dann kam das Erlebnis eines Freiraums – ich war von Brigit Keller zu einer Tagung der Paulus-Akademie in Zürich eingeladen worden, zu der nur Frauen zugelassen waren. Ich konnte in einer einzigartigen Atmosphäre nur vor Frauen sprechen und nur mit Frauen reden, Frauen aus der ganzen Schweiz und einige aus Deutschland: kluge, faszinierende, interessante Frauen; offene, akzeptierende, unterstützende Gespräche. Der Unterschied zwischen einer Frauentagung und meiner gewöhnlichen Arbeitsumgebung, den gewöhnlichen, von männlichem Stil gezeichneten Konferenzen war tief. Mein Interesse an Männern verringerte sich weiter. Ich empfand Männer als störend und hinderlich, sie verhinderten Lernen durch ihr ständiges Wettstreit- und Argumentiergehabe, sie unterdrückten Kreativität durch ihr Dominanzgebaren.

Meine Züricher Vorträge an der Paulus-Akademie und später an der Universität befaßten sich immer expliziter mit Macht, Dominanz und Unterdrückung. Selbst bei so »trivialen« Dingen wie der Anrede mit *Fräulein* und der Benennung von Frauen mit *Mädchen* oder *Dame,* so zeigte ich in meinem *Südkurier*-Artikel *Frauen, Damen, Mädchen und Fräulein: Die*

Vergewaltigung der Frauen in der Männersprache vom Mai 1980, geht es um Ausübung von Macht.

In diese Zeit fällt auch ein Radiointerview mit Martin Walder für das 1. Programm des Radio DRS. Ich habe es hier an den Anfang gestellt, weil es die Thematik vom Anfang her ohne Voraussetzungen aufrollt und inhaltlich Fragen aufgreift und anschneidet, die in den folgenden Artikeln vertieft werden. Außerdem war es für mich ein sehr angenehmes, aggressionsloses Gespräch ohne verdeckte Spitzen mit einem fairen, aufgeschlossenen, sympathischen Mann. Unter bestimmten Bedingungen, z. B. mit einem erfolgreichen Mann, der sich nicht durch meine Unbescheidenheit bedroht fühlt, sind Gespräche mit Männern noch möglich, dachte ich damals.

Ein Jahr früher hatte ich in dem Text *Die beste Frau ist die, die nicht spricht,* der dann in *EMMA* im Juni 1979 in geänderter und gekürzter Fassung erschien, sogar noch geschrieben, daß Männer anders mit uns reden werden, wenn wir anders reden.

Heute habe ich beide Hoffnungen aufgegeben und bin skeptisch geworden, daß zum jetzigen Zeitpunkt Gespräche zwischen Frauen und Männern überhaupt möglich sind. Denn mehr und mehr zeigt sich in der Forschung, daß anders reden nicht genügt – wenn wir anders reden, reden Männer noch lange nicht anders mit uns. Es genügt nämlich nicht, daß wir uns Rechte nehmen, sie müssen uns auch von den Männern zugestanden werden. Männer müssen unser neues Reden auch wahrnehmen und ratifizieren. Bis jetzt – das ergibt sich auch aus meiner eigenen Forschung – wird kompetentes Reden bei Frauen nicht belohnt, und das Geschlecht ist für den Gesprächserfolg, die Interpretation und die Reaktion, ausschlaggebender als das eigentliche Gesprächsverhalten.

Interpretation, Bewertung und Behandlung sind bei Männern einfach anders als bei Frauen. Wenn ein Sprecher seine Aussagen abschwächt, hören wir ihn in höflicher Art, gepflegtem Stil oder eloquenter Argumentation reden. Wenn eine Sprecherin ihre Aussagen abschwächt, hören wir ihre inhaltliche Unsicherheit, halten wir sie für stilistisch weniger souverän und finden, sie kann nicht streng argumentieren. Frauen haben weniger Autorität als Männer, nicht weil sie anders reden, sondern weil sie Frauen sind. Einige dieser Ergebnisse werden in *Sind Sie angemessen zu Wort gekommen?* dargestellt. Ich verfolge dort und in meiner gegenwärtigen Forschung zwei Ideen. Einmal, daß für Frauen in gemischtgeschlechtlichen Gesprächen ein niedrigerer Status konstruiert wird, als ihnen rechtens zukäme. Sie werden anders behandelt als Männer. Und zweitens, daß Frauen sich deshalb in gemischtgeschlechtlichen Gesprächen so verhalten *müssen*, wie sie es tun, daß ihr Verhalten eine rationale Reaktion auf den Zwang der jeweiligen konkreten Situation ist. Frauen können sich, wie Frauengespräche zeigen, auch sprachlich anders verhalten.

Die größeren Rechte der Männer, ihr Anspruch auf größere Privilegien gründen auf dem Vorurteil, daß Männer größeren Wert als Frauen haben, auf dem Vorurteil der Überlegenheit des Mannes über die Frau. Es ist im Interesse der Männer, den Status quo zu erhalten, aus dem sie ihr Selbstgefühl beziehen.

Es wird klar, daß unsere Sensibilisierung, selbst die Sensibilisierung der Männer, nicht mehr genügt, und so endet auch mein Buch in dem Radiointerview mit Ursa Krattiger, 3. Teil unserer Sendereihe über *Frauen, Männer und Sprache,* mit der Feststellung, daß wir die Unterstützung der Männer brauchen, da Reden gemeinsames Tun ist. Dieses Interview nach unseren beiden aufsehenerregenden Sendungen, die nicht nur unzählige Hörerinnen- und Hörerbriefe einbrachten, sondern auch ungewöhnlich eindringliche Rezensionen von gemäßigter bis rechter Seite, warf noch einmal alle Fragen auf und brachte den letzten Stand unserer Überzeugungen und Einsichten.

Aber auch da blieben wir noch vor der letzten Konsequenz stehen, daß von den Männern gemeinsames Tun in symmetrischen Beziehungen mit gleichen Rechten nur durch Politisierung und Radikalisierung zu erreichen ist. D. h., wir müssen durch breite politische Forderung auf allen Ebenen und in allen Bereichen unsere Rechte erkämpfen, nicht anders, als es im Kampf gegen andere Unterdrückungsideologien wie Rassismus, Antisemitismus oder Militarismus praktiziert wurde oder zu praktizieren ist.

Im Oktober 1981

Die Entstehungsgeschichte dieses Buches bringt es übrigens mit sich, daß in einzelnen, zu verschiedenen Zeitpunkten und unterschiedlichen Anlässen geschriebenen Beiträgen sich Aussagen oder Beispiele wiederholen. Das war in einem Sammelband wie diesem nicht nur nicht zu vermeiden, es wurde auch wegen der Authentizität der Vorträge, Artikel und Interviews nicht geändert.

13

1 Gibt es eine Frauensprache?

*Martin Walder im Gespräch mit Senta Trömel-Plötz**

»*Frauensprache gibt es natürlich nicht in dem Sinn, daß Frauen eine eigene Sprache sprechen, die Männer nicht verstehen können. Aber wir müssen ein bißchen genauer hinschauen, wie Frauen und Männer, wenn sie zusammen kommunizieren, unterschiedlich reden, wie sie sich unterschiedlich verhalten. Und hier gibt es recht interessante Forschungsergebnisse.*« (*Zitat Trömel-Plötz*)

WALDER: Selber an diesen Forschungen engagiert ist Dr. Senta Trömel-Plötz, Privatdozentin an der Universität Konstanz für Linguistik, also für Sprachwissenschaft. Sie umschreibt den Begriff Frauensprache, mit dem man auch so schön provozieren kann und wahrscheinlich auch ein bißchen provozieren soll, so: Es geht um die wissenschaftliche Analyse der Situation der Frau, so wie sie sich in der Sprache niederschlägt. Diese Definition, die allgemeine Definition, zielt auf zwei Sachen: einerseits auf die Sprache als ein System, und man kann untersuchen, wie die Frau innerhalb von dem System von Wörtern, von Wortgruppen oder auch Satzbildungen vertreten ist, respektive behandelt wird. Das wäre das eine. Das andere betrifft nicht die Sprache als grammatikalisches System, sondern das Sprechen, das Reden, die kommunikative Situation zwischen den Frauen, zwischen Frauen und Männern in einer gesellschaftlichen Situation, wo die Männer noch immer einseitig den Ton angeben. Das ist sicher wissenschaftlich schwieriger in den Griff zu bekommen, als zu zeigen, wo die Frauen im Sprachsystem selbst diskriminiert werden. Diese Fragen haben auch am Anfang gestanden in dem Gespräch, das ich mit Frau Dr. Trömel-Plötz für *Reflexe* geführt habe. Also, wie wird die Frau im Sprachsystem behandelt?

TRÖMEL-PLÖTZ: In der Sprache selber sehen wir, daß der Mann

---

* Radiointerview vom 7.3.1980 für die Sendung *Reflexe* (Kulturmagazin), Radio DRS 1, Zürich.

die Norm ist, der Standard, die Frau mehr die Ausnahme, das Ungewöhnliche, das extra spezifiziert werden muß. Wir finden sehr viele Ausdrücke, Berufsbezeichnungen, aber auch andere Ausdrücke, in denen wir nur von Männern sprechen. Wir sprechen von dem Politiker, dem Volksvertreter, dem Gesetzgeber, wir haben solche Wörter wie Ratsherr, Bauherr, wo es keine weiblichen Formen gibt. Der Postmann, der Milchmann, selbst der Mann auf der Straße ist ein Mann, selbst der kleine Mann ist ein Mann, der Ehrenmann ist natürlich ein Mann, wir suchen den besten Mann für den Job, wir haben Sprichwörter wie »Der kluge Mann baut vor«. Also Männer stehen sehr im Vordergrund, Frauen sind die Abweichung, die Ausnahme.

WALDER: Müßte man bei diesen Beispielen jetzt vielleicht nicht schon ein bißchen unterscheiden? Also, »der kluge Mann baut vor«, »seinen Mann stehen«, das sind ja alte Redensarten, die sich einfach sehr stark verfestigt haben. Ist es andererseits nicht so, daß dort, wo Frauen im Verlauf der Zeit immer mehr hineingewachsen sind in diese Berufe, die bisher nur sprachlich männliche Formen hatten, daß die Sprache dann automatisch nachzieht, also daß man heute von der »Stadträtin« und von »der Bauherrin« allenfalls spricht?

TRÖMEL-PLÖTZ: Ich glaube, die Sprache ist da ein bißchen langsam, denn selbst wo Frauen in der Mehrheit sind, wie zum Beispiel die Studentinnen an einer pädagogischen Hochschule, wird sehr häufig von dem Studenten als »er« gesprochen und natürlich von dem Dozenten als »er«. Selbst wo es durchaus schon Frauen gibt, wie in Berufen wie Rechtsanwältin, Ärztin und so etwas, spricht man hauptsächlich vom Arzt, vom Rechtsanwalt, man geht zum Arzt, zum Rechtsanwalt. Ich hab' vor kurzem erlebt in einer Werbeveranstaltung für Ärztinnen und Ärzte, daß zwar die Ärztinnen noch in der höflichen Anrede angesprochen wurden, »liebe Kolleginnen und Kollegen« hieß es da, daß später aber nur noch von den Ärzten und den Arztfrauen gesprochen wurde. Also die Ärztinnen, die konkret da waren, zugehört haben, die Menschen, kamen nicht mehr vor. Ganz davon zu schweigen, daß wir gar keinen Ausdruck für Arztmann haben, den Mann einer Ärztin.

WALDER: Ist es nicht so, daß hier diese Bezeichnungen sich irgendwie schon so verallgemeinert haben, daß sowohl die

weibliche wie die männliche Form darin enthalten ist?
...also, mit der Anrede würde ich Ihnen recht geben, da
finde ich es einfach schlicht unhöflich, wenn eine Frau nicht
als Frau angesprochen wird, in einem Brief z. B...., aber
daß »der Arzt« oder akademische Bezeichnungen wie »Hi-
storiker« automatisch schon Frauen und Männer einschließen und halt die allgemeine Form historisch die männliche
ist...?

TRÖMEL-PLÖTZ: Ich würde das nicht so sehen, ich glaube, das
hängt sehr von unserem Bewußtseinsstand und unserer
Sensibilisierung ab. Linguistisch muß man sagen, daß es nicht
nur auf die Intention der Sprecherinnen und Sprecher ankommt, sondern auch darauf, welche Wirkung die Äußerung
auf die Hörerin hat, und wenn ich mich nicht angesprochen
fühle, wenn nur von den Dozenten die Rede ist oder von den
Ärzten, dann ist der Sprechakt sozusagen nicht gelungen.
D. h., Sprecher müssen garantieren, daß sie richtig verstanden werden. Und bei unserem heutigen Bewußtseinsstand
muß man, denke ich, miteinbeziehen, daß Frauen sich nicht
mehr angesprochen fühlen, wenn nur von den Ärzten, den
Politikern, den Volksvertretern die Rede ist. Sie werden
durch diesen Sprachgebrauch unsichtbar gemacht, vergessen, an den Rand gestellt.

WALDER: Ja, das hat sprachhistorische Gründe, aber ich frage
mich, ob das im Bewußtsein eben noch so ist. Ich verstehe,
daß Sie darauf sensibilisiert sind, aber...

TRÖMEL-PLÖTZ: Es ist, glaub' ich, wichtig, daß dieser Gebrauch
ambig, also zweideutig ist. Er kann sowohl nur Männer
erfassen als auch Männer und Frauen, soweit Frauen betroffen sind. Und wir müßten jetzt dafür sorgen, wenn wir eine
Gleichbehandlung der Frau in der Sprache wollen, daß
Frauen explizit angesprochen werden, also nicht mehr, daß
sie sich nur eingeschlossen fühlen müssen, sondern daß es
explizit gemacht wird. Das wäre der faire Sprachgebrauch.
Also nicht die ambige Form benutzen und nur von Studenten
und Kollegen sprechen, sondern eben eine explizite Formulierung, die die Frauen mit einschließt, bringen, genauso, wie
wir das bei Berufsbezeichnungen verlangen.

WALDER: Das impliziert jetzt einige Veränderungen in der
Sprache, beim Sprechen. Ich darf vielleicht ein Beispiel
geben aus einem Aufsatz von Ihnen. Ein Satz wie: »Jeder
schildert sein Erlebnis der Geburt« ist ein männlicher Satz,

sprachlich ist er männlich. Soll er sich an Frauen *und* Männer richten, bedeutet das, daß ich mich ziemlich kompliziert ausdrücken muß: »Jede Frau oder jeder Mann schildert ihr oder sein Erlebnis der Geburt.« Die Sprache wird damit eigentlich unendlich kompliziert, mal rein sprachlich gesehen.

TRÖMEL-PLÖTZ: Nicht unendlich. Es ist durchaus zu schaffen. Als Sprecherinnen und Sprecher können wir sehr viel. Wir können noch viel kompliziertere Formulierungen und Paraphrasen machen. Also das ist etwas ganz winzig Kleines, das wir ganz einfach können.

WALDER: Ja, wir können es, aber würden Sie sagen, daß die Einfachheit des sprachlichen Ausdrucks der Stimmigkeit dessen, was ausgedrückt werden soll, hintennachstehen soll?

TRÖMEL-PLÖTZ: Ja, ich glaub', daß Ökonomie einfach kein Argument ist, hier in dem Fall. Es geht darum, einfach eine faire Behandlung von Frauen und Männern in der Sprache zu erreichen, damit Frauen sich angesprochen fühlen können. Und so etwas Kleines wie »sie oder er« zu sagen, »ihr oder sein«, die weibliche Bezeichnung explizit zu nennen, das können wir sehr leicht, denn als Sprecherinnen und Sprecher können wir noch viel kompliziertere Dinge.

WALDER: Ist das ein sehr männlicher Standpunkt, wenn ich jetzt sage, daß das für mich fast schon geziert klingt, eine Umschreibung wie: »Jede Frau und jeder Mann schildern ihr oder sein Erlebnis der Geburt?«

TRÖMEL-PLÖTZ: O. k., ich weiß nicht, ob das die beste Paraphrase ist, wir müssen uns ganz sicher bemühen...

WALDER: Das ist klar, das ist ja nur ein Schulbeispiel.

TRÖMEL-PLÖTZ: ...noch sehr schöne Paraphrasen zu finden...

WALDER: Ja.

TRÖMEL-PLÖTZ: ...und vielleicht auch einfache. Aber es geht mir nicht so sehr um die Einfachheit, ich finde das auch nicht geziert. Für mich ist es eher sehr seltsam zu sagen, »Wer hat seinen Lippenstift im Bad gelassen?« oder »Wer hat seine Handtasche hier liegengelassen?« Das klingt für mich jetzt schon sehr seltsam.

WALDER: Das ist ein schönes Beispiel, weil Sie damit ausdrükken, daß Sie schon sehr weit gehen in diesen Fragen: Der Satz ist ja nicht sprachlich, aber von der Situation des Sprechenden her darin eindeutig, daß nur eine Frau gemeint sein kann mit dem Lippenstift im Bad, der vergessen worden ist.

TRÖMEL-PLÖTZ: Ja, aber ich würde Ihnen zustimmen, daß zunächst mal solche Beispiele etwas seltsam und fremdartig klingen, und es geht nicht so sehr um solche Änderungen, die werden dann vielleicht von selbst kommen. Es geht mir sehr um Änderungen von Formulierungen, wo Frauen meist an zweiter Stelle sind, zweitrangig sind, und wir haben diese festen Formulierungen in unserer Sprache wie »Mann und Frau«, »Männer und Frauen«, »er und sie«, die Reihenfolge ist immer gleich, die Frau ist an zweiter Stelle, ist weniger wichtig; und hier würde ich sagen, daß wir das – und das hat jetzt nicht mit Ökonomie, Einfachheit oder sonst was zu tun –, daß wir das zunächst mal umstellen und wirklich sagen: »Frauen und Männer«, »Sprecherinnen und Sprecher«, »sie oder er«, »Bürgerinnen und Bürger«. Was die Politiker übrigens schon tun, die Politiker, da sie Frauen...

WALDER: Die haben's gemerkt.

TRÖMEL-PLÖTZ: Da sie Frauen brauchen, sprechen sie Frauen auch explizit an, es heißt: »Liebe Wählerinnen und Wähler«, »Liebe Sozialdemokratinnen und Sozialdemokraten«. Also, wenn es einem Sprecher, einem männlichen Sprecher, darauf ankommt zu garantieren, daß er richtig verstanden wird, daß er *auch* Frauen anspricht, dann macht er die Formulierung explizit, und Ökonomie ist anscheinend nicht so wichtig wie zu erreichen, daß Frauen sich angesprochen fühlen. Und das sind kleine Änderungen, die wir alle sehr einfach machen können: »Mutter und Vater«; »Schwestern und Brüder«; »Töchter und Söhne«; »Mädchen und Jungen«.

WALDER: Darf ich noch einen Schritt weiter gehen? Wir haben jetzt von der Einfachheit und von der Kompliziertheit gesprochen. Es könnte ja so weit kommen, daß ich etwas nach den geltenden Normen grammatikalisch falsch ausdrücken muß, wenn ich diese neue Sicht einbringen will. Ich kann wieder auf das Beispiel zurückgreifen, das Sie gegeben haben mit dem Lippenstift: daß man sagen würde: »*Wer* hat *ihren* Lippenstift im Bad vergessen?« Oder ein anderes Beispiel: »Der Zuhörer stelle sich vor, er sei in einem Konzert von Segovia.« Da ist also die allgemeine Form gemeint, sind sicher Männer und Frauen angesprochen, aber es ist sprachlich die männliche Form, so daß man präzise ausdrücken müßte: »Der *Zuhörer* stelle sich vor, *sie oder er* sei in einem

Acadia University Library
Wolfville. N.S. Canada

19

Konzert von Segovia.« Sprachlich sind beide Beispiele jetzt falsch, wenn ich die Frauen also explizit miteinbeziehe.

TRÖMEL-PLÖTZ: Als Linguistinnen und Linguisten sind wir da sowieso sehr permissiv...

WALDER: Was heißt das?

TRÖMEL-PLÖTZ: Wir erlauben durchaus, daß die Leute sprechen, wie ihnen der Schnabel gewachsen ist, und wir beschreiben das als Linguistinnen. Wir schreiben nicht vor, wie man zu sprechen hat, und deshalb ist Falschheit und Korrektheit für uns nicht wichtig, denn als Linguisten beschreiben wir nur, wie gesprochen wird, und wir würden dann in so einem Fall einfach einen neuen Gebrauch mitbeschreiben und sagen: »In solchen Situationen, von solchen Sprecherinnen und Sprechern wird jetzt gesagt: ›Wer hat ihren Lippenstift im Bad vergessen?‹« D. h., es wird einfach ein zusätzlicher, neuer Gebrauch beschrieben, und es gibt nicht so etwas wie korrekt oder falsch für die Linguistin, die einfach Sprache beschreibt. Sprache ändert sich ständig, das bleibt nicht stehen, und insofern gibt es auch nicht die korrekte Art und Weise, sich auszudrücken, im Gegenteil, es ist so, daß Sprecher – und Sprecherinnen – sehen Sie, wie schwer das ist?

WALDER: Ja.

TRÖMEL-PLÖTZ: ...sich immer orientieren an Sprecherinnen und Sprechern mit Status, und deshalb, wenn das von bestimmten Leuten im Rundfunk oder an den Universitäten eingeführt wird, ein anderer, neuer Sprachgebrauch eingeführt wird, dann ist es völlig o. k., und nach einiger Zeit wird niemand mehr sagen, es ist inkorrekt.

WALDER: Ich finde, Sie machen sich's etwas einfach mit der Neutralität der Linguisten, denn indem die Linguisten solche Möglichkeiten beschreiben, handeln sie natürlich sehr explizit. Also sie zeigen Möglichkeiten auf, die falsch sind, dadurch wird es möglich, daß so etwas sich überhaupt einbürgern kann, zuerst bei den bewußten Leuten, nachher bei den »Unbewußten«. Ein schönes Beispiel sind alle Sätze mit dem »Mädchen«, nicht? »Das Mädchen hat seine Handtasche vergessen.« Da hab' ich also selber schon Probleme; ich brauche dann das »ihr«, das hat man aber zu meiner Schulzeit uns noch als falsch angekreidet. Oder ich würde wahrscheinlich heute formulieren: »*Das Mädchen* hat *seine* Handtasche vergessen, daraus ist *ihr* aber kein Schaden erwachsen«, also inkonsequent, aber das zeigt ja eigentlich sehr schön, wie der Wandel sich dann langsam einbürgert.

TRÖMEL-PLÖTZ: Wenn ich natürlich als Linguistin einen neuen Gebrauch propagiere, dann ist das für mich politisches Handeln. Also ich habe mir's jetzt auf der einen Seite leicht gemacht, als Linguistin zu sagen, o. k., wir beschreiben ja nur, aber hier, indem ich hier sitze und mit Ihnen spreche, propagiere ich auch einen neuen Gebrauch, und das ist durchaus Politik, wenn Sie wollen. Und – es ist aber so, daß jede politische Bewegung, und genauso eben auch die Frauenbewegung, sich ihren neuen Sprachgebrauch schafft. Dieser Sprachgebrauch ist in Amerika schon sehr ins Bewußtsein übergegangen. Also Änderungen, die dort vorgeschlagen wurden im Zuge der Frauenbewegung, sind in Lehrbücher eingegangen, sind allgemein geworden, werden in den Medien benutzt, in der Werbung benutzt etc.

WALDER: Nun ist es im Englischen vielleicht gerade ein bißchen einfacher – oder sehe ich das falsch? –, weil nicht geschlechtsspezifisch differenziert wird.

TRÖMEL-PLÖTZ: Oh doch! Wir haben zwar nicht die Spezifizierung bei Berufsbezeichnungen, z. B. muß man sagen: »female doctor« oder »woman doctor« (man sagt übrigens nicht »lady doctor«, »Dame« ist ein Euphemismus, der in einem ernsthaften Kontext nicht benutzt wird), aber, was sich herausgestellt hat, was die Amerikanerinnen sehr schnell gemerkt haben, ist, daß, wenn man von »doctor« spricht, dann immer nur mit »er« darauf Bezug genommen wird und bei höheren Stellungen immer nur mit »er« weitergefahren wird, während bei der Sekretärin und bei der Krankenschwester das natürlich »sie« ist. Also das ist sehr ähnlich im Gebrauch wie bei uns, obwohl wir explizit die weiblichen Formen haben. Und dort haben die Amerikanerinnen eben auch geändert, daß »she or he« gesagt wird oder der Plural benutzt wird. Das ist schon eingegangen in den allgemeinen Sprachgebrauch.

WALDER: Sie haben mir gesagt, daß Sie sehr lange in Amerika gelebt haben. Ist die Erforschung der Frauensprache, wenn man es mal so abgekürzt sagen darf, ist diese Forschung von Amerika überhaupt ausgegangen?

TRÖMEL-PLÖTZ: Ja. Das hat in Amerika angefangen mit Vorträgen von einigen Linguistinnen, Soziologinnen und Psychologinnen und ist dann sehr schnell aufgegriffen worden von den

Medien, von der Werbung, wurde dann weiter verdichtet wieder in der Linguistik, in der Soziologie, so daß es jetzt schon sehr interessante Ergebnisse gibt, und die gehen wiederum sehr schnell in das allgemeine Bewußtsein ein. Eine große Änderung, die sich in Amerika vollzogen hat, kam durch Richtlinien, die von den großen Lehrbuchverlagen und von den großen Berufsorganisationen herausgebracht wurden. Richtlinien, wie Sprache fair benutzt werden soll, so daß Frauen gleichgestellt sind. Wo man also solche Dinge wie »der Student«, »der Professor«, »der Arbeiter« – »er« vermeidet, wo man stereotype Vorstellungen in Kinderbüchern, in Lehrbüchern vermeidet, Frauen sichtbar macht, im Bild sowohl wie in der Sprache, und wo man die Degradierung der Frau zu Fräulein, Dame, Mädchen vermeiden soll.

WALDER: Wie steht es hier damit? In Deutschland, in der Schweiz?

TRÖMEL-PLÖTZ: Wir sind sehr weit davon entfernt, glaub' ich, sowohl in Deutschland als auch in der Schweiz, wir sind weit davon entfernt, Antidiskriminierungsgesetze zu haben, wir sind weit davon entfernt, ein Quotensystem zu haben, das Frauen erlaubt, zu 50 Prozent – oder gar nicht mal zu 50, zu 20 oder zu 10 Prozent – irgendwo vertreten zu sein, und bei unseren Verlagen und Autorinnen und Autoren für Lehr- und Kinderbücher gibt es kaum ein Bewußtsein dafür, wie sehr Frauen und Mädchen in Lehrbüchern abgewertet werden oder peripher sind. Ich glaube, wir stehen in Deutschland und in der Schweiz ganz am Anfang dieser Entwicklung.

WALDER: In Europa überhaupt?

TRÖMEL-PLÖTZ: Nein, in Europa überhaupt nicht, denn in Irland und England gibt es Antidiskriminierungsgesetze, dort werden die Ausschreibungen von staatlicher Seite überprüft, so daß sie fair sind, so daß die Frauen nicht ausgeschlossen sind, es geht gegen das Gesetz, Frauen nicht anzusprechen in Stellenausschreibungen. Das kann man nicht generell für Europa sagen, denn Deutschland und die Schweiz sind rückständig im Vergleich zu anderen europäischen Ländern.

WALDER: Wir haben bisher über die Sprache als System gesprochen, wie die Frau in der Sprache dargestellt wird. Eine andere wichtige Frage zielt darauf, wie sich die Frau im Sprechen, in der kommunikativen Situation darstellt, und auch damit beschäftigen Sie sich in Ihrer Forschung, Frau Dr. Trömel-Plötz. Kann man sagen, daß Frauen und Männer verschieden sprechen?

TRÖMEL-PLÖTZ: Das ist ein sehr interessantes Gebiet: Untersuchungen von Konversationen, Alltagsunterhaltungen zwischen Frauen und Männern oder auch Seminardiskussionen an der Universität zwischen Studentinnen und Studenten. Hier wurden sehr interessante Ergebnisse erzielt, die generell zeigen, daß Männer auch in Gesprächen dominieren, und sei es nur ein Gespräch am Frühstückstisch, daß Männer Frauen mehr unterbrechen als umgekehrt, daß Männer eher ihre Themen durchsetzen als Frauen, daß Frauen zwar versuchen, Themen einzuführen, das Wort zu ergreifen, aber sehr oft scheitern in der Durchführung, weil die Männer nur sehr minimal darauf reagieren. Dagegen, wenn Männer Themen einführen, die Frauen diese Themen, die Durchführung unterstützen, interessante Fragen stellen, sie anregen, weiterzusprechen. Das sind eigentlich sehr erschütternde Ergebnisse, die zeigen, daß Frauen sehr viel weniger sprechen als Männer, seltener das Wort ergreifen, weniger ihre Entscheidungen, selbst bei gleichen inhaltlichen Voraussetzungen, durchsetzen können.

WALDER: Das sind Forschungsergebnisse, die erhärtet sind?

TRÖMEL-PLÖTZ: Das sind Forschungsergebnisse, die gut gestützt sind, in verschiedenen Situationen ausprobiert, von dem Dialog an Universitäten zwischen Dozentinnen und Dozenten oder zwischen Studentinnen und Studenten bis zu Unterhaltungen zwischen Paaren, die zusammenleben, die sich gerade kennengelernt haben. Also selbst da, wo man denken würde, daß Höflichkeit eine sehr große Rolle spielt, werden Frauen noch wesentlich häufiger unterbrochen von Männern, als es umgekehrt der Fall ist. Frauen unterbrechen Männer kaum.

WALDER: Da spiegelt sich also die allgemeine gesellschaftliche Situation im Sprachverhalten ganz direkt.

TRÖMEL-PLÖTZ: Ja, man kann sie direkt zeigen, die Parallelität. Männer bestimmen, was wichtig ist, sie führen Themen ein, sie bestimmen, worüber gesprochen wird, sie bestimmen, wie lange gesprochen wird, sie bestimmen den Verlauf der Unterhaltung.

WALDER: Dann gäbe es also ein »weibliches« und ein »männliches« Sprechen. Jetzt kann man sicher nicht nur verallgemeinern, es gibt sicher Männer, die ein »weibliches« Sprechen praktizieren, und es gibt Frauen, die ein »männliches« Sprechen praktizieren. Was heißt das dann für eine Gesprächssituation?

TRÖMEL-PLÖTZ: Ja, es ist ein bißchen komplizierter, man muß also genau noch die Situation anschauen und muß genau die Statusunterschiede, die Rollen ansehen. Es gibt durchaus Situationen, wo Männer ein weibliches Register ziehen für kurze Zeit, während sie z. B. mit einem Polizisten sprechen oder mit dem Zöllner oder so etwas, aber das ist nicht die normale Situation. Ich würde sagen, die normale Situation ist, daß Frauen ein unterstützendes Gesprächsverhalten an den Tag legen, also Männer beim Sprechen unterstützen und sich selbst nicht sehr artikulieren, ihre eigenen Bedürfnisse nicht sehr herausbringen.

WALDER: Also, ich muß gestehen, ich hab' als Mann sehr Mühe mit Ihren Forschungsergebnissen.

TRÖMEL-PLÖTZ: Sie sind schwer zu akzeptieren.

WALDER: Ist das jetzt eine Ausrede oder ein verzweifelter Rechtfertigungsversuch, wenn ich frage, ob das nicht eher von der Situation abhängt, ob ich von einem Thema etwas *verstehe* als Mann in einem Gespräch, in dem z. B. mehr Frauen sind, daß ich dann automatisch mich sprachlich auch anders verhalte?

TRÖMEL-PLÖTZ: Also zunächst haben wir als Frauen andere Erfahrungen, daß ein Gespräch sich sehr schnell ändert und um den Mann kreist und vom Mann dominiert wird, wenn ein Mann in eine Frauengruppe kommt. Das ist auch der Grund, warum Männer in Frauenzentren nicht so gern gesehen sind. Aber interessant ist, daß es auch Forschungen gibt, die gleichgeschlechtliches Sprachverhalten sich anschauen, daß da gezeigt wird, daß Frauen sehr wohl unterbrechen können, daß Frauen sehr wohl genauso viele Redebeiträge und in gleicher Länge liefern können wie Männer, sich also anders verhalten können, es aber in gemischtgeschlechtlichen Situationen nicht fertigbringen. Das ist das eine. Und zweitens, daß Männer sich auch in gleichgeschlechtlichen Gruppen anders verhalten als in gemischtgeschlechtlichen Gruppen, also Männer z. B. sich auch unterbrechen, aber die Unterbrechungen sind geballt, d. h., da kann man sagen, die Unterbrechungen hängen mit Persönlichkeitsaspekten zusammen oder hängen mit einem bestimmten Thema zusammen; sie kommen irgendwann geballt vor; daß es aber in Gesprächssituationen zwischen Frauen und Männern so ist, daß die Unterbrechungen systematisch sind, d. h., sie kommen einfach in bestimmten Abständen vor, sie kommen immer vor, und in Situationen, wo man selbst den Status noch miteinbezieht, stellt sich heraus, daß die Frau des höchsten Status, also das ist die Universitätssituation, dreimal so viel unterbrochen wird wie ein Mann des niedrigsten Status, also eine Hierarchie entsteht, wo erst die Männer vom höchsten bis zum niedrigsten Status kommen und dann die Frauen vom höchsten bis zum niedrigsten Status.

WALDER: Nehmen wir folgendes an: Sie sind eine Frau in einer Männergruppe, haben von allen Gesprächsteilnehmern am meisten zu sagen. Sie müssen das also anders sagen, als wenn sie ein Mann wären, um akzeptiert zu werden, um damit durchzukommen in der Männergruppe. Wie müssen Frauen dann sprechen? Wenn sie sprechen wie Männer, dann werden sie sofort nicht mehr akzeptiert, das geht jedem Mann furchtbar auf den Wecker...

TRÖMEL-PLÖTZ: Das ist ein großes Dilemma.

WALDER: ...sprechen Sie aber wie eine »schwache« Frau, werden Sie auch nicht akzeptiert. Wie müssen Sie sprechen?

TRÖMEL-PLÖTZ: Das ist ein großes Dilemma. Das ist fast eine »double-bind«-Situation, daß wir es, wie immer wir es machen, falsch machen, aber es bleibt uns gar kein anderer Weg, als uns zu sensibilisieren für Sprachverhalten und vor allem Kommunikationsverhalten, was uns passiert in einer Unterhaltung mit einem Mann, wie sehr wir ständig unterbrochen werden, was mit unseren Themen passiert, so daß wir das merken, und daß wir das dann auch ansprechen können und versuchen, es zu ändern, für unsere Gespräche zu ändern, uns nicht mehr unterbrechen zu lassen, zu versuchen, durchzukommen mit einem Thema. In bestimmten Situationen versuchen, so zu reden wie Männer, wo das günstig ist. In anderen Situationen, mit Frauen zusammen, andere Dinge auszuprobieren. Also bleibt uns nichts übrig, als uns mehr zu behaupten im Gespräch und im Reden, und nicht: uns zurückzuziehen, zu vermeiden zu sprechen, so zu sprechen, wie es von uns erwartet wird. Zunächst wird es sehr schwer sein für Männer, dieses veränderte aktuelle Sprachverhalten wahrzunehmen, und die stereotypen Vorstellungen davon, wie eine Frau sprechen soll, werden stärker sein, d. h., vieles wird überhaupt nicht wahrgenommen, wie z. B. nicht wahrgenommen wird, daß wir »Frau« genannt werden wollen und nicht »Fräulein«, aber langsam wird es sich durchsetzen. Das ist unsere einzige Wahl und unser einziger Weg.

WALDER: Das sind jetzt Probleme, die nicht nur sie als Frauen, als sprachlich benachteiligte Gruppe haben, andere benachteiligte Gruppen haben sie ebenso. Würden Sie da Parallelen ziehen?

TRÖMEL-PLÖTZ: Interessant sind Parallelen zwischen der Behandlung von Frauen in der Sprache und beispielsweise der Behandlung von Schwarzen in der Sprache oder z. B. Jüdinnen und Juden in der Sprache. Bei den Schwarzen ist es klar, schwarze Männer wurden sehr lange »boys« genannt, es gab sehr abwertende Schimpfwörter wie »Nigger« und so etwas alles, plus, wenn Schwarze Leistung erbrachten, dann wurde das besonders spezifiziert und herausgestellt. Also man sagte: »die schwarze Dichterin«, »der schwarze Geschichtswissenschaftler«, sowieso »die schwarzen Politiker«. Das ist also sehr ähnlich beschaffen wie bei Frauen, die auch zunächst definiert werden als nicht erwachsen: der schwarze »boy« und das weiße »Mädchen«, sie bleibt also ewig ein Mädchen, auch wenn sie 30 und 40 und verheiratet ist und Kinder hat und Professorin ist und auf einer Berufungsliste steht, dann ist sie auch noch ein »Mädchen« – für meine Kollegen zum Beispiel. Da gibt's also durchaus interessante Parallelen. Was die Schwarzen getan haben in Amerika, sie haben diese Sprache geändert, sie haben sich nicht mehr definieren lassen durch die Weißen. Sie haben gesagt: »Black is beautiful«, und wir als Frauen müssen so etwas Ähnliches machen, uns nicht mehr definieren lassen, uns selber definieren. Und wir versuchen das jetzt.

WALDER: Frauensprache – ich glaube, das Gespräch mit der Konstanzer Linguistin Dr. Trömel-Plötz hat gezeigt, daß Sprache nicht so naiv angesehen werden kann, wie wir sie selbstverständlich gebrauchen. Mit Sprache sind ausgesprochen oder unausgesprochen Verhaltensweisen, ist Handeln verbunden. Dazu wollten wir in den heutigen *Reflexen* ein paar Anstöße geben.

2 Die beste Frau ist die, die nicht spricht*

Reden wir anders als Männer? Reden wir anders mit Frauen als mit Männern? Wie reden Männer mit uns? Wie wird über uns geredet? Was sagt MANN darüber, wie wir reden?

Anscheinend reden Frauen anders als Männer, denn nur über sie wird gesagt, daß sie wie Hühner gackern oder wie Gänse schnattern, daß sie klatschen, quasseln, ratschen und schwätzen. Das sind allesamt Ausdrücke dafür, daß sie viel reden und dabei wenig sagen. Ganz im Gegensatz zu Männern. Männer reden weder zu viel noch triviales Zeug; ihre Aussagen sind zuverlässig und haben Gewicht: ein Mann – ein Wort (eine Frau – ein Wörterbuch). Auf das Manneswort ist Verlaß. Es kommt vom Ehrenmann.

Frauen wurde seit eh und je (erste Instruktionen, die uns vorliegen, gehen auf das 14. Jahrhundert zurück) von Männern geboten, nicht zu viel zu reden. Wenn Frauen das männliche Gebot durchbrechen, wird ihr Reden abgewertet als Geschnatter, Geschwätz und Klatsch. Ihr Reden miteinander stellt anscheinend eine Gefahr für den Mann dar. Wie wäre sonst zu erklären, daß Frauen seit dem Mittelalter angewiesen wurden, weder die Geheimnisse noch die Sünden und Fehler ihres Mannes preiszugeben. Das Reden von Frauen untereinander löst Angst beim Mann aus – auch heute noch. Frauen, die ins Frauenzentrum gehen, wissen das: Sie müssen sich irgendwann mit der Reaktion ihrer Männer darauf auseinandersetzen. Dieser Reaktion liegt oft Angst zugrunde. In antifeministischer Literatur und in frauenfeindlichen Witzen findet sich immer wieder das Bild von den klatschenden Weibern. Dies ist die Art und Weise der Männer, mit ihrer Angst vor Gefahr umzugehen, indem sie Frauen, die miteinander reden, lächerlich machen. Jeder Witz enthält das implizite Verbot der Männer: Frauen dürfen nicht miteinander reden, insbesondere dürfen sie nicht

---

* Eine gekürzte und geänderte Fassung erschien im Juni 1979 in *EMMA* unter dem Titel: »Mädchen, die pfeifen, und Hühnern, die krähen, soll man beizeiten die Hälse umdrehen«.

über ihre Männer reden. Wie viele von uns haben dieses Verbot schon internalisiert und betrachten es als unsere eigene Anstandsregel!

Es gibt noch mehr Regeln: Frauen dürfen auch nicht den Mund auftun, wenn Männer zugegen sind. So heißt es schon in der Bibel: »Das Weib soll schweigen in der Gemeinde.« Später kam dazu: »Die Frau schweige in der Kirche.« Und zudem dürfen Frauen nicht ins Gerede kommen, denn seit der Antike gilt: »Die beste Frau ist die, von der man am wenigsten spricht.« Gebote und Verbote überall und von alters her, was unser Sprechen betrifft.

Die Vorstellungen, die hinter diesen geflügelten Worten stehen, sind tief in unserem Bewußtsein verankert und spielen noch heute eine Rolle, die wir durchschauen müssen. Sie hindern uns jedes Mal, wenn wir den Mund aufmachen und etwas Vernünftiges sagen. Bei unseren Gesprächspartnern und leider auch Gesprächspartnerinnen herrscht die Erwartung, daß aus Frauenmund nur irrelevantes Geschwätz kommt; was wir sagen, wird deshalb unterbrochen, falsch verstanden, überhört, abgetan, nicht ernst genommen, negativ bewertet. Wenn Frauen und Männer das gleiche tun und sagen, ist es noch lange nicht das gleiche. Das haben wir alle schon beobachtet: im Berufsleben, wo Männer ehrgeizig und Frauen aggressiv sind, wenn sie das gleiche tun und sagen (der ehrgeizige Mann kommt natürlich beruflich weiter als die aggressive Frau), beim Autofahren, wo Männer vorsichtig und Frauen furchtsam sind, wenn sie sich gleich verhalten (der vorsichtige Mann ist natürlich ein besserer Fahrer als die furchtsame Frau), bei Beschwerden, wo Männer wütend sind und Frauen vulgär, wenn sie sich gleich ausdrücken (der wütende Mann hat natürlich mehr Erfolg als die vulgäre Frau). Wir müssen uns vergegenwärtigen, daß das noch viel genereller gilt: Was wir sagen, wird anders bewertet, und diesen Bewertungen folgen andere Reaktionen unserer Gesprächspartnerinnen und Gesprächspartner, als wenn ein Mann das gleiche sagt. Es ist eine bittere Erfahrung, das zu durchschauen und immer wieder am eigenen Leib festzustellen. Schwedische Frauen in der Politik sind darauf aufmerksam geworden: Sie beklagten sich, daß, wenn sie einen Vorschlag machen oder Antrag stellen, dieser oft unter den Tisch fällt, dagegen wenn ein Mann, nachdem zuerst noch zwei Stunden lang diskutiert wurde, den gleichen Vorschlag oder Antrag einbringt, dieser angenommen wird. Man wirft den

Frauen hier schlechtes Timing vor. Als Leistung formuliert heißt das: Sie sind zu früh zu gut. In anderen Zusammenhängen kann dieser Einwand jedoch nicht gelten: Frauen wurde und wird häufig die Autorität abgesprochen, wenn sie reden, z. B. sind Frauen in den USA nicht als Nachrichtensprecherinnen akzeptiert, dieselben Nachrichten werden anscheinend unglaubwürdig, wenn sie von einer Frau angesagt werden. Ebenso verlieren identische wissenschaftliche Texte an Qualität, wenn sie mit einem Frauennamen anstatt dem Namen eines Mannes versehen sind. Die Autorinnen des 19. Jahrhunderts wußten, daß ihre Bücher unter ihren wirklichen Namen von männlichen Kritikern anders bewertet worden wären, und wählten deshalb männliche Pseudonyme: George Sand, George Eliot, Currer, Ellis und Acton Bell (für Charlotte, Emily und Anne Brontë).

Da wir unauffällig sein, nicht ins Gerede kommen und nicht in der Öffentlichkeit reden sollen, nimmt es nicht wunder, daß, wenn wir reden, die Bewertung und Beurteilung anders, d. h. negativer ist, als wenn ein Mann redet. Es gelten einfach andere Erwartungen, wenn Frauen reden oder schreiben, und wir müssen uns mit diesen Erwartungen auseinandersetzen.

Es wird erwartet, daß wir nichts Wichtiges, Relevantes, Vernünftiges zu sagen haben oder jedenfalls, daß das, was wir sagen, nicht so klug, durchdacht, rational, diszipliniert und logisch ist wie das, was ein Mann sagt. Auch bei Frauen in gehobenen Positionen hat das, was sie sagen, trotz ihrer Position nicht das gleiche Gewicht, wie wenn es von Männern kommt. Diese negative Erwartung, dieses Vorurteil wird uns zum Verhängnis, denn es hat einen Einfluß darauf, wie wir reden. Wir reden mit weniger Sicherheit, Selbstverständlichkeit, Selbstbehauptung und Autorität. Wir schränken ein, was wir sagen, wir drücken uns vorsichtig, unbestimmt, tentativ aus, wir entschuldigen uns und werten uns selber ab, wir laden zur Kritik ein und suchen ständig die Zustimmung unserer Gesprächspartner. Wir sagen nicht direkt und kraftvoll, was wir wollen. Wir behaupten uns nicht. Und wir bestätigen so das Vorurteil, daß wir uns nicht behaupten können und daß wir nichts zu sagen haben. Wir haben dann auch nicht das Sagen.

Außerdem wird erwartet, daß wir das, was wir sagen, wenn überhaupt, liebenswürdig, höflich, verbindlich, charmant, gefällig formulieren. Männer dürfen ruhig starke Ausdrücke benutzen, fluchen, schimpfen, schlechte Witze erzählen, verbal aufschneiden. Von Frauen erwartet man Zurückhaltung in der Wortwahl, um Gottes willen keine Obszönitäten, Derbheiten, Zweideutigkeiten, Flüche oder gar Männerwitze. Frauen dürfen nicht durch ihre Sprache schockieren, sie müssen starken Ausdruck abschwächen durch harmlosere und anständige Formen, sie müssen auch hier bescheiden sein. Denn: Mädchen, die pfeifen, und Hühnern, die krähen, denen soll man beizeiten die Hälse umdrehen. Es steht uns nicht zu zu pfeifen, und es steht uns nicht zu, wie Männer zu reden. Und so sind wir in der Zwickmühle gefangen: Um ernst genommen und gehört zu werden, muß eine Frau so reden wie ein Mann. Tut sie das, ist sie nicht mehr feminin, sondern männlich und wird als Frau entwertet. Eine kluge, ernste Frau ist gleich ein Blaustrumpf, eine Emanze und wird weder vom Mann akzeptiert, noch – und das ist viel schlimmer und das Schicksal vieler Feministinnen – wollen sich Frauen mit ihr identifizieren. Redet sie aber wie eine Frau, d. h., liefert sie höfliche, beschwichtigende, abgeschwächte, unsubstantielle, harmlose Beiträge im Gespräch, ist feminin, d. h. liebenswürdig, charmant, unsicher und hilflos, dann wird sie nicht ernst genommen und braucht nicht gehört zu werden. Vielleicht reden deshalb Frauen im öffentlichen Leben, in der Politik, bei Konferenzen, Diskussionen, öffentlichen Veranstaltungen, in Gremien so wenig und schweigen so viel. Denn Frauen reden nachweislich weniger als Männer. Die stereotype Vorstellung, nach der Frauen mehr reden als Männer, ist wissenschaftlich gänzlich unbegründet und gilt nicht einmal im privaten Bereich, wo Frauen ja sogar reden dürfen. Die neuesten linguistischen und soziologischen Untersuchungen zeigen, daß auch in Trivialunterhaltungen zwischen Frau und Mann, im Café oder am Frühstückstisch, Männer das Gespräch dominieren, indem sie Themen einführen und steuern, ihr Gesprächsthema durchsetzen, sich nicht unterbrechen lassen, dagegen selber unterbrechen und vor allem die von Frauen eingeführten Themen nicht unterstützen. Ganz anders verhalten sich Frauen in der gleichen Situation: Sie stellen Fragen zu den Themen der Männer, zeigen Interesse, regen die Männer an, weiterzusprechen, reagieren auf das, was die Männer sagen, unterstützen also die Entwicklung des Gesprächs.

Frauen leisten wie im Haus auch in den Gesprächen mit Männern die Dreckarbeit, und Männer geben an und kontrollieren, was geschieht. Der Mann ist des Weibes Haupt (Bibel) am Frühstückstisch wie am Arbeitsplatz wie in der Politik. Hier ist auch interessant, daß Frauen, wenn keine Männer dabei sind, durchaus kompetente Sprecherinnen sind: Sie bringen Themen ein, steuern das Gespräch, unterbrechen, schweigen weniger, verhalten sich also in diesen Aspekten ähnlich, wie Männer sich verhalten. Frauen reden also anscheinend wirklich anders mit Frauen als mit Männern.

Wie reden nun Männer über uns, wie reden sie uns an, wie kommen wir vor in der Sprache, wie werden wir sprachlich behandelt?

Ehret die Frauen! Sie flechten und weben himmlische Rosen ins irdische Leben, sagte Schiller. Die Funktion der Frau ist es, den Männern das Leben zu verschönern; daran hat sich nichts geändert, heute geschieht es in Form von Playboy Bunnies, Cover Girls, Pin-ups, Luxusweibchen, Puppe, Nutte oder Damen – je nach Gesellschaftsschicht. Auch heute noch dienen Frauen zum Amüsement der Männer und werden deshalb zu passenden Anlässen mitgebracht. So lädt der Rektor der Rheinischen Friedrich-Wilhelms-Universität Bonn »die Hochschullehrer mit ihren verehrten Damen zu einem Professorium in Form eines Winterfestes mit Tanz für Freitag, den 26. Januar 1979, ab 20 Uhr in die Aula der Universität ein«. Das Motto ist wie eh und je Wein, Weib und Gesang. Die verehrten Damen sollen sich mitnehmen lassen wie Hut und Schirm. Jedem das Seine und jeder von ihnen den ihren. Aber woran ich Anstoß nehme ist, daß die Hochschullehrerinnen überhaupt nicht eingeladen wurden. Sie müssen sich angesprochen fühlen, auch wenn sie explizit ausgeschlossen sind, denn *Hochschullehrer mit Damen* bezieht sich eindeutig nur auf Männer. Hier sagt man zur Entschuldigung, daß es sich nicht um bewußte Diskriminierung, sondern nur um eine Unachtsamkeit handle. Vielleicht, aber solche Unachtsamkeit wäre undenkbar bei Männern; man kann sie sich nur bei Frauen leisten. Der Test ist immer: Könnte das einem Mann passieren? Z. B. der Rektor lädt aus Versehen nur die Hochschullehrerinnen zum Professorium. Solche Unachtsamkeiten kommen bei Männern nicht vor.

Wir werden immer wieder ausgeschlossen in Stellenanzeigen, wo nur von Bewerbern die Rede ist, in Steuerformularen, wo nur vom steuerpflichtigen Ehemann geredet wird, in Briefen, wo nur die sehr geehrten Herren oder lieben Kollegen angesprochen werden. Wir sind nicht gemeint, wenn es um den

Ehrenmann, Landesvater, die Söhne des Landes, selbst um den Mann auf der Straße geht. Mit Hilfe einer linguistischen Textanalyse kann sogar gezeigt werden, daß häufig auch nur Männer gemeint sind, wenn man von dem Leser, dem Studenten, dem Antragsteller, dem Dozenten, dem Arzt spricht. Und psychologische Experimente ergeben, daß sogar, wo von Frauen *und* Männern die Rede ist, also wo wir explizit eingeschlossen sind, trotzdem bei Formulierungen wie *der Durchschnittsstudent, der Wissenschaftler, der Kunde, der Rechtsanwalt, der Schriftsteller, der Künstler* nur Männer assoziiert werden. Selbst *Mensch* bedeutet in vielen Kontexten ausschließlich Mann, und wir merken es kaum, daß uns der Status des Menschseins abgesprochen wird. Schon bei Schiller werden ja alle Menschen Brüder, und heute, wo es immerhin schon einige Frauen in der Politik gibt, lesen wir die Schlagzeile: »Politiker sein – das verlangt den ganzen Mann.«

Aber es reicht nicht, daß wir in der Sprache ausgeschlossen und unsichtbar gemacht werden. Wo es sich nicht vermeiden läßt, etwas über uns zu sagen, werden wir trivialisiert als Mädchen oder Fräulein oder aber euphemistisch Damen genannt. Weder als Mädchen, Fräulein noch als Dame werden wir ernst genommen. Deshalb bestehen bewußte Frauen heute darauf, sich gegenseitig Frauen zu nennen und sich nicht mehr Mädchen, Fräulein oder Damen nennen zu lassen. Ich habe ein anderes Gefühl, wenn man von mir als Frau spricht, als wenn man von mir als Dame spricht. Von einer Frau kann man andere Dinge sagen als von einer Dame. Eine Frau kann eine Hausfrau oder Wissenschaftlerin, eine Marktfrau oder eine Parlamentarierin sein. Eine Dame kann nichts davon sein, über sie kann man überhaupt nichts Wesentliches sagen, sie hat keinen Beruf und ist höchstens Anhängsel von irgendeinem Mann, der ein so beschaffenes Anhängsel aus psychologischen oder beruflichen Gründen braucht. Heutzutage eine Dame genannt zu werden, bedeutet eine Trivialisierung und Abwertung aller eigenständigen produktiven und schöpferischen Eigenschaften einer Frau.

Wir werden auch abgewertet als alte Jungfern, Frauenzimmer, Hexen, leichte Mädchen, Freudenmädchen, Emanzen, Kaffeetanten, dumme Gänse und Blondinen. Wir werden abgewertet und mißachtet, wenn MAN uns über unsere Körperteile wie den Busen oder die langen Beine, wenn nicht Geschlechtsteile definiert. Wie anders werden da Männer behandelt, sie sind stark, frei, weise, klug, ehrlich, verläßlich, streitbar, ergreifen den Augenblick, müssen hinaus ins feindliche Leben, schaffen sich selber ihr Schicksal. Das nimmt uns nicht wunder: Männer machen die Geschichte. Über uns sehen geflügelte Worte dagegen so aus: Dienen lerne bei Zeiten das Weib, ein gebrechlich Wesen ist das Weib, es ist keine List über Weiberlist, Schwachheit, dein Nam' ist Weib usw. Diese Vorstellungen sitzen tief in uns, in Frauen wie in Männern. Sie beeinflussen unsere Verhaltensweisen. Da Frauen in allen Berufsbereichen in den gehobenen Positionen die Ausnahme sind, tut man sich schwer, sie korrekt anzusprechen, ihre Zuständigkeit zu akzeptieren, ihnen zuzuhören und einfach angemessen mit ihnen umzugehen. Ihre Titel fallen rasch unter den Tisch, ihre Namen werden entstellt, ihre Leistung wird minimalisiert. Auch Frauen haben Mühe, die Leistung anderer Frauen anzuerkennen – es darf anscheinend nicht sein, daß eine andere Frau einen Doktortitel hat oder gar Professorin ist. So fragen Patientinnen im Krankenhaus eine Ärztin, wann denn endlich der Doktor käme, so werden Professorinnen bis ins hohe Alter von Reisebüro- oder Hotelangestellten, wenn sie für sich selber Buchungen machen, für Sekretärinnen gehalten, die für ihre Chefs buchen (die Flugkarte ist dann für Herrn Professor Hampe ausgestellt), und so vergessen Sprechstundenhilfen und Empfangsdamen, denen der Titel des eigenen Chefs flüssig über die Lippen kommt, von einer Sekunde zur nächsten den Titel einer Frau. In unseren sprachlichen Verhaltensweisen zeigt sich, wie weit der Weg noch ist, bis wir Frauen und Männer gleich behandeln können.

Wir können und müssen einen Anfang machen, indem wir hellhörig werden, indem wir den Männern aufs Maul schauen, wie sie mit uns und über uns reden und vor allem, wie sie ohne uns reden, indem wir uns selbst aufs Maul schauen, wenn wir uns selbst oder andere Frauen abwerten, wenn wir uns der Verantwortlichkeit entziehen durch irrelevantes Geschwätz, wenn wir unsere Bedürfnisse nicht artikulieren, wenn wir unsere Ansprüche mäßigen und Konflikte vermeiden. Wir müssen uns für unsere Sprache sensibilisieren, damit wir bewußter reden, damit wir uns behaupten. Wenn wir anders reden, reden auch Männer anders mit uns. Wenn wir weiterhin so irrelevant, unsicher, dumm, hilflos, geschwätzig, autoritätslos plappern, werden wir weiterhin als dumm, unsicher, hilflos, geschwätzig beurteilt. Wir definieren uns durch die Sprache, die wir sprechen, als Frauen, die sich ignorieren, abwerten oder unterdrücken lassen, oder als bewußte Frauen mit einem neuen Selbstbild. Wir wissen, daß wir uns durch die Sprache, die wir sprechen, mehr definieren als durch alles andere. Wir stellen uns zwar auch durch unsere Kleidung, unser Aussehen, unsere Wohnung, unseren Lebensstil, unsere Freundinnen und unsere Partner dar, aber am meisten durch unsere Sprache. Wie wir reden und was wir sagen, läßt alle anderen Indikatoren für das, was wir sind und wie wir gesehen werden wollen, in den Hintergrund treten. Deshalb legen Frauen so großen Wert auf sprachliche Änderungen, die Männern oft unplausibel, kleinlich und haarspalterisch erscheinen. Deshalb benutzen Frauen heute bewußt Vulgärausdrücke anstatt der euphemistischen, verniedlichenden Sprache, die aus Frauenmund erwartet wird. Nicht nur das Bewußtmachen von Diskriminierung läuft über die Sprache, sondern auch die Auflösung der Vorurteile. Das neue Bewußtsein drückt sich durch neue Sprache aus. Frauensprache heißt, Frauen reden mit Autorität, Energie und Stärke, Frauen reden miteinander in Zuwendung, Zuneigung und Offenheit, Frauen erheben die Stimme, Frauen unterstützen Frauenstimmen, Frauen hören Frauen, Frauen werden gehört. Frauensprache heißt Veränderung.

3 Linguistik und Frauensprache*

*»It takes all the running you can do to keep in the same place. If
you want to get somewhere else, you must run at least twice as fast
as that!«*
*(Hierzulande mußt du so schnell rennen, wie du kannst, wenn du
am gleichen Fleck bleiben willst. Und um woandershin zu kommen, mußt du noch mindestens doppelt so schnell laufen!)*

LEWIS CARROLL

I Motivation

Ähnlich wie sich in den 60er Jahren an den amerikanischen
Universitäten »Black Studies« als Studienfach etablierte, insti-
tutionalisiert sich heute in zunehmendem Maße »Women's
Studies« als akademische Disziplin.[1] Nach der Unterdrückung
der Schwarzen wird jetzt die Unterdrückung der Frau thematisiert und bearbeitet. Da es in Deutschland erst darum geht –
und ich möchte mit diesem Übersichtsartikel dazu beitragen –,
das Interesse zu wecken und eine Sensibilisierung zu initiieren,
kann ich die Motivation für die Untersuchung der Frauensprache nur am Hintergrund der amerikanischen Situation und der
amerikanischen Linguistik festmachen.
»Women's Studies« ist ein interdisziplinäres Gebiet – an manchen amerikanischen Universitäten kann man es schon als
Hauptfach mit Abschlußgrad studieren –, zu dem verschiedene
Disziplinen beitragen: Soziologie, Psychologie, Politikwissen-
schaft, Pädagogik, Medizin, Jura, Geschichte, Literaturwissen-
schaft, Anthropologie, Linguistik. Das große Interesse an
diesem Gebiet zeigt sich an den hohen Studentinnenzahlen und
an dem explosiven Anwachsen der Literatur über Frauen.
Allein in der Linguistik existieren schon mehrere Bibliogra-

* Artikel veröffentlicht in der Fachzeitschrift *Linguistische Berichte* 57 (1978),
S. 49–69.

phien mit einigen hundert Titeln zur Frauensprache.[2] Solches Engagement und Interesse wäre ohne die neue Frauenbewegung (»Women's Liberation Movement«) nicht denkbar. Ihrer Öffentlichkeitsarbeit verdankt Amerika eine durchgehende Sensibilisierung für die Situation der Frau in allen Lebensbereichen. Nicht zuletzt hat sie durch Offenkundigmachen und Aufzeigen der Benachteiligung der Frau in der Familie und vor dem Gesetz, in der Ausbildung und auf der Arbeitssuche, am Arbeitsplatz und in den verschiedensten beruflichen Laufbahnen schon handfeste Änderungen erzielt, am einschlägigsten das »Equal Rights Amendment«, eine Gesetzesvorlage, die Frauen gleiche Rechte garantiert und schon in vielen Staaten der USA ratifiziert ist. Ohne diese politische Bewußtmachung als Hintergrund wäre auch heute in der Linguistik eine Untersuchung der Frauensprache noch nicht akzeptiert, obwohl Linguistinnen und Linguisten sich schon immer mit den verschiedensten sprachlichen Varianten beschäftigten, vom geographischen Dialekt bis zum Soziolekt kleiner Gruppen, von Pidginsprachen bis zur Kindersprache. Diese sogenannten Varietäten waren bis vor kurzem hauptsächlich regional und/oder historisch definiert, heute sind sie aufgrund der Fragestellung der Soziolinguistik, die sich besonders mit der Sprache und der damit verbundenen Benachteiligung von Minderheiten und Unterprivilegierten befaßt, häufig durch soziale Zugehörigkeit zu bestimmten Gruppen definiert, z. B. gibt es Untersuchungen über die Sprache von Unterschichtkindern in England, von Schwarzen in Detroit, von New Yorker Gangs schwarzer Jugendlicher, von italienischen Arbeiterinnen und Arbeitern in Deutschland etc. Seit Frauen sich politisch als Gruppe verstanden und damit in den Blickpunkt der Öffentlichkeit gerieten, seit sie auf ihre Benachteiligung aufmerksam machen, begann auch in der Linguistik ein Interesse, ihrer Benachteiligung in der Sprache und durch die männlichen Sprecher nachzuspüren. Es ist nur plausibel, daß eine weitreichende gesellschaftliche Diskriminierung sich auch sprachlich niederschlägt, und zwar nicht nur als Widerspiegelung, so daß bestimmte gesellschaftliche Fakten ein unmittelbares sprachliches Analogon haben (z. B. da es kaum Frauen in gewissen wissenschaftlichen, administrativen oder politischen Positionen gibt, fehlen in der Sprache die entsprechenden Berufsbezeichnungen, Titel und Ränge für Frauen), sondern viel interessanter, weil diskriminierende Akte häufig einfach sprachliche Akte sind oder weil

Diskriminierung in einer bestimmten Situation eben auch verbal zum Ausdruck kommt. Die Diskriminierung besteht gerade sehr oft darin, wie eine Frau angeredet oder nicht angeredet wird, wie ihr Redebeitrag abgetan, nicht gehört, mißverstanden, falsch paraphrasiert, unterbrochen und ignoriert wird, wie sie lächerlich gemacht, bevormundet oder entwertet wird, und nicht zuletzt darin, wie man über sie redet. Linguistinnen, Psychologinnen, Soziologinnen und Anthropologinnen, die sich heute mit Frauensprache beschäftigen, haben deshalb ein anderes Anliegen und andere Fragestellungen als die wenigen Linguisten und Anthropologen, die früher mehr oder weniger zufällig auf einige exotische Aspekte der Frauensprache in einigen exotischen Sprachen stießen[3] oder die wie JESPERSEN viele gute Beobachtungen über geschlechtsspezifische Unterschiede in der einen oder anderen Sprache machten.[4] Das heutige Interesse an der Frauensprache basiert auf der Erfahrung der Ungleichheit: Überall wird die Frau anders und d. h. in diesem Fall schlechter behandelt als der Mann. Linguistische Fragen, die heute gestellt werden, lauten daher: Wie werden Frauen von der Sprache behandelt, z. B. welche Möglichkeiten, zu sprechen und dabei Frauen ein- oder auszuschließen, sind im sprachlichen System vorgegeben, wie werden Frauen von den Sprechern behandelt, d. h., wie lassen sie mit sich und über sich reden; wie dürfen und können sich Frauen artikulieren, d. h., wie folgen sie den sprachlichen und kommunikativen Erwartungen, die man an sie stellt, und wie können sie sich dagegen wehren.

Im folgenden wende ich mich zunächst der Ungleichheit im sprachlichen System des Deutschen zu und dann der geschlechtsspezifischen Unterschiedlichkeit im Sprechen von Frauen und Männern. Bei beiden Aspekten interessiert mich die Veränderungsmöglichkeit, die Möglichkeit, das Sprachsystem zu ändern, und die, unsere verbalen Gewohnheiten zu ändern – und schließlich das erstere durch die letzteren.

II Frauen und das Sprachsystem

(1) *Der Zuhörer dieser Sendereihe kennt ihren Villa-Lobos, liebt ihren Segovia und spielt selbst klassische Gitarre.

(2) *Jeder Passagier möge ihren Platz identifizieren.

(3) *Wir brauchen jemanden, die ihren Mann steht.

(4) *Man erlebt ihre Schwangerschaft und Geburt jedes Mal anders.

(5) *Jemand spricht heute abend über ihre Entbindung bei Leboyer.

(6) *Jeder kann ihren Beitrag für das ganze Seminar vervielfältigen.

(7) *Wer hat ihren Lippenstift im Bad gelassen?

Die Sätze (1)–(7) sind ungrammatisch, (5) wird von einigen Sprecherinnen und Sprechern gerade noch akzeptiert. (Zur Notation: Asterisk vor einem Satz deutet an, daß er ungrammatikalisch ist; in Verbindung mit einem Fragezeichen heißt es, daß der Satz von einigen Sprecherinnen oder Sprechern akzeptiert wird, von anderen nicht.) Der generische Gebrauch des Nomens, z. B. der Zuhörer (als Typ schlechthin), der Mensch (als Art überhaupt), der Arzt (im allgemeinen) etc., sowie die indefiniten Personalpronomina wie *jeder, jemand, man, wer* sind – so sagt man – geschlechtsindefinit, d. h., sie unterscheiden nicht, ob auf Männer oder Frauen Bezug genommen wird, und werden besonders verwendet, wo das Geschlecht der Referenten nebensächlich ist oder wo es sich um gemischte Gruppen handelt. Sie verlangen als Possessivpronomen *sein,* dem daher konsequenterweise auch eine geschlechtsindefinite Bedeutung zugeschrieben werden muß. Es fällt allerdings sofort auf, daß der geschlechtsindefinite Gebrauch in der Form mit dem Maskulinum identisch ist, obwohl auch feminine Formen zur Verfügung stehen: *die Zuhörerin, jede, ihr* versus *der Zuhörer, jeder, sein.* Demzufolge haben z. B.

(8) Der Zuhörer dieser Sendereihe kennt seinen Villa-Lobos, liebt seinen Segovia und spielt selbst klassische Gitarre.

(9) Jeder Passagier möge seinen Platz identifizieren.

(10) Jeder kann seinen Beitrag für das ganze Seminar vervielfältigen.

zwei Lesarten und können auch so verstanden werden, daß es sich ausschließlich um männliche Zuhörer, Passagiere und Seminarteilnehmer handelt. In der Tat stellt man sich eben unter dem Zuhörer, dem Passagier, dem Leser, dem Studenten, dem Wissenschaftler, dem Schriftsteller, ja selbst unter dem Menschen – wie JESPERSEN schon feststellt[5] – üblicherweise keine Frau vor, vom Mann auf der Straße[6] und vom Ehrenmann ganz zu schweigen.

Eine gravierendere Eigenschaft der Sätze (1)–(7) ist, daß sie auch ungrammatisch bleiben, wenn das Geschlecht der Referenten bekannterweise weiblich ist. Der generische Gebrauch des Nomens, *der Zuhörer,* der nicht unterscheiden soll, ob auf Männer oder Frauen Bezug genommen wird, kann nur verwendet werden, wenn die Referenten sowohl männlich als auch weiblich sind, oder wenn sie rein männlich sind. Sind sie bekannterweise alle weiblich, muß die Sprecherin bzw. der Sprecher (1) umformulieren zu

(11) Die Zuhörerin dieser Sendereihe kennt ihren Villa-Lobos, etc.

Auch *die Zuhörerin* kann generisch gebraucht werden. Ein weiteres Beispiel möge diesen Punkt unterstützen:

(12) Wir stellen noch zehn Stewards ein. Wir stellen uns den Bewerber so vor...

(13) Wir stellen noch zehn Stewards und Stewardessen ein. Wir stellen uns den Bewerber so vor...

(14) Wir stellen noch zehn Stewardessen ein. Die Bewerberin soll folgende Eigenschaften haben...

(15) *Wir stellen noch zehn Stewardessen ein. Der Bewerber soll folgende Eigenschaften haben...

Die Sätze (12)–(14) zeigen die möglichen Referenten für den generischen Gebrauch von *der Bewerber* und *die Bewerberin.* (15) zeigt, daß, wenn die Referenten ausschließlich weiblich sind, der generische sex-indefinite Singular nicht stehen kann. Man muß also genauer sagen, daß das männliche und weibliche Nomen generisch gebraucht werden können und daß das männliche Nomen zusätzlich eine generische Verwendung hat, wenn das Geschlecht der Referenten unbekannt ist und weiblich oder männlich sein kann.

(16) Der Zuhörer stelle sich vor, er sei in einem Konzert von Segovia.

hat dann außer der Lesart, in der von einem bestimmten Zuhörer die Rede ist, die Lesarten

(16′) Der männliche Zuhörer im allgemeinen stelle sich vor...

(16″) Der Zuhörer im allgemeinen, sei er männlich oder weiblich, stelle sich vor...

Auch die Sätze (2), (3) und (6) verlangen Umformungen, wenn es sich um ausschließlich weibliche Referenten handelt:

Da es keine weibliche Form zu *Passagier* gibt, muß (2) sogar umschrieben werden:

(17) Jede Frau möge ihren Platz identifizieren.

(3) muß geändert werden zu

(18) Wir brauchen eine Frau, die ihren Mann steht.

(6) muß umgeformt werden zu

(19) Jede Studentin kann ihren Beitrag für das ganze
Seminar vervielfältigen.[7]

Wir sehen also, daß für ausschließlich weibliche Referenten
komplizierte Umformungen nötig sind, während für männliche Referenten die geschlechtsindefiniten Formen dienen
können. Umgekehrt weist auch die Wahl der maskulinen
Form für geschlechtsunspezifische Zwecke, obwohl es feminine Formen wie *die Kundin, die Käuferin, die Leserin* durchaus
gibt, darauf hin, daß Frauen oft ausgeschlossen sind. Weder
die Wahl einer solchen Form in der Sprache ist zufällig noch
der Effekt unbeabsichtigt: Der generische Gebrauch des Nomens wird oft mit dem Gebrauch des maskulinen Nomens mit
männlichen Referenten identifiziert[8] – man redet generell
über Männer und Frauen, man benutzt die Form, die für den
generischen geschlechtsindefiniten Gebrauch zur Verfügung
steht, und man meint dabei nur Männer. Die Sprache kommt
einem noch entgegen, denn sie erlaubt beide Lesarten für eine
derartige Äußerung. Die Ambiguität solcher Äußerungen ist
den meisten Sprechern in den meisten Kontexten nicht bewußt, und die Äußerung dient ihren Zwecken in der Kommunikation: unter Ausschluß von Frauen über Männer zu sprechen oder Männer anzusprechen und zugleich die Rückzugsmöglichkeit offen zu halten, daß auch Frauen eingeschlossen
waren:

(20) Wir werben um die Stimme des Wählers.

(21) Bei uns ist der Kunde König.

(22) Der Beamte und Angestellte im öffentlichen
Dienst bekommt die günstigsten Angebote.

(23) Am Institut für öffentliches Recht ist ab 1. April
1978 eine Assistenzprofessur zu besetzen. Der
Bewerber muß promoviert sein und...

Bei den Sätzen (4), (5) und in den meisten Kontexten auch (7)
ist aus semantischen Gründen klar, daß die Referenten weiblichen Geschlechts sein müssen. Aber selbst hier muß das
Possessivpronomen grammatikalisch sexindefinit und identisch
mit der maskulinen Form sein:

(24) Man erlebt seine Schwangerschaft und Geburt
jedes Mal anders.

(25) Jemand spricht über seine Entbindung bei Leboyer.

(26) Wer hat seinen Lippenstift im Bad gelassen?

Sensibilisierung für solche Gegebenheiten der Sprache haben
bewußte Frauen veranlaßt, Sätze wie (24)–(26) nicht mehr zu
äußern und an ihrer Stelle Paraphrasen zu verwenden, z. B.

(24′) Eine Frau/die Frau/frau erlebt ihre Schwangerschaft und Geburt jedes Mal anders.

(25′) Eine Frau spricht heute über ihre Entbindung bei
Leboyer.

(26′) Eine von euch hat ihren Lippenstift im Bad vergessen – wer war das?[9]

Ebenso wird bei gemischten Gruppen oder Gruppen, wo die
geschlechtliche Zusammensetzung unbekannt ist, das Pronomen *er* bzw. *sein* geändert zu *sie oder er* bzw. *ihr oder sein:*

(16‴) Der Zuhörer stelle sich vor, sie oder er sei in
einem Konzert von Segovia.

(9′) Jeder Passagier möge seinen oder ihren Platz
identifizieren.

In manchen Fällen bietet der Plural eine Ausweichmöglichkeit,
aber oft ist der Plural nicht paraphrastisch mit dem generischen
oder distributiven Gebrauch des Nomens, z. B.

(27) Das Forschungsprojekt befaßt sich mit dem Bildzeitungsleser als Typ.

(28) Der Student in Konstanz spricht schwäbisch,
kommt aus dem Konstanzer Hinterland und fährt
jedes Wochenende nach Hause.

(29) Jeder Besucher ging zu seinem Bus und stieg ein.

(30) Die Besucher gingen zu ihrem Bus und stiegen
ein.

In (27) kann keine Pluralform für *den Bildzeitungsleser* substi-
tuiert werden. In (28), angenommen er sei wahr, ergäbe die
Pluralsubstitution für *der Student* einen falschen Satz, zumindest in der universalen Lesart:

(31) $\begin{Bmatrix} \text{Die} \\ \text{Alle} \end{Bmatrix}$ Studenten in Konstanz sprechen schwäbisch, etc.

(29) und (30) sind nicht paraphrastisch. (30) hat zusätzlich zur
distributiven eine kollektive Lesart, die (29) nicht zugeschrieben werden kann.[10]

In den Fällen, wo weder Geschlecht noch Zahl der Referenten
bekannt ist, muß im Deutschen der geschlechtsindefinite Singular *er* sowohl für einen männlichen oder weiblichen, als auch

41

für mehrere Referenten benutzt werden:

(32) Jemand war an der Tür, er hat aber nur leise
geklopft und nicht geklingelt.

(33) Es möchte noch jemand in unserem Wagen mit-
fahren, sollen wir ihn mitnehmen?

Man kann sich vorstellen, daß das Pluralpersonalpronomen,
das wenigstens nicht zwischen männlichen und weiblichen
Referenten unterscheidet, hier das geschlechtsindefinite Pronomen abgeben könnte. Wir hätten dann Sätze wie

(32′) *Jemand war an der Tür, sie haben aber nur
geklopft...

wo nur der einzelne Referent, sei er männlich oder weiblich,
sich einbegriffen fühlen muß, und durch den Zusammenfall der
Pronomina im Akkusativ sogar Sätze wie

(34) *Jemand hat geklopft, sollen wir sie hereinlassen?

wo nur der einzelne männliche Referent ignoriert wird. Diese
Wahl ist im Deutschen nicht möglich. Interessanterweise gibt es
im Englischen für diese Fälle das Pronomen *they* mit Singular-
bedeutung:

($\overline{32}$) Someone was at the door but they only knocked
gently instead of ringing the bell.

($\overline{33}$) Someone wants to ride with us; shall we give them
a lift?[11]

Außerdem bleiben anormale Konstruktionen, in denen weder
er noch *sie* auftauchen können:

(35) *Entweder Helga oder Peter soll dich mit ihrem
Wagen mitnehmen.

(36) *Entweder Helga oder Peter soll dich mit seinem
Wagen mitnehmen.

(37) *Wir könnten damit anfangen, daß jeder Mann
und jede Frau ihr individuelles Erlebnis der Geburt schildert.

(38) *Wir könnten damit anfangen, daß jeder Mann
und jede Frau sein individuelles Erlebnis der
Geburt schildert.

Hier muß man sich sowieso mit den Alternativen *er oder sie*
oder *sie bzw. er* behelfen.

(39) Entweder Helga oder Peter soll dich mit ihrem
bzw. seinem Wagen mitnehmen.

(40) Wir könnten damit anfangen, daß jeder Mann und
jede Frau ihr oder sein individuelles Erlebnis der
Geburt schildert.

JESPERSEN (1924, S. 233) bemerkt »some incongruity is inevitable in sentences like ›Was Maria und Fritz so zueinanderzog, war, daß *jeder* von ihnen *am anderen* sah, wie *er* unglücklich war‹, . . .« Aber auch hier gibt es Paraphrasen, die »die Inkongruität« vermeiden. Am Beispiel dieser anormalen Konstruktionen sieht man, daß Paraphrasen möglich sind, wo sie nötig sind. Mögen die Paraphrasen auch umständlich sein, die Einfachheit der syntaktischen Konstruktion muß dem Erfordernis der semantischen Stimmigkeit nachstehen. Bei weiter fortschreitender Sensibilisierung dafür, wie Frauen durch die Sprache behandelt werden, ist zu erwarten, daß das geschlechtsindefinite *er* und *sein* mehr und mehr vermieden wird, und daß sich das Pronominalsystem entsprechend ändert. So sind z. B. folgende Sätze für mich nicht mehr deviant:

(41) Jemand von der Frauengruppe hat ihre Tasche bei mir vergessen.

(42) Im Frauenzentrum spricht heute jemand über ihre Erfahrung als Frau in der SPD.

Von der Linguistin Robin LAKOFF wird behauptet, daß das Pronominalsystem einer Sprache zu stabil sei und sich solchen Änderungen widersetzen würde,[12] aber es ist durchaus möglich, daß die Stabilität grammatischer Strukturen in verschiedenen Sprachen unterschiedlich ist, zudem kommt es darauf an, inwieweit eine bestimmte Änderung schon syntaktisch oder semantisch in der Sprache vorgegeben ist. So ist z. B. im Deutschen das System der Anrede mit der Unterscheidung von *Du* und *Sie* ausgesprochen stabil. Nichtsdestoweniger erfuhr dieses System im Zuge der Studentenbewegung der 60er Jahre eine Änderung, und zwar ist eine Erweiterung des Gebrauchs von *Du* eingetreten, so daß heute in vielen Situationen unter fremden Erwachsenen ohne Absprache *Du* anstatt *Sie* gesagt wird. Dies scheint mir eine viel schwierigere und schwerwiegendere Änderung der Sprache zu sein als alle bisherigen Vorschläge aus der Frauenbewegung zur Umschreibung von *er* oder *man*. Andere, weniger gravierende Änderungen im Anredesystem, die durch die neue Stellung der Frau im Berufsleben und öffentlichen Leben zustande kamen, haben sich während der letzten zehn Jahre eingebürgert, z. B. die Anrede *Frau* für unverheiratete Frauen und *sehr geehrte Damen und Herren* in der Korrespondenz mit Ämtern, Firmen etc.[13] Ob einzelne Änderungsvorschläge sich durchsetzen oder nicht, ist nicht immer der wichtigste Gesichtspunkt; sie haben die wichtige

Funktion, auf die Punkte in der Sprache aufmerksam zu machen, wo Ungleichheit besteht, und daß diese zumeist solcher Art ist, daß das maskuline grammatische Geschlecht und der Mann als Referent die Norm ist und die femininen Formen mit der Frau als Referent die Abweichung. Der Mann dominiert auch in der Sprache.

Ich nenne zum Abschluß dieses Teils noch einige Bereiche, ohne Analysen anzubieten, die diese Aussage untermauern:

1. Weibliche Formen werden gewöhnlich durch Suffixe von den männlichen gebildet und nicht umgekehrt:
Gott – Göttin, Stadtrat – Stadträtin, Amtmann – Amtmännin etc. Aber nicht: Kindergärtnerin – *Kindergärtner (sondern *Erzieher*) und Krankenschwester – *Krankenbruder (sondern *Krankenpfleger*).

2. Weibliche Formen fehlen zu: General, Kapitän (Kapitän einer Frauenmannschaft), Dienstherr, Bauherr (Frau X ist der Bauherr dieses Projektes) etc. Dagegen fehlen männliche Formen nur zu den Berufen Amme, Hebamme, Bardame, Marktfrau und Putzfrau (ein Mann mit gleicher Tätigkeit ist ein Bodenpfleger).

3. Nomina und Verben, die Frauen, Eigenschaften und Aktivitäten von Frauen denotieren, haben häufig negative Konnotationen und Assoziationen; die männlichen Entsprechungen, falls sie nicht gänzlich fehlen, sind positiv bewertet: alte Jungfer – Junggeselle, Altjungfernstand – Junggesellenstand, Altweibergeschwätz (dagegen: Altmeister, altväterlicher Mann), Animiermädchen, Freudenmädchen, leichtes Mädchen[14]; Frauen haben ein loses Mundwerk oder eine böse Zunge, wohingegen Männer mit böser Zunge ironisch oder sarkastisch sind. Frauen klatschen, ratschen, keifen, meckern, gackern, kichern, wimmern, flennen etc. Männer tun das alles anders.

4. Im Bereich der Schimpfwörter werden folgende ausschließlich für Frauen verwendet: Kaffeetante, Unschuld vom Lande, Nervensäge, Marktweib, Beißzange, Giftnudel, dumme Gans (ein strohdummer Mann ist noch lange keine dumme Gans), dicke Nudel (fette Männer sind untersetzt), Klatschbase (akademische Männer z. B. können so viel klatschen, wie sie wollen, sie können sicher sein, daß sie höchstens im metaphorischen Sinn Klatschbasen sind) etc.

Es gibt im Sprachsystem des Deutschen noch weitere Bereiche, in denen sich die Benachteiligung der Frau zeigt; in anderen Sprachen finden sich ähnliche Phänomene. Komplementär dazu lassen sich Bereiche aufzeigen, in denen der Mann privilegiert ist, er hat die Herrschaft (wenn Frauen die Herrschaft führen, spricht man von Frauenherrschaft; ähnlich muß man in vielen Fällen spezifizieren, wenn es sich um Frauen handelt, z. B. Frauenmannschaft), er ist mannhaft, er steht seinen Mann (eine Frau steht nicht einmal in einem Zehn-Personenhaushalt ihre Frau), er gibt sein Manneswort, ein Mann – ein Wort (eine Frau – ein Wörterbuch), er ist ein Ehrenmann, um nur einige der vielen Redewendungen und Sprichwörter zu nennen, die auf die Stärke, Aktivität, Ehrlichkeit und Verläßlichkeit des Mannes hinweisen.

III *Frauen und ihr sprachliches Verhalten*

In den Untersuchungen darüber, wie Frauen reden, wie sich ihre Sprache von der der Männer unterscheidet, finden wir u. a. folgende Beobachtungen:[15]

1. Frauen benutzen mehr Formen der Verniedlichung, z. B. Diminutiva und Euphemismen, und andere Liebkosungsformen als Männer. Frauen kaufen sich ein Kleidchen oder Täschchen, ein Kettchen oder Ringlein, kochen ein Süppchen, trinken ein Täßchen Kaffee, begrüßen sich mit »Tagchen« und bleiben ein Viertelstündchen zu einem Likörchen, wenn nicht Schnäpschen. Frauen haben auch mehr als Männer mit den Ärmchen, Händchen, Köpfchen, Näschen, Öhrchen, Beinchen, Strampelhöschen, Bettchen, Fläschchen ihrer Babys zu tun. Hier sind die Diminutiva angemessen. Die Euphemismen stehen häufig im Zusammenhang mit der Pflege von Babys und Kindern und mit deren Körperfunktionen. Auch die Liebkosungsformen entstammen oft dem Bereich des Umgangs mit Kindern. Man kann sich vorstellen, daß Verwendungen, die man in der Sprache mit Babys und Kindern benutzt, in die Sprache mit Erwachsenen hineingetragen werden. Die Funktion von Euphemismen und bestimmter Diminutiva, z. B. im Bereich des Trinkens von Alkoholika, ist, gefällig zu sprechen, so daß die Ohren der anderen nicht verletzt werden, das Grobschlächtige zu verschönern und zu verfeinern, um es akzeptabel zu machen. Euphemismen und Diminutiva können

auch die Funktion haben, die Stärke der Aussage abzuschwächen und zu vermindern. Sie nehmen gleichsam zurück, was gesagt wird, und dienen der Beschwichtigung und Verharmlosung, auch hier um die Äußerung akzeptabel zu machen. Auf eine dritte Funktion der Diminutiva weist SCHNEIDER (1959) hin, wenn er meint, ihr Kern läge in der Zärtlichkeit und Liebe zu den kleinen Kindern; die Verkleinerung sei ihr geringster Wert; sie drückten »Freundlichkeit, Liebenswürdigkeit, herzliches Zugetansein« und »auf höherer Ebene innige und zärtliche Verbundenheit« aus.[16]

Dies wird unterstützt durch die Tatsache, daß in manchen internen Familiensituationen oder Situationen unter Liebenden eine Sprache voller Diminutiva, Euphemismen und Liebkosungsformen gesprochen wird, die oft auch phonetisch und syntaktisch der Babysprache angenähert ist, in der Erwachsene mit Babys reden oder zu reden glauben.[17]

Das gibt den ersten Hinweis darauf, daß auch Männer diese Sprache der Verniedlichung beherrschen und in bestimmten Situationen wie Frauen reden. Es ist interessant, daß die drei Funktionen, die ich allein im Zusammenhang mit der Verniedlichung herausgearbeitet habe, nämlich

1) gefällig und verschönernd zu reden,
2) abschwächend und verharmlosend zu reden,
3) liebenswürdig und emotional zu reden,

bei anderen Eigenschaften der Frauensprache immer wieder nachgewiesen werden können.

2. Frauen benutzen andere oder keine Vulgärausdrücke, Derbheiten, Zweideutigkeiten, Flüche, Interjektionen als Männer und erzählen keine Männerwitze. Wenn überhaupt solche Formen verwendet werden, sind sie schwächer als die der Männer, um nicht zu schockieren; die Witze von Frauen sind anständig; Frauen müssen verbale Aufschneidereien wie Flüche und Obszönitäten vermeiden und bescheiden sein. Die Funktionen solchen Gebrauchs sind wiederum, schön und höflich zu sprechen, starken Ausdruck abzuschwächen durch bescheidenere und harmlosere Ausdrücke.

3. Frauen haben einen anderen Wortschatz als Männer, nicht nur was die oben erwähnte Tabuisierung betrifft, sondern auch im Zusammenhang mit ihren traditionellen Rollen, ihren unterschiedlichen Arbeitsbereichen und Interessen. So haben Frauen ein reicheres Vokabular im Bereich der Kinderpflege

und -erziehung, im Bereich des Haushalts (Küchenutensilien, Herstellung und Konservierung von Speisen, Einrichtungsgegenstände etc.) und im Bereich der Mode (Fertigung und Verkauf von Bekleidungsgegenständen, Kosmetik etc.). Hier in den Bereichen Kinder, Küche, Kleider dürfen die Ausdrücke von Frauen auch präziser sein als die der Männer; das oft genannte Beispiel sind die Benennungen von Farben, die angeblich Männer nicht zur Verfügung haben (interessanterweise weder aktiv noch passiv), es sei denn, sie sind Friseure, Modeschöpfer, Architekten, Künstler, jedenfalls Männer, die professionell mit feineren Farbunterscheidungen zu tun haben.

Diese Differenzierungen der Männer- und Frauensprache von 1.–3. betreffen, so scheint mir, verhältnismäßig oberflächliche Phänomene des Lexikons, aber die Funktionen, die sie erfüllen, geben wichtige Hinweise darauf, in welcher Richtung die einschlägigen Unterschiede zu finden sind. Verschönerung, Abschwächung und Liebenswürdigkeit sind nicht nur auf das Vokabular beschränkt. Verschiedene Studien haben gezeigt, daß Frauen »besser« und »korrekter« sprechen als Männer, d. h., sie passen sich in ihrer Aussprache und ihrer Syntax mehr der Standardform an, der höherer Status und mehr Prestige zukommt. Und Abschwächung findet sich, wie wir sehen werden, als wichtige Eigenschaft auf der syntaktisch-semantischen Ebene. Beides – Äußerungen zu verschönern und abzuschwächen – hat die Wirkung in der Interaktion, daß ich mich als Kommunikationspartnerin weniger behaupte. Könnte es nicht sein, daß meine Kommunikationspartner, wenn ich schön, gefällig und liebenswürdig spreche, meinen Formulierungen folgen, ohne meine Inhalte zu hören? Wir sind an die Konversationssituation des Flirts erinnert.[18] Haftet nicht vielen Gesprächssituationen zwischen Frauen und Männern eine Komponente des Flirts an, eine Erotisierung, die der betreffenden Situation gar nicht angemessen ist? Könnte es nicht sogar sein, daß ich, je mehr ich mit der Gefälligkeit meiner Äußerungen befaßt bin, desto weniger die Inhalte vertreten kann, daß ich, je »besser« ich sprechen muß, desto weniger mit Nachdruck behaupten kann? Das schöne Sprechen hätte die Auswirkung, daß sowohl für den Gesprächspartner wie für die Sprecherin die Inhalte weniger wichtig werden, ihre Gespräche weniger gewichtig, unernst, wie beim Flirt zur Spielerei werden, wo man sogar Inhalte um der Darbietung, um ihrer Form willen akzeptiert.[19]

Mögen das Spekulationen sein, für die ich zum jetzigen Zeitpunkt nur starke Intuitionen habe, jedenfalls steht fest, daß Höflichkeit und Abschwächung der Äußerung die kommunikative Wirkung haben, daß die Sprecherin dem Gesprächspartner Raum gibt (auch mehr Raum, sie zu unterbrechen), daß sie ihre Meinung nicht aufzwingen will, sondern Widerspruch akzeptiert, daß sie bereit ist zur Kooperation, wenn nicht zum Rückzug. Die Folge solchen Redens ist, daß die Äußerungen weniger Gewicht haben und der Sprecherin weniger Autorität zukommt – sie kann sich nicht behaupten.

Wir können also erwarten, daß die Abschwächung der Aussagen nicht auf die Auswahl eines gefälligen Vokabulars beschränkt bleibt, sondern sich auch auf den anderen linguistischen Ebenen der Frauensprache zeigt.

Ich gebe hier nur einige Bereiche an, in denen abschwächende Mechanismen auftauchen. Um ihre genaue Semantik und ihren pragmatischen Wert zu beschreiben, ist noch viel Forschung nötig:

1. Abschwächung der Aussage durch Einschränkung ihrer Gültigkeit:

> Es scheint, daß S.[20]
> Scheinbar S.
> Vielleicht S.
> Ich würde sagen S.
> S, glaube ich.
> Meiner Meinung nach S.
> etc.

2. Abschwächung der Aussage durch Infragestellen und Zustimmungsheischen:

> Ist es nicht so, daß S?
> S oder nicht?
> S, nicht wahr?
> S, gell.
> Meinst du nicht auch, daß S?
> etc.

Durch die Mechanismen von 1. und 2. entsteht der Eindruck von Unsicherheit der Sprecherin oder des Sprechers und von Unbestimmtheit und Tentativität des Gesagten.

3. Abschwächung der Aussage durch Selbstabwertung, Entschuldigung, Einladung von Kritik etc.:

Ich bin eben nur eine Hausfrau.
Das ist nur so eine Idee von mir.
Ich weiß nicht, ob Sie damit etwas anfangen können...
Es fiel mir nur eben so ein.
etc.

Auch hier entsteht der Eindruck von Unsicherheit und Wertlosigkeit der Sprecherin oder des Sprechers, von unernsten Ideen und Trivialität des Gesagten. KEY (1975) unterscheidet die *language of explanations,* die Männer Frauen gegenüber anwenden, und die *language of apology,* die hauptsächlich von Frauen gesprochen wird. Sie schreibt:

»The *language of apology* belongs predominantly to the female. Women are always being sorry or asking pardon for something. Whether or not they are to blame for something is not the issue. Men also say, ›I'm sorry‹ or ›Excuse me‹ occasionally, but it is a way of life for females.«[21]

4. Abschwächung der Aussage durch Indirektheit und Mittelbarkeit, z. B.

4.1 Indirekte Aufforderungen:
Willst du nicht hierbleiben?
Ich würde mich freuen, wenn du das erledigen könntest.
Es wäre schön, wenn ihr kommen könntet.
Solltest du das nicht vielleicht ändern?

4.2 Indirekte Behauptungen:
Ist das nicht eine Unverschämtheit?
Ist er nicht ein Idiot?
Redet er nicht einen Haufen Unsinn?

4.3 Vermeidung von *ich:*
Man könnte sagen, daß S.
Man verhält sich dann eben zurückhaltend.
Wenn du dir das recht überlegst...

Sowohl durch Indirektheit wie Mittelbarkeit schafft sich die Sprecherin Rückzugsmöglichkeiten:[22] Sie überläßt die Entscheidung dem Gesprächspartner bzw., wenn sie unbestimmt und generell redet anstatt unmittelbar und persönlich, macht sie sich unangreifbar und ist nicht in der gleichen Weise verantwortlich für ihre Äußerungen; sie sind unverfänglicher und unverbindlicher. Die Wirkung ist auch hier wieder, daß sich die Sprecherin oder der Sprecher aus Unsicherheit heraus in der Interaktion schützt, anstatt sich mit Selbstvertrauen ganz darauf einzulassen.

Alle diese Mechanismen erfordern detaillierte linguistische Untersuchungen, z. B. wäre es interessant, über die Rolle des Konjunktivs, des Konditionalis, der Partikeln oder der Frageform bei der Abschwächung von Äußerungen Genaueres zu erfahren. Ferner ist es nötig, über den Satz als Einheit hinauszugehen und Texteigenschaften zu untersuchen, denn Unterschiede in der Art und Weise, wie Frauen und Männer sprechen, könnten sich auch erst auf der Ebene von Texten[23], z. B. in Konversationen, zeigen. Vor allem aber bleibt zu überprüfen, ob unsere Intuition richtig ist, daß abschwächende Mechanismen in der Tat von Frauen mehr benutzt werden als von Männern. Mit Ausnahme von einigen kleineren Untersuchungen ist diese Hypothese bis jetzt ohne weitgehende empirische Unterstützung, und wir können nur Plausibilitätsargumente für sie anführen. Sicher gibt es Situationen, in denen sowohl Frauen als auch Männer ihre Aussagen abschwächen, weil sie z. B. ihre Interessen nicht vollständig explizit machen wollen oder können; wir finden solche Umstände in der Politik, Diplomatie, im Gerichtssaal, in allen möglichen Verhandlungssituationen usw. Hier wird indirektes Reden hoch bewertet. Wer hier Erfolg haben will, muß die Sprache der Abschwächung, der Entschuldigung, der Indirektheit beherrschen. Frauen benötigen diese Sprache aber auch in trivialeren Situationen, wenn es weder um hohe Politik noch um Gehaltserhöhung geht, sondern darum, ob die Familie einen Sonntagsausflug macht. Zur Illustration gebe ich die (konstruierten) Äußerungen I – IX einer Frau, mit denen sie in bestimmten Abständen immer wieder versucht, ihren Mann dazu zu bewegen, mit ihr und den Kindern einen Ausflug zu machen (entnommen einem unveröffentlichten Arbeitspapier einer Studentinnengruppe der Universität Konstanz über die Sprache ausländischer Frauen):[24]

I   Könnten wir nicht doch einen Ausflug machen, das Wetter ist so schön!

II Aber weißt du, vielleicht wenn wir doch wegfahren, schließlich ist Sonntag der einzige Tag, wo wir zusammen etwas unternehmen können.

III Vielleicht wäre es doch besser, wenn wir einen Ausflug machen, denn Onkel Hermann wollte vielleicht vorbeischauen.

IV Vielleicht wäre es nicht schlecht, wenn...

V Überleg doch mal, ob wir nicht doch einen Ausflug machen könnten, denn ...

VI Wenn du dir richtig überlegst, wäre es nicht schlecht, wenn ...

VII Meinst du nicht doch, daß wir wegfahren könnten, denn ...

VIII Wäre es nicht auch für dich besser, wenn du einmal ausspannen würdest und ...

IX Du könntest eigentlich auch mal mir zuliebe ...

In dieser Rolle können wir uns in unserer Gesellschaft schlecht einen Mann vorstellen. Nur eine Frau muß mit immer stärker werdenden Äußerungen um so etwas Selbstverständliches flehen.[25] Interessanterweise nennt die oben erwähnte Studentinnengruppe diese Art zu sprechen »Rhetorik der Unterdrückten« und spricht von der »Strategie subversiven Redens«. Das gibt einen Hinweis darauf, daß es vielleicht günstiger wäre, die aufgezeigten Mechanismen anstatt generell mit Frauensprache mit bestimmten Rollen in bestimmten Gesprächssituationen zu verbinden. In bestimmten Situationen sind Männer in der Rolle der Unterdrückten oder Untergebenen und würden dann in ähnlicher Weise höflicher sprechen und ihre Äußerungen einschränken und abschwächen, wie Frauen es vielleicht eher gemeinhin tun. Der Begriff des weiblichen Registers[26] bietet sich deshalb als Präzisierung des Terminus Frauensprache an. Auch Männer beherrschen dieses Register durchaus und müssen es in bestimmten Situationen ziehen.[27] Der wesentliche Unterschied zu einem »männlichen Register« ist, wie wir sahen, die Abschwächung der Aussage im Gegensatz zur Bekräftigung der Aussage, wie sie dem Stärkeren zukommt, der die Macht hat. Beide Register sind zugleich Ausdruck des Unterschieds der Rollen und der Macht als auch Verfestigung dieses Unterschieds. Deshalb ist auch *eine* Möglichkeit, dieses Machtverhältnis zu ändern, die Sprache zu ändern.

Hier ist der gemeinsame Nenner für die beiden Eigenschaften, die LAKOFF mit Frauensprache verbindet und die von Faye CROSBY und Linda NYQUIST getestet und für das sogenannte »female register« bestätigt wurden:[28] Höflichkeit und »non-assertiveness«: Frauen und Männer, wenn sie sich in bestimmter Rolle befinden, sprechen im weiblichen Register, um das, was sie sagen, gegenüber dem stärkeren Gesprächspartner akzeptabel zu machen, und nicht vorrangig, um ihre Interessen explizit zu vertreten und sich zu behaupten. Höflichkeit, Korrektheit, Gefälligkeit, sowie Modifizierungen, die die Äußerungen abschwächen und einschränken, sind allesamt formale Eigenschaften, die den Inhalt der Äußerungen palatabel und akzeptabel machen sollen. Mit all diesen Eigenschaften des weiblichen Registers wird gesagt:

> Hör mir doch bitte zu, ich sage es ja möglichst wohlgeformt, um nur ja deinen Anstoß nicht zu erregen, und möglichst schwach, damit du wenigstens das akzeptierst.

Die Vorliebe für Übertreibungen und Wiederholungen, für Emphase und Superlative, die Frauen nachgesagt wird und die auch auf Stärke und Autorität hinweisen könnte, steht dazu nicht im Widerspruch. Sie sind einfach andere Mittel, um gehört zu werden, die für den Mächtigen gar nicht nötig sind und die wahrscheinlich sowieso auf bestimmte emotionale Inhalte beschränkt sind, wo Frauen expressiv sein dürfen. So dürfen Frauen ihre positive gefühlsmäßige Anteilnahme zeigen, während sie ihre negativen, aggressiven Gefühle wie Ärger nicht stark ausdrücken dürfen.[29] Umgekehrt dürfen Männer ihre zärtlichen Gefühle nicht ausdrücken, so daß keinem, weder Frau noch Mann, das gesamte Spektrum der Gefühlsausdrücke erlaubt ist.[30]

Wieder stoßen wir auf die »double-bind«-Situation: Um ernst genommen und gehört zu werden, muß die Frau so reden wie der Mann. Redet sie aber so wie ein Mann, dann ist sie männlich und wird als Frau entwertet. Eine gescheite Frau ist schnell ein Blaustrumpf, eine Intellektuelle, eben nicht feminin. Sie wird deshalb als Frau abgetan: Weder wird sie vom Mann akzeptiert, noch wollen sich Frauen mit ihr identifizieren. Redet sie aber wie eine Frau, d. h. liefert höfliche, schwache, unsubstantielle Beiträge zum Gespräch, ist feminin, d. h. liebenswürdig, schwach und hilflos, dann wird sie nicht ernst genommen und braucht nicht gehört zu werden. Vielleicht reden Frauen an der Universität, in der Politik, in wissenschaftlichen Veranstaltungen wie Konferenzen und Vorträgen sowie in Gremien als Reaktion auf diese »double-bind«-Situation so wenig und schweigen so viel. Vielleicht lassen die Erwartungen, die man an ihr Reden knüpft und die sie oft verinnerlicht haben, sie verstummen. Um Interferenzen durch solche negativen Erwartungen zu entgehen, sobald sie als Frauen identifiziert werden, haben Schriftstellerinnen Männerpseudonyme angenommen. Da Frauen, wenn sie sprechen, immer als Frauen identifizierbar sind, können sie sich den Vorurteilen, die über ihr Sprechen bestehen, nicht entziehen. Bewertungen des Inhalts und der Quelle sind untrennbar miteinander vermischt. Neuere Untersuchungen unterstützen unsere Erfahrung, daß Reaktionen auf den Inhalt davon beeinflußt sind, ob der Sprecher eine Frau oder ein Mann ist. So wird in den USA Frauen als Nachrichtensprecherinnen wegen ihrer hohen Stimmlage die Glaubwürdigkeit und Autorität abgesprochen, so wurden identische wissenschaftliche Arbeiten schlechter beurteilt, wenn sie Frauen zugesprochen wurden, und so wurden sogar dieselben Kleinkinder in ihrem Verhalten anders beurteilt, wenn sie mit Mädchennamen versehen waren.[31]

IV Schlußbetrachtung

Wir alle, Frauen und Männer, müssen mit den Erwartungen, die man uns entgegenbringt, rechnen. Aber wir alle definieren uns auch dadurch, wie wir reden: wir können den Erwartungen entsprechen oder sie widerlegen. Frauen sind mehr als Männer darauf angewiesen, sich sprachlich zu definieren, denn ihr möglicher professioneller Status ist nicht so offenkundig wie beim Mann. Die Annahme ist immer zuerst, eine Frau im Krankenhaus sei Krankenschwester und nicht Ärztin, eine Frau an der Schule sei Lehrerin und nicht Rektorin, eine Frau an der Universität Sekretärin und nicht Dozentin. Wenn Frauen außerhalb ihres beruflichen Kontextes sind, außerhalb von Krankenhaus, Schule, Forschungsinstitut, Finanzamt, Ministerium etc. oder überhaupt nicht im Berufsleben stehen, sind sie noch stärker angewiesen auf ihre Selbstdarstellung durch Sprache und andere Attribute des Verhaltens oder des Aussehens. Deshalb ist es keineswegs verwunderlich, daß soziolinguistische Ergebnisse zeigen, daß Frauen sensibler auf Statusunterschiede reagieren als Männer und sich an der sprachlichen Variante mit dem höheren sozialen Prestige orientieren.[32]
Wenn also Frauen sich dadurch definieren, wie sie reden, tragen sie damit auch zu den Erwartungen bei, die Männer von ihnen haben, sind sie mitverantwortlich für das Bild, das man sich von ihnen macht. Wenn deshalb Frauen anfangen, anders zu reden, werden Männer beginnen, ihre Erwartungen zu ändern, d. h. auch anders über sie und mit ihnen reden. Dadurch wird sich auch das Sprachsystem in dem Maß ändern, in dem Frauen und Männer die Sprache anders benutzen.

Heute reflektieren unsere Sprache und unser Sprechen die Ungleichheit zwischen Frauen und Männern in unserer Gesellschaft. Wenn Frauen und Männer bewußt sexistische Sprache vermeiden und Sprache gleichberechtigt einsetzen, d. h., da Sprechen ja ein Großteil unseres Handelns ist, auch als gleichberechtigte Partner miteinander umgehen, wird sich das neue sprachliche Verhalten auch in einer allmählichen Sprachveränderung niederschlagen zu einer Sprache hin, in der die Benachteiligung von Frauen und Männern aufgehoben ist.

Ich danke Grit ROTH, *Mike* ROTH, *Helga* KOTTHOFF, *Jutta* JUNNE, *Ludwig* TRÖMEL *und all meinen Studentinnen und Studenten, die mir jede und jeder auf ihre bzw. seine Weise geholfen haben, diese Arbeit zu schreiben.*

Anmerkungen

1 In Deutschland ist von einer solchen Orientierung an den Universitäten noch wenig zu spüren. Dafür wird außerhalb des offiziellen Rahmens schon zum 3. Mal die Frauenuniversität in Berlin veranstaltet. Vgl. *Frauen und Wissenschaft: Beiträge zur Berliner Sommeruniversität für Frauen,* Juli 1976.

2 Am wichtigsten ist die annotierte Bibliographie »Sex Differences in Language, Speech and Nonverbal Communication« in THORNE/ HENLEY (1975). Eine ausführliche Bibliographie gibt Mary Ritchie KEY in ihrem Buch *Male/Female Language.* Eine weitere annotierte Bibliographie hat Margaret RADER, Department of Linguistics, University of California, Berkeley, zusammengestellt. Ebenso hat Wendy MARTYNA, Department of Psychology, Stanford University, für ihre Vorlesung »Language and the Sexes: The Psychology of Women, Men and Language« eine ausführliche Literaturliste angefertigt. *Women and Language News,* herausgegeben von Sharon R. VEACH und Pat TIEDT, Linguistics Department, Stanford University, bringt fortlaufende Information über Neuerscheinungen auf dem Gebiet.

3 So z. B. in Biloxi, Caraya, Eskimo, Chiquita, Carib etc. Einen Überblick über diese frühen Forschungen mit hauptsächlich Indianersprachen gibt Ann BODINE in ihrer Arbeit »Sex Differentiation in Language«. Vgl. BODINE (1975a).

4 In Kapitel XIII: »The Woman« seines Buches *Language: Its Nature, Development and Origin,* 1922.
In Kapitel XVII »Sex an Gender« von *The Philosophy of Grammar,* 1924.

5 Vgl. JESPERSEN (1924), S. 231.

6 FARB weist in diesem Zusammenhang darauf hin, daß Wörter wie *man, mankind* Frauen unsichtbar machen und der Durchschnittsmensch oder der hypothetische Mensch maskulin ist: »Closely related to the unequal treatment of a minority language by a majority language is the unequal treatment many languages give to the two sexes. The Bible regards Eve as merely an offshoot from Adam's rib – and English follows suit by the use of many Adam's rib words. The scientific name for both sexes of our species is the word for only one of them, *Homo,* ›man‹ in Latin, our species is also referred to as *human* (derived from *Homo)* or *mankind,* two other words which similarly serve to make women invisible. The average person is always masculine (as in *the man in the street)* and so is the hypothetical person in riddles and in examination questions (If a man can walk ten miles in seven minutes, how many miles can he walk in twelve minutes?). The word *he* is often used as a common-gender pronoun, even though it is possible that a female is being referred to (as in: When the vice-president of the company came to town, he …). If the antecedent is a high-prestige occupational role – such as a vice-president, manager, doctor, director, and so forth – then the pronoun is very likely to be *he,* whereas if the antecedent is a secretary, nurse, or elementary-school teacher, the pronoun is apt to be *she.* In discussions among college faculty (usually a ›he‹ word), students who cheat are often referred to as *he* and students who do not as *she.«* FARB (1973), S. 160–161.

7 In einem Seminar über Frauensprache, wo von 60 Teilnehmern (!) etwa 10 Männer sind, wird man sehr schnell dafür sensibilisiert, daß (10) und eben weder (19) noch (6) die einzig mögliche Äußerung ist. D. h., 50 Frauen müssen sich, da (6) kein Satz des Deutschen ist, in (10) einbegriffen fühlen, während selbst ein einziger Mann sich in (19) nicht angesprochen zu fühlen braucht. Um das Gefühl für diese ungleiche Behandlung anzudeuten, wählt man immer häufiger bei gemischten Gruppen die Formen *sie oder er* und *ihr oder sein,* z. B.:
Jeder kann ihren oder seinen Beitrag für das Seminar kopieren.
Der Zuhörer stelle sich vor, sie oder er sei in einem Konzert von Segovia.

8 Zu diesem Thema gibt es eine Reihe amerikanischer Untersuchungen, u. a. hat Wendy MARTYNA (Stanford University) ausführlich über den Gebrauch des generischen Maskulins gearbeitet. Vgl. MARTYNA (1977, 1978, undatiert). Vgl. ferner BODINE (1975b).

9 Diese schöne Paraphrase verdanke ich Dr. Grit ROTH.

10 Vgl. VENDLER (1967), besonders in »Singular Terms«, S. 56–59, und PLÖTZ (1972), S. 99 ff.

11 Siehe dazu die zahlreichen Beispiele und gute Argumentation in BODINE (1975b).

12 Vgl. LAKOFF (1975), S. 45

13 In den USA haben sich durch die Frauenbewegung weitreichende sprachliche Änderungen durchgesetzt, die von Frauen initiiert und

dann von den Medien und Institutionen aufgegriffen und propagiert wurden, z. B. *Man of the Year* wurde zu *Person of the Year*, *Congressmen* zu *Members of Congress*, *stewardess* zu *cabin attendant*, *mailman* zu *mail carrier*, *the man of the street* zu *ordinary people* etc. Diese Beispiele sind KEY (1975) entnommen; vgl. ihr Kapitel XV zu Neubildungen im Amerikanischen, die sprachlich vorgegebene Diskriminierung in beiden Richtungen oder sexistische Sprache aufheben sollen. Offizielle Änderungen der Sprache in Schulbüchern werden in den Richtlinien für nichtsexistischen Sprachgebrauch des National Council of Teachers of English angewiesen. Ebenso gibt es offizielle Richtlinien der großen Verlage wie Macmillan, McGraw-Hill; Holt, Rinehart and Winston, etc. Vgl. Bibliographie unter GUIDELINES.

14 Frauen können auch in ernsthaften Kontexten durch eine triviale Eigenschaft wie ihre Haarfarbe charakterisiert werden, z. B. als Blondine, ein Mann wird höchstens, wenn er Berufsfußballer ist und der Anlaß eine Fußballweltmeisterschaft, als Blondschopf beschrieben.

15 Vgl. neben der neueren Literatur wie LAKOFF (1975), KEY (1975) etc. den interessanten Artikel von RUKE-DRAVINA: »Einige Beobachtungen über die Frauensprache in Lettland.«

16 SCHNEIDER (1959), S. 16–17.

17 Diesen Hinweis verdanke ich Dr. Mike ROTH.

18 Auch diese »Erinnerung« verdanke ich Mike ROTH.

19 In diesen Bereich gehört vielleicht das positive Vorurteil Frauen gegenüber, das so manche Frau dazu verführt zu glauben, sie hätte Vorteile auf Grund der Tatsache, daß sie eine Frau ist. Auch hinter der Bevorteilung steckt die Diskriminierung.

20 S ist eine Abkürzung für einen beliebigen Aussagesatz.

21 KEY (1975), S. 37.

22 Andere Funktionen von indirekten Sprechakten und von Indirektheit im allgemeinen, wie z. B. Höflichkeit und Manipulation, werden diskutiert in FRANCK (1975) und TRÖMEL-PLÖTZ (1978).

23 Vgl. HIATT (1976), wo Stilunterschiede bei weiblichen und männlichen Autoren untersucht wurden. Diese Arbeit gibt einen Hinweis, daß geschlechtsspezifische Unterschiede sowohl satzintern (z. B. in der syntaktischen Konstruktion: struktureller Parallelismus, Komplexität, Länge) als auch in längeren Texten zu suchen sind. Die Schlüsse, die HIATT selbst zieht, sind sehr vorsichtig. Sie schreibt, »...there may be ›masculine‹ and ›feminine‹ styles. But such styles probably will not coincide with the current stereotyped and traditional notions of how men and women write, for these notions are historically embedded in literary criticism and deeply involved with women's roles«. HIATT (1976), S. 106.

24 Vgl. BEHRENS et al. (1978).

25 Aaron CICOUREL wies mich allerdings darauf hin, daß amerikanische »upper middle class men« ihren Frauen gegenüber auch diese Sprache einsetzen, wenn sie bestimmte sexuelle Versprechen erreichen wollen.

26 Eingeführt von CROSBY/NYQUIST: »LAKOFF refers to the six characteristics outlined here as aspects of ›women's language‹. For clarity of exposition, however, we shall employ the term ›the female register‹. Both men and women may use the female register. The distinguishing feature of the female register is not, therefore, that it is used exclusively by women but rather that it embodies the female role in our society. The female register is both expressive (e. g. polite rather than direct and informative) and non-assertive. Both of these attributes are, of course, central aspects of the stereotyped feminine role in our culture . . .« CROSBY/NYQUIST (1977), S. 314.

27 Genauso beherrschen Frauen in bestimmten Positionen und Berufen durchaus das männliche Register.

28 Vgl. CROSBY/NYQUIST (1977).

29 Auch diese Eigenschaft trifft wieder auf das weibliche Register zu; auch der untergeordnete Mann darf seinem Chef gegenüber seine Wut über ihn nicht ausdrücken, darf ihn nicht beschimpfen, darf nicht in seiner Gegenwart über ihn fluchen etc.

30 Das Bewußtsein für die Benachteiligung der Männer in dieser Hinsicht ist, veranlaßt durch die Frauenbewegung, bei den Männern im Wachsen. Ihre Privilegien haben eine Kehrseite.

31 Vgl. resp. HENNEKE/DUMIT (1959), KEY (1975), KRAMER (1975), WHITTAKER/MEADE (1967); GOLDBERG (1972); CONDRY/CONDRY (1976).

32 Vgl. FISCHER (1958), SHUY (1969), TRUDGILL (1972), LABOV (1966).

4 Frauensprache in unserer Welt der Männer*

Ich werde in dieser Vorlesung darüber sprechen, daß wir uns durch unsere Sprache definieren und daß wir uns durch unsere Sprache auch bewußt bestimmen können. Ich werde auch darüber sprechen, wie Frauen durch Sprache definiert und bestimmt werden und was es deshalb heißt, als Frau identifizierbar zu sein, sobald man den Mund auftut. Im Gegensatz zu anderen Eigenschaften, die ich als Sprecherin habe, ist nämlich Identifizierbarkeit als Frau eine Eigenschaft, die ich nicht bestimmen, beeinflussen oder ablegen kann. Alle Reaktionen bei Hörerinnen und Hörern, die daraufhin entstehen, daß eine Frau spricht, kommen mir entgegen. Nun könnte man einwenden, daß diese Reaktionen nicht unbedingt von Nachteil für die Sprecherin sein müßten. Aber es gibt schon seit langem Beobachtungen und Hinweise und nun auch in neueren Forschungen Ergebnisse, daß bei gleichem sprachlichen Verhalten die Beurteilung negativer ist, wenn das Verhalten einer Frau zugeschrieben wird. Wenn sich diese ersten Ergebnisse durch weitere empirische Arbeiten unterstützen lassen, ist einleuchtend, daß die Eigenschaft, als Frau identifizierbar zu sein, weittragende Konsequenzen hat. Die Reaktionen, die einer Frau entgegenkommen, wenn sie spricht, sind also im allgemeinen nicht neutral oder gar von Vorteil für sie. Dies wußten die Autorinnen des 19. Jh.[1], die ihre Werke unter männlichen Pseudonymen veröffentlichten. Die Erwartungen, wenn eine Frau spricht oder schreibt, sind negativ. Wir wissen heute noch zusätzlich, daß die Erwartungen eines relevanten Gegenübers auch Motivation und Leistung beeinflussen. Wir leisten weniger, wenn die Erwartungen an uns niedriger sind. Das wäre eine mögliche Erklärung dafür, daß Frauen die negativen Erwartungen in der Tat häufig bestätigen und weniger leisten.

* Antrittsvorlesung vom 5.2.1979 an der Universität Konstanz. Erstmals erschienen in der Reihe »Konstanzer Universitätsreden«, Universitätsverlag Konstanz GmbH, Konstanz 1979. Der Nachdruck erfolgt mit freundlicher Genehmigung des Universitätsverlages Konstanz GmbH.

Ich werde dann versuchen, das Gesagte etwas zu konkretisieren, indem ich auf den universitären Kontext eingehe und Frauensprache als Forschungsgebiet umreiße. Hier werde ich auch einige Forschungsergebnisse vorstellen.

Die Forschung auf dem Gebiet Frauen und Sprache konzentriert sich darauf zu zeigen, daß und wie Frauen in der Sprache ausgeschlossen und machtlos, unsichtbar und peripher, benachteiligt und degradiert sind. Denn Männer dominieren auch in der Sprache und bei sprachlichen Aktivitäten, von den Trivialunterhaltungen des Alltags zum wissenschaftlichen Diskurs bis zur literarischen Tätigkeit und politischen Auseinandersetzung.

Zum Schluß möchte ich einige Gedanken über mögliche Veränderung geben, darüber, wie Frauen mit der Sprache umgehen könnten, über unsere Alternativen und unsere Wunschvorstellungen.

I. Wir definieren uns durch die Sprache, die wir sprechen. So definiere ich mich durch die Äußerung, die ich eben machte, als Sprecherin des Deutschen, d. h. mit Deutsch als Muttersprache und nicht als Zweitsprache, und nicht als Ausländerin, als Akademikerin (wahrscheinlich eher als Geisteswissenschaftlerin als als Naturwissenschaftlerin), für feine Ohren als Münchnerin, für noch feinere Ohren, z. B. von bestimmten Linguistinnen und Linguisten und bei zusätzlichem Text, als Sprecherin des Deutschen, die lange im englischsprachigen Ausland, insbesondere den USA, gelebt hat, auf jeden Fall aber und für alle Ohren, ob deutsche oder ausländische, zu Linguisten oder Nicht-Linguisten gehörig, als Frau.

Es ergeben sich sofort drei Fakten:

Ich bestimme dadurch, wie ich spreche, meine Selbstdarstellung, z. B. könnte ich so sprechen, daß ich mich als Ausländerin oder Nicht-Münchnerin darstelle.

Ich bin aber auch von der Interpretation der Hörerin, von ihren Ohren, von ihrer Kompetenz, meine Sprache und daher meine Selbstdarstellung zu verstehen, in der Tat von ihrem ganzen Interpretationsvermögen abhängig, z. B. braucht nicht für jeden Hörer meiner zu Anfang gemachten Äußerung erkennbar zu sein, daß ich Akademikerin oder Münchnerin bin. Worum ich aber als Sprecherin nicht herumkomme und was für jeden Hörer gleich welcher Kompetenz erkennbar ist, ist die Tatsache, daß ich eine Frau bin. Ich kann mich, sobald ich anfange zu sprechen, nicht anders definieren, als als Frau, und keiner

Hörerin und keinem Hörer entgeht, daß eine Frau spricht und nicht ein Mann.[2]

D. h., ich kann zu einem guten Teil bestimmen, wie ich mich darstelle und was für ein Bild sich andere von mir machen; dieses Bild ist allerdings auch immer noch von der Interpretation anderer abhängig. Was ich aber nicht beeinflussen kann, ist, daß ich sofort als Frau identifizierbar bin, wenn ich spreche, und mir deshalb von den Hörerinnen und Hörern sofort alle Erwartungen entgegenkommen, die man Frauen und dem, was sie sagen, entgegenbringt. Diese Erwartungen sind, da der Stereotyp der Frau in unserer Gesellschaft ungünstiger ist als der des Mannes, weniger positiv. Da Frauen nicht die gleichen Möglichkeiten haben wie Männer, sondern z. B. in ihrer beruflichen Entwicklung benachteiligt sind, wird wie bei anderen unterprivilegierten Gruppen ihr niedrigerer Status oft nachträglich gerechtfertigt: Vorurteile formen und verfestigen sich.

Ich bin als Sprecherin in folgender Situation: Meiner Eigenschaft, immer und unmittelbar als Frau identifizierbar zu sein, kommt hohe Visibilität zu. Sie ist für meine Gesprächspartnerinnen und Gesprächspartner wie für mich selbst immer präsent, immer im Vordergrund und immer bewußt. Das ist z. B. nicht der Fall bei vielen anderen Eigenschaften der verbalen Selbstdarstellung, die wir als Sprecherin oder Sprecher immer mitliefern. Solche Eigenschaften können von vornherein weniger präsent sein, sie können im Laufe des Gesprächs in den Hintergrund rücken, sie können sogar für die Sprecher selbst unter der Schwelle ihres Bewußtseins bleiben; dazu gehören psychische Eigenschaften, die für eine Hörerin, die z. B. Psychotherapeutin ist, durchaus noch zugänglich sind. Und diese Eigenschaft, als Frau identifizierbar zu sein, löst negative Erwartungen aus, heutzutage auch häufig bei Männern Ambivalenz und Verunsicherung. Wie kann ich mich in dieser Situation verhalten? Wie Schwarze, die – mit Vorurteilen konfrontiert – versuchen, sich so zu verhalten, daß die Vorurteile bei ihrem Gegenüber abgebaut werden? Oder wie viele Schwarze, die ihr Gegenüber sorgfältig auswählen, so daß sie nicht mit Erniedrigungen rechnen müssen, und damit eine enorme Einschränkung ihres Lebensbereiches und ihrer Lebenssituation vornehmen? Beide Möglichkeiten stehen mir nicht offen. Wenn ich mich so verhalte, daß Männer und Frauen ihre Vorurteile gegen mich als Frau zurücknehmen, dann tausche ich mir ein, daß man sagt, ich habe einen Kopf wie ein Mann, was nicht unbedingt ein Kompliment ist und mich noch lange nicht den Männern gleichstellt; so kann man auch

    x hat einen Kopf wie ein Mann

in der Normalbedeutung eben nur von einer Frau und nicht von einem Mann sagen. Ich kann also die Vorurteile weder auflösen, ohne etwas zu verlieren, noch kann ich ihnen entgehen: Es gibt keine Ghettos für Frauen – auch Frauenzentren, Frauenhäuser und Frauenwohngemeinschaften sind nur Inseln, die frau anders als Ghettos verlassen muß, um den einfachsten Notwendigkeiten des täglichen Lebens nachzukommen –, es gibt keine Kulturen oder Gesellschaftsschichten, in denen Frauen mit neutralen oder positiven Erwartungen rechnen können. Der Stereotyp der Frau ist außerhalb der Familie überall ungünstiger als der des Mannes.

Erschwerend kommt hinzu, daß die negativen Erwartungen, die man Frauen entgegenbringt, nicht als Vorurteile bewußt sind. Sie gehören so sehr zu unserem System von Erwartungen und Einstellungen, zu dem, was wir glauben, daß auch Frauen selbst diese Vorurteile akzeptiert haben und sich nach ihnen verhalten. Der schlimmste Aspekt jeglicher Unterdrückung ist, daß das Bild, das sich die Unterdrücker von den Unterdrückten machen, von diesen verinnerlicht wird. Die schwarzen Amerikanerinnen und Amerikaner hielten sich und halten sich zum Teil heute noch für minderwertig und weniger kompetent als Weiße – die Verachtung, die ihnen jahrhundertelang entgegengebracht wurde, wird zur Selbstverachtung. In ähnlicher Weise haben auch Frauen für sich selbst akzeptiert, daß sie weniger intelligent, weniger musisch, weniger kreativ, weniger aktiv und deshalb weniger wert sind als Männer, und praktizieren Selbstverleugnung und Passivität so, als wäre ihre Unterlegenheit von der Natur gegeben – Gene oder Schicksal. Sie reproduzieren selbst den negativen Stereotyp der Frau. Damit schließt sich der Kreis, in dem wir gefangen sind.

Den Vorurteilen nicht entgehen zu können, ja sie nur schwer angehen zu können, weil wir sie uns zu eigen gemacht haben, diese Situation finden wir widergespiegelt in der Sprache.

Unsere Sprache, die einzige, die uns zur Verfügung steht, zeigt uns auf vielfältige Weise, wie wir benachteiligt sind. Eingegangen und verfestigt im Sprachsystem kommen uns nun die Ungleichheiten entgegen, und zwar sind es nicht nur Oberflächenphänomene wie z. B. im Lexikon, wo es dann nur darum ginge, bestimmtes Vokabular zu ändern, sondern zentralere Aspekte der Grammatik und unserer Kommunikationsweisen sind betroffen.

Aber selbst bestimmte Aspekte des Lexikons sind nicht mehr oberflächlich zu nennen. Wenn STANLEY (1977) im Englischen 220 Ausdrücke für Frauen und nur 22 für Männer findet, die sexuelle Promiskuität pflegen, dann zeigt das, wie die Frau in unserer Kultur in ihrer Verfügbarkeit als Sexualobjekt definiert und damit degradiert wird. Diese Definition bestimmt, wie sich Frauen dann auch selber wahrnehmen und definieren, als Luxusweibchen, als Puppe, als Nutte. Denn nicht nur im Sprachsystem finden sich die Vorurteile gegen uns, sondern wir haben sie internalisiert und sprechen daher selber so, daß wir sie ständig bestätigen. In der Art und Weise, wie wir sprechen, schränken wir uns selber ein, machen uns kleiner, schwächer, hilfloser, abhängiger und auch verfügbar. Wir sagen weniger und das, was wir sagen, mit weniger Autorität, Sicherheit, Selbstverständlichkeit. Und erfüllen damit die Erwartung, daß wir weniger zu sagen haben. Wir haben dann auch nicht das Sagen.

Die Vorurteile gegen uns sind also widergespiegelt in unserer Sprache, und wir bestätigen sie häufig in dem Gebrauch, den wir von ihr machen.

II. Um das, was ich gesagt habe und noch sagen will, zu konkretisieren, möchte ich die Beschäftigung mit Frauen und Sprache im universitären Kontext situieren. Der Titel meiner Vorlesung »Frauensprache in unserer Welt der Männer« mag manche Männer provozieren, die des Glaubens sind, daß zwar die Welt da draußen eine Welt der Männer ist, die Universität aber ein Freiraum, in dem es demokratisch zugeht, in dem Frauen nicht unterdrückt werden, in dem Frauen genauso wie Männer studieren, lehren und forschen können. Daß das nicht so ist, kann an einer Unzahl von Beobachtungen gezeigt werden; z. B. gibt es in Konstanz Fachbereiche, in denen kaum Frauen als Studentinnen vertreten sind, Fachbereiche, in denen keine Frau im Lehrkörper ist, und selbst bei frauenfreundlichen Fachbereichen wie dem der Sprachwissenschaft sind die meisten Frauen auf Angestelltenstellen, und alle Dozentenstellen, d. h. alle C-Stellen, sind nur noch von Männern besetzt. Konsequenterweise sind laut Veranstaltungsverzeichnis die VeranstaltER unseres Fachbereichskolloquiums die DozentEN des Fachbereichs. Weniger folgerichtig lautet der Kommentar zu diesem Kolloquium: »In diesen Veranstaltungen berichten StudentEN, DozentEN des Fachbereichs sowie Gelehrte anderer Fächer über laufende Arbeiten und neuere Entwicklungen der Linguistik sowie angrenzender Disziplinen.« Für *Gelehrte* hätte auch das Synonym *Wissenschaftler* stehen können. Aber es ist unwahrscheinlich, daß die Formulierung »Wissenschaftlerinnen und Wissenschaftler anderer Fächer« gewählt worden wäre, denn es war ja auch nur von StudentEN und nicht von StudentINNEN die Rede. So findet sich auch in den Vorlesungsankündigungen in diesem unserem Fachbereich wieder und wieder:

»Der Student soll mit den Grundbegriffen, Verfahren und Problemen vertraut gemacht werden«, »der Teilnehmer soll bereits eine Einführung in die Linguistik absolviert haben«, »für Studenten der Sprachwissenschaft soll die Veranstaltung die Möglichkeit bieten...« DER Student, DER TeilnehmER, DER Studierende, obwohl wir mehr als 50 Prozent Studentinnen haben.

Es wird argumentiert, daß wir es hier mit dem geschlechtsunspezifischen generischen Gebrauch dieser Begriffe zu tun haben und natürlich Frauen eingeschlossen sind, wenn man von *dem Studenten, dem Veranstalter, dem Teilnehmer, dem Dozenten* und *dem Wissenschaftler* spricht. Da es aber faktisch häufig weniger und in bestimmten Positionen gar keine Frauen gibt, ist es viel wahrscheinlicher, daß in den meisten Fällen Frauen überhaupt nicht angesprochen werden. Das zeigt sich z. B. in Formularen, die Personaldaten von einem Antragsteller und seiner Ehefrau erfragen. Solche Kontexte zeigen unzweideutig, wer mit *der Antragsteller* intendiert ist. Wir haben es in diesem Kontext also nicht mehr mit dem geschlechtsunspezifischen generischen Gebrauch zu tun. Der Kontext disambiguiert: Der *Antragsteller* bezieht sich nur auf männliche Referenten. Frauen müssen sich auch noch hier eingeschlossen fühlen, wenn sie klar ausgeschlossen sind. So mußte ich mich angesprochen fühlen, als ich in der Aufforderung, das Datum für diese Antrittsvorlesung zu überprüfen, vom Dekan mit »lieber Herr Kollege« angeredet wurde. Man stelle sich die Reaktion eines beliebigen Mannes an der Universität vor, wenn er versehentlich einen Brief mit der Anrede »liebe Frau Kollegin« bekäme. Natürlich ist es kein Versehen, daß die Vordrucke, die mit der Antrittsvorlesung zu tun haben, nur an die HERREN KollegEN gerichtet sind. Es gab bis jetzt keine Frau in unserer

Fakultät, an die man diesen Brief geschrieben hat, MAN erwartet auch nicht sehr viele Frauen, an die MAN sich in dieser Angelegenheit wenden muß, und die paar Frauen, die eine Ausnahme bilden, müssen sich eben mit der Anrede »lieber Herr Kollege« zufriedengeben.

In der wissenschaftlichen Auseinandersetzung mit dem generischen Gebrauch von Personalpronomina und Nomina haben Linguistinnen für das Englische gezeigt, daß dort, wo eine Textanalyse die Ambiguität des Pronomens *he* oder der Nomina *man, chairman* etc. auflösen kann, häufig exklusiv männliche Referenten intendiert sind. Im Deutschen lassen sich sicher analoge Ergebnisse bei der Analyse des Gebrauchs von *jemand, jeder, man, der Leser, der Zuhörer, der Student, der Bewerber* etc. aufzeigen. Der generische Gebrauch dieser Wörter ist ein Gebiet, das in der Linguistik, die sich mit Frauensprache beschäftigt, sehr ausführlich bearbeitet und dem große Wichtigkeit zugeschrieben wurde, weil es ein Beispiel dafür ist, auf welche Weise Frauen durch die Sprache ausgeschlossen und unsichtbar gemacht werden: Man benutzt eine ambige Form und spricht unter Vorgabe, Frauen einzuschließen, ausschließlich über Männer. Psychologische Forschungen[3] ergaben überdies, daß die Wahrnehmung selbst bei intendiertem generischen Gebrauch in eindeutigem Kontext trotzdem noch spezifisch maskuline Referenten assoziiert, d. h., daß weder die Intention der Sprecher noch ein eindeutiger Kontext garantiert, daß die Hörerin oder der Hörer sich z. B. unter *Student in Konstanz*[4] auch Studentinnen vorstellt. Solches Wissen um linguistischen Gebrauch und psychologische Konsequenzen könnte ein Verständnis dafür einleiten, warum Frauen so großen Wert auf diese – wie es scheint – kleinen Änderungen legen. Nicht ausgeschlossen zu sein, sichtbar zu sein ist der erste Schritt, um nicht mehr degradiert zu werden.

Selbst in unserem Fachbereich, den ich in dieser Hinsicht für den progressivsten an unserer Universität halte und den ich jetzt als Beispiel für einen viel größeren und generelleren Bereich in und außerhalb der Universität nehme, herrscht, obwohl wir uns professionell mit Sprache und Sprachverwendung befassen, noch kein Bewußtsein dafür, wie selbstverständlich und wie automatisch und wie leicht Frauen degradiert werden. Es fällt deshalb kaum auf, daß es eine Herabminderung der Frau bedeutet, wenn sie in Beispielsätzen über ihre Körperteile wie ihre langen Beine, ihren großen Busen oder auch über ihre roten Haare definiert wird. MANN schmunzelt sich zu. Analoge Beispielsätze über Einzelheiten der männlichen Anatomie sind übrigens in unseren Linguistiktexten nicht zu finden. Was wir jedoch auch dort sehen, ist eine intellektuelle Herabminderung der Frau. Bei einer Analyse der Beispiele in neuen deutschen Grammatiken[5] ergab sich ein Bild der Frau, in dem sie anscheinend noch nicht einmal Zugang zum Alphabet hat. Sie liest in der Tat nur Erbsen. Natürlich liegt es bei oberflächlicher Betrachtung nicht in der Intention der Linguisten, die Grammatiken schreiben, Frauen zu degradieren. Ich spreche hier nicht von bewußter Intention. Aber die gute Intention, wenn frau sie mal unterstellt, garantiert einmal nicht, daß die Äußerungen und Sätze, die verwendet werden, ohne Vorurteil und Diskriminierung sind. Und zum zweiten liegt in der Nichtbeachtung, die man sich eben nur bei Dingen, die unwichtig sind, leisten kann, auch eine Art der Mißachtung. Aber eigentlich trifft es nicht zu, daß männliche Linguisten einfach die Inhalte ihrer Beispielsätze nicht beachten, dann könnten wir erwarten, daß ab und zu auch mal Männer Erbsen lesen und Frauen einen Forschungsbericht. Aber das kommt nicht vor. Die Inhalte sind nicht arbiträr oder zufällig.

Selbst in den Produkten der Linguisten kommen uns die Vorurteile, die sich in der Sprache verfestigt haben, entgegen. Selbst als Studentinnen der Sprachwissenschaft müssen wir mit dem negativen Stereotyp der Frau leben.

Was soll also in diesem Kontext, in dem Männer dominieren, Frauensprache. Gibt es das überhaupt? Frauen reden doch nicht anders. MANN äußert Bedenken zum Terminus »Frauensprache«. Ich möchte zunächst Frauensprache als Gebiet innerhalb der Linguistik definieren, auf die Fragestellungen in diesem Gebiet hinweisen und die Intuitionen ansprechen, die die Hypothesenbildung leiten. Ich möchte dann etwas über die Entwicklung des Gebietes in Amerika sagen und darauf die Forschung inhaltlich charakterisieren.

Unter dem Gebiet Frauensprache verstehe ich: die wissenschaftliche Analyse der Situation der Frau, wie sie sich in der Sprache niederschlägt. Die zu bearbeitenden linguistischen Fragen sind, ob und wie Frauen und Männer unterschiedlich sprechen und wie sie in der Sprache unterschiedlich behandelt werden.

Bis jetzt gibt es wenig empirische Arbeiten, die stark unterstützen, daß Frauen und Männer in der Tat unterschiedlich sprechen. Im Vergleich mit den anderen linguistischen Ebenen sind die Unterschiede im Sprachverhalten von Männern und Frauen in der Phonologie am besten belegt. Aber es gibt schon genügend Hinweise, daß relevante geschlechtsspezifische Unterschiede auch in den Kommunikationsmustern konkreter Konversationen aufzufinden sind. Interessant ist, daß die wissenschaftlichen Hypothesen, die gemacht werden, dahin tendieren, daß Unterschiede im Sprechen von Frauen und Männern vorhanden sind und Ergebnissen, die keine Unterschiede finden, weniger Gewicht zugeschrieben wird. Unsere Intuitionen darüber, daß Sprache und Geschlecht in offensichtlicher Weise zusammenhängen, scheinen sehr stark zu sein. So schlägt z. B. Edward T. HALL (1959: S. 50) folgenden Test für seine Behauptung dieses Zusammenhangs vor: Man möge versuchsweise so sprechen wie jemand vom anderen Geschlecht und sehen, wie lange die jeweiligen Gesprächspartnerinnen und Gesprächspartner das dulden.

Nicht nur wird hier impliziert, daß Frauen und Männer anders reden, sondern obendrein, daß eine Frau nicht wie ein Mann reden darf und ein Mann nicht wie eine Frau. Welche Regeln und welche Erwartungen werden hier verletzt?

Eine Frau, die wie ein Mann redet, ist männlich, und männlich genannt zu werden ist beleidigend und abwertend für eine Frau. (So legte auch Alice Schwarzer bei einer Fernsehdiskussion besonderen Wert auf besonders feminines Aussehen, damit das, was sie sagen wollte, nicht schon von vornherein entwertet wurde.) Umgekehrt ist ein Mann, der wie eine Frau redet, weiblich, wenn nicht weibisch und verweichlicht, und auch das ist eine der stärksten Beschimpfungen für einen Mann. (So wurde der Richter beim Chicagoer Prozeß am gröbsten beleidigt, als Bobby Seale zu ihm sagte: »You are just a woman.«)

Wir müssen als Frauen die Sprache sprechen, die uns zukommt, und nicht die, die den Männern zukommt. Ebenso müssen Männer, ob sie wollen oder nicht, die Sprache sprechen, die man von Männern erwartet. Männer, die sich weigern, nehmen das Risiko in Kauf, daß ihre Männlichkeit angezweifelt wird. Wir definieren uns durch die Sprache, die wir sprechen.

Wir können uns hier in Deutschland, wo wir gerade an der einen oder anderen Universität anfangen, ein paar vereinzelte Veranstaltungen über frauenspezifische Thematik zu geben, nicht vorstellen, in welchem Ausmaß Women's Studies als Studien- und Forschungsgebiet an amerikanischen Universitäten Eingang gefunden hat. Allein bis 1977 waren an 1500 akademischen Institutionen über 15 000 Veranstaltungen in Women's Studies von 8500 Lehrenden gegeben worden.[6] In den letzten Jahrestagungen der Modern Language Association of America, der größten Berufsorganisation für Literatur- und Sprachwissenschaftler mit etwa 30 000 Mitgliedern, nahmen frauenspezifische Themen einen immer größeren Anteil am Programm ein, und eine der nächsten Tagungen dürfte ganz dem Thema Frauen in Sprache und Literatur gewidmet sein. Dies wäre nicht der Fall, wenn die Forschung auf dem Gebiet der Frauensprache nicht interessant und vielfältig wäre. Dies wäre nicht der Fall, wenn sie nicht für die Frauen und Männer große Attraktivität hätte, denen es bei ihrer wissenschaftlichen Arbeit auf persönliche Betroffenheit ankommt.

In der letzten New Yorker Convention der MLA im Dezember 1978 befaßten sich 9 von 16 Großveranstaltungen der allgemeinen Linguistik mit Frauensprache, und unter den über 20 Vortragsthemen dieser Veranstaltungen waren u.a.:

Die linguistische Behandlung machtloser Gruppen (VEACH, Stanford University)

Sexistische Sprache und die Kompetenz/Performanz Unterscheidung (SAPORTA, University of Washington)

Unterdrückung in der Sprachstruktur (KRAMER, Stanford University)

Wie uns andere sehen: Was sagt das Englische über Frauen (SCHULZ, California State University, Fullerton)

Die Doppelsprache des Sexismus (GERSHUNY, City University of New York)

Eierstockgeneralisierung und andere hysterische Übertreibungen über Frauen (NILSEN, Arizona State University)

Patriarchalische Paradigmen für Sprachänderung (ROBBINS, University of South Dakota)

Chomskys »Ideal Native Speaker«: Sexismus in Synchronischer Linguistik (STANLEY, University of Nebraska, Lincoln)

Ergebnisse bisheriger Forschung können wie folgt zusammengefaßt werden:

In unserem Kulturbereich gibt es kaum Äußerungen, die ausschließlich von Frauen oder nur von Männern gemacht werden. Es gibt jedoch Unterschiede in der Häufigkeit des Vorkommens und in den Präferenzen, die, wenn sie durchbrochen werden, spezielle Interpretationen auslösen. So trifft es im allgemeinen zu, daß Frauen höflicher, gefälliger, zurückhaltender, dezenter, verbindlicher reden als Männer. Männer können unhöflicher, unfreundlicher, lauter, selbstbewußter, unanständiger, gröber reden als Frauen. Dies läßt sich schon an vielen Wendungen und Idiomen unseres Sprachgebrauchs ablesen, überdies haben wir Männerwitze und auch Herrenwitze, die nicht für Frauenohren bestimmt sind, sowie Flüche und Vulgärausdrücke, die für Frauen tabu sind.

Daß Frauen mehr darauf achten, wie sie etwas sagen, als Männer, wird unterstützt von soziolinguistischen Untersuchungen, die zeigen, daß Frauen phonetisch korrekter sprechen als Männer, d. h. sich mehr am Standard oder an der sprachlichen Variante mit höherem Prestige orientieren. John L. FISCHER (1958) hatte zuerst darauf hingewiesen, daß das Geschlecht der Sprecher ebenso wie Gesellschaftsschicht, Persönlichkeitsmerkmale und Stimmung die Wahl einer linguistischen Variante beeinflussen. Er untersuchte die Variation zwischen -ing/-in im Partizip Präsens bei Kindern und fand u. a., daß mehr Mädchen die Prestigeform -ing häufiger benutzten. LABOV (1972), SHUY et al. (1967) und andere haben bei zusätzlichen phonetischen Varianten geschlechtsspezifische Unterschiede für Erwachsene belegt, ebenso wurden auf der suprasegmentalen Ebene Unterschiede gefunden, z. B. andere Intonationsmuster, Intensität, Tonhöhe etc.[7]

Nicht nur müssen Frauen schöner sprechen, es wird ferner behauptet, daß sie nicht so bestimmt, überzeugt, stark und selbstsicher reden wie Männer, daß sie eher vage, unsicher und zögernd klingen. Hier würden wir Belege auf den Ebenen der Syntax, Semantik und Pragmatik erwarten. Die empirische Unterstützung dieser These ist noch nicht genügend solide. Außer ein paar kleineren Arbeiten, z. B. über die Verwendung und Bedeutung von »tag questions«[8], gibt es hier noch keine großangelegten systematischen Untersuchungen. Was hier nötig wäre, sind linguistische Analysen von abschwächenden Mechanismen in der Sprache, also z. B. von gewissen Partikeln, von indirekten Formulierungen, von bestimmten Verwendungen des Konjunktivs, des Konditionalis und der Frageform. Wenn es sich bestätigen ließe, daß Frauen ihre Äußerungen mehr einschränken und abschwächen, also mit weniger Selbstvertrauen und Sicherheit reden als Männer, wäre es nicht verwunderlich, daß ihnen häufig die Autorität und oft sogar die Intelligenz abgesprochen wird.

Manche Forscherinnen und Forscher konzentrieren sich auf die

Möglichkeit, daß sich relevante Unterschiede erst an größeren sprachlichen Segmenten aufzeigen lassen, und untersuchen spontane Unterhaltung in gemischtgeschlechtlichen oder gleichgeschlechtlichen Gruppen. Aspekte, die man hier verfolgt, sind u. a., daß Frauen mehr harmonisieren, daß sie sich selbst abwerten und Verantwortung vermeiden, daß sie ihre Bedürfnisse nicht direkt artikulieren und ihre Ziele nicht direkt verfolgen. So untersuchte FISHMAN (1978a,b) Dialoge gemischtgeschlechtlicher Paare und stellte fest, daß Frauen zwar öfter Unterhaltungen eröffnen als Männer, diese aber auch öfter an der minimalen Reaktion der Männer scheitern, daß aber die von Männern initiierten Themen mit Erfolg zu Ende geführt werden. Hier stellen die Frauen Fragen, sagen etwas zum Thema, regen die Männer an, weiterzusprechen, unterstützen also die Fortführung der Unterhaltung. FISHMAN zieht daraus den Schluß, daß die Männer das Gespräch kontrollieren und die Frauen die Arbeit leisten, um es aufrechtzuerhalten. Es bieten sich meiner Ansicht nach noch zusätzliche Interpretationen an, nämlich daß Frauen sich nicht als gleichwertige Gesprächspartner verhalten, z. B. nicht darauf bestehen, daß das von ihnen eingeführte Thema diskutiert wird, daß sie ihre Bedürfnisse zurückstellen, z. B. ihr Thema fallenlassen oder sich unterbrechen lassen, und daß sie Konflikte vermeiden, z. B. nicht das Gesprächsthema aushandeln.

Auch andere Forscherinnen und Forscher[9] haben in Untersuchungen von Gruppen und Paaren dominantes Sprachverhalten bei Männern und unterstützendes Verhalten bei Frauen festgestellt. Es ergibt sich das Bild, daß Männer, genauso wie sie die Makroinstitutionen unserer Gesellschaft beherrschen, auch in Mikroinstitutionen dominieren. Zudem konnte gezeigt werden, daß sich Frauen in gemischtgeschlechtlichen Situationen anders verhalten, z. B. mehr schweigen und nicht unterbrechen, als in gleichgeschlechtlichen.

Die Analyse von Konversationen bietet m. E. die interessantesten Fragestellungen, z. B. über kontroversen oder kooperativen Interaktionsstil, über dominierendes versus harmonisierendes Verhalten, über Status-versus Geschlechtsunterschiede etc. Hier liegen auch schon die ersten deutschen Versuche vor. KLANN (1978) und WERNER (undatiert) untersuchten universitären Diskurs und stellten schon mit verhältnismäßig groben Methoden Unterschiede im kommunikativen Verhalten von Studentinnen und Studenten fest.

Natürlich stehen solche Untersuchungen, die geschlechtsspezifische Differenzen in Kommunikationsstrategien verfolgen, noch in den Anfängen und arbeiten häufig mit den konversationsanalytischen Kategorien der Ethnomethodologie, also z. B. Sprecherwechsel, Unterbrechung, Überschneidung, Themensteuerung, Häufigkeit und Länge der Redebeiträge etc. Hier liegt eine Aufgabe für die Linguistik: differenziertere Analysekategorien und differenziertere Hypothesen zu formulieren und diese globalen Ergebnisse zu konkretisieren. Dabei ist es m. E. nötig, die kommunikativen Ziele von Frauen und Männern in einem Gespräch mitzuberücksichtigen, also z. B., ob die Sprecherinnen und Sprecher einander übertrumpfen oder unterstützen wollen, besänftigen oder überzeugen, ob sie einander Raum und Rückzugsmöglichkeit geben oder sich auf Kosten der anderen profilieren wollen etc. Dann könnte man untersuchen, ob bei gleichem kommunikativen Ziel Frauen und Männer verschiedene Strategien verfolgen, um ihr Ziel zu erreichen. Ebenso scheint es nötig, noch komplexere Beschreibungen der Beziehungen zwischen den Gesprächspartnern zu geben, um die Wahl linguistischer Variablen zu erklären. So wurde für einen Dialog unter amerikanischen Universitätsdozentinnen und -dozenten gezeigt, daß im Hinblick auf die durchschnittliche Länge der Redebeiträge, auf Unterbrechen und vor allem Unterbrochenwerden die Geschlechtsunterschiede den Ausschlag gaben und mehr wogen als Unterschiede in Rang und Status.[10] Andere Kommunikationssituationen müssen untersucht werden, um herauszufinden, ob die Faktoren Status, Rollen und Partnerbeziehung zwischen Sprecherinnen und Sprechern unterschiedliches Kommunikationsverhalten determinieren oder der Faktor Geschlecht, und ob Geschlecht je eine untergeordnete Kategorie ist. Viel wahrscheinlicher ist, daß das Geschlecht mehr als alle anderen Kategorien das Sprachverhalten bestimmt und auch Frauen in Machtpositionen noch ein weibliches Register benutzen, d. h. Männern gegenüber so sprechen, als hätten sie eine untergeordnete Rolle.

Im Augenblick haben wir noch nicht genügend detaillierte und zuverlässige empirische Ergebnisse, die unsere hartnäckigen Vorstellungen, daß und wie Frauen und Männer verschieden sprechen, bestätigen oder widerlegen könnten.

Im Unterschied zu dieser Frage herrscht unter Sprachwissenschaftlerinnen und Sprachwissenschaftlern darüber, daß Frauen und Männer in der Sprache unterschiedlich behandelt werden, Einverständnis. Es gibt zahlreiche Arbeiten, die sich damit befassen, daß Frauen in der Sprache über Männer definiert werden oder daß die weiblichen Formen zu männlichen Bezeichnungen fehlen, daß Frauen erniedrigt werden, wohingegen Männer privilegiert sind, (das läßt sich im Bereich der Schimpfwörter, der Vulgärausdrücke, der Ausdrücke im sexuellen Bereich zeigen), daß Männer die Norm sind und Frauen die Ausnahme. Anstatt die linguistischen Ergebnisse in diesem Bereich für das Englische zu referieren, gebe ich hier Beispiele aus dem Deutschen. Bei uns ist ja im Gegensatz zu Amerika das Bewußtsein über diesen Zustand noch sehr unterentwickelt. Trotzdem braucht man nur die Zeitung zu lesen, Radio zu hören, fernzusehen, und es ist offensichtlich, daß überall, wo wir mit Sprache in Berührung kommen, Frauen ausgeklammert werden. Es ist so, als bestünde unsere Welt nur aus Männern. Man geht zum Arzt oder zum Rechtsanwalt, spricht vom Geschäftsmann, Bauherrn, Industriellen, vom Schüler, Studenten, Dozenten, von den Vätern der Verfassung, den Söhnen eines Landes, vom Ehrenmann und vom Mann auf der Straße. Man wendet sich an den Leser, den Hörer, den Zuschauer, den Kunden, den Wähler, auch wenn die Mehrheit der Angesprochenen Frauen sind. Man assoziiert bei all diesen Ausdrücken natürlich eher Männer als Frauen. Wenn MANN nicht umhin kann, etwas über Frauen zu sagen, haben wir euphemistisch *Damen* oder pejorativ *Mädchen* oder *Fräulein*, so lesen wir in Sportberichten: *Unsere Goldmädchen* oder *Mädchen übertrumpfen Männer,* und besonders witzig in der *Süddeutschen Zeitung:Grüß Gott, Fräulein Kurdirektor.*[11] Frauen können 30 oder 40 Jahre alt und verheiratet sein, sie bleiben *Mädchen* und müssen sich mit *Fräulein* betiteln lassen.

Aber nicht nur wird den Frauen der Status des Erwachsenseins verweigert, es wird ihnen auch oft die Zugehörigkeit zur Menschheit implizit abgesprochen. Im Deutschen, wo wir das Nomen *Mensch* zur Verfügung haben, sollte man die Probleme, die im Englischen mit der Doppelbedeutung von *man* (Mann und Mensch) verbunden sind, nicht erwarten. Wenn immer es ausschließlich um Männer geht, sollten wir *Mann* vorfinden, wenn es sich sowohl um Frauen als auch Männer handelt, wäre *Mensch* angebracht. Was wir aber häufig finden, ist, wie JESPERSEN schon bemerkte, eine Identifizierung von Mensch und Mann ganz wie im Englischen. »Politiker sein – das verlangt den ganzen Mann«, heißt es im *Expreß* (Köln) vom 19. 12. 1977.[12] Der *Expreß* steht hier in einer Tradition, denn schon bei Schiller, bei dem ja auch alle Menschen Brüder werden, findet sich in den philosophisch-ästhetischen Schriften, die den Menschen zum Thema haben, immer wieder eine implizite Gleichsetzung von Mensch und Mann. Die Frau fällt unter *das andere Geschlecht*.

Im Deutschen stehen uns weiterhin die weiblichen Formen von vielen Berufsbezeichnungen und Titeln zur Verfügung: Wir haben die Ärztin, die Richterin, die Anwältin, die Prokuristin, die Maklerin, die Architektin, die Journalistin. Im Englischen gibt es dafür jeweils nur EIN Wort: doctor, judge, professor, senator etc. Nun könnte man daraus schließen, daß z. B. im Deutschen die Stellenanzeigen weniger diskriminierend seien, da man keine komplizierten oder uneleganten Umschreibungen braucht, um sowohl Frauen als Männer anzusprechen. Dem ist nicht so. Es werden häufig nur Juristen, Psychologen, Professoren, Ärzte, Mathematiker gesucht. Ähnlich gibt es in den meisten Formularen dann nur Bewerber, Beamte, Versicherungsnehmer, Wohnungsinhaber, Arbeitnehmer, Antragsteller und deren Ehefrauen. Man kann an den Formulierungen solcher Standardformulare den Bewußtseinsstand über diskriminierende Sprachpraktiken bzw. die Einstellung zur Frau in einem bestimmten Land direkt ablesen.

Unsere Welt ist von Männern dominiert. Frauen sitzen nicht an den Schalthebeln und in gehobenen Positionen. Sie sind von gesellschaftlicher Verantwortung und politischer Macht ausgeschlossen. Unsere Welt ist eine Welt der Männer. Wie sollte sich das nicht in der Sprache ausdrücken.

In Amerika hat sich gezeigt, daß durch Aufmerksammachen auf sexistische Sprachverwendung Änderung entstehen kann. Die Forderung nach gleicher Behandlung in der Sprache kann sogar sehr erfolgreich sein: Viele Änderungen sind dort in die offizielle Sprache eingegangen. Diese Aktivitäten gingen von der Frauenbewegung aus, wurden aber auch durch die Bücher und Artikel von Wissenschaftlerinnen und Journalistinnen legitimiert und unterstützt. Die Medien haben einige Änderungsvorschläge aufgenommen und propagiert, große Verlage verlangten von ihren Autorinnen und Autoren (insbesondere von Lehrbüchern) nichtsexistische Sprache und nichtsexistisches Bildmaterial. Große Berufsorganisationen wie die der

Englischlehrerinnen und -lehrer (NCTE) und der Psychologinnen und Psychologen (APA) gaben Richtlinien heraus für – wie es heißt – »Nonsexist Use of Language«, nichtsexistische Sprachverwendung. Sensibilisierung für die Benachteiligung der Frau in der Sprache setzte ein, und zwar auf breiter Basis. Schülerinnen und Schüler in Amerika hören ihren Lehrer heute komplizierte Paraphrasen der einstmals üblichen einfachen Direktive formulieren. Studentinnen und Studenten hören so manche Professorin an Stelle des generischen *he* das generische *she* oder einen Neologismus verwenden. Die Sensibilisierung zeitigt die ersten Erfolge: So haben amerikanische Studentinnen berichtet, daß sie Gefühle von Stolz, Freiheit, Macht, Überlegenheit hatten, als in Vorlesungen das generische *sie* verwendet wurde.[13] Sprache beeinflußt Verhalten; sprachliche Änderungen haben mehr als nur eine Hinweisfunktion. Wir haben andere Gefühle und zeigen deshalb andere Reaktionen, wenn eine Schrift *Studentin und Student in Konstanz* anstatt *Student in Konstanz* heißt und wenn wir mit *liebe Frau Kollegin* anstatt *lieber Herr Kollege* angesprochen werden. Man kann sich vorstellen, daß auf Stellenanzeigen, in denen Frauen explizit angesprochen werden, andere Reaktionen und deshalb auch andere Bewerbungen kommen als auf Stellenanzeigen, die das nicht tun.

Sprachliche Änderungen, so geringfügig sie erscheinen mögen, bringen eine Änderung im Bewußtsein, und diese wiederum verändert unser HANDELN und damit auch unser Sprechen.

III. Als Frau identifizierbar zu sein, sobald sie den Mund auftut, sobald sie redet oder schreibt, bedeutet heutzutage noch für jede Frau, mit den Ungleichheiten des Sprachsystems konfrontiert zu sein, beim Gesprächspartner mit dem negativen Stereotyp der Frau und mit negativen Erwartungen rechnen zu müssen. Wenn Frauen in der Sprache anders behandelt werden als Männer, betrifft das alle Frauen ungeachtet ihres gesellschaftlichen Status und ihrer beruflichen Position. Alle Frauen sind davon betroffen, wenn Frauen in der Sprache abgewertet werden, wenn sie über ihre Körperteile oder Geschlechtsteile definiert werden, wenn sie eine negative Präsenz im Lexikon haben. Alle Frauen sind davon betroffen, wenn Frauen in der Sprache peripher sind und als Mädchen oder Damen trivialisiert werden: die große Mehrheit von Frauen, denen dadurch Individualität verweigert wird, und selbst die besonders begabten Frauen, die als Ausnahme von der Peripherie in die Mitte vordringen. Alle Frauen sind betroffen, wenn Frauen in der Sprache ausgeschlossen und unsichtbar gemacht werden. Ihre Identität wird ihnen verweigert. Sie werden durch Männer definiert, ihre Erfahrungen durch Männer beschrieben, ihre Geschichte durch Männer geprägt, ihr Selbstbild von Männern produziert. Denn sie sind nicht nur in der Sprache ausgeschlossen, sondern auch von relevanten verbalen Aktivitäten wie Ansprachen, Vorträgen, Reden in der Öffentlichkeit und von literarischer Tätigkeit. Frauen schreiben Tagebücher, Briefe, Märchen, Kinderbücher, Unterhaltungsliteratur: Zeitungen haben Frauenseiten; Verlage haben Frauenreihen, was wiederum anzeigt, daß selbst schreibende Frauen noch lange nicht den gleichen Status haben wie Männer.

Können wir diese Sprache benutzen, mit der wir ausgeschlossen, trivialisiert und abgewertet werden, die widerspiegelt, daß wir machtlos sind. Kann uns diese Sprache dienen, in der wir benachteiligt, bevormundet, überhört und unterbrochen werden. Sie ist unsere einzige Sprache – es gibt keine Frauensprache –, wir müssen sie für unsere Zwecke benutzen, um auf unsere Benachteiligung in ihr aufmerksam zu machen, um uns in ihr durchzusetzen, um mit ihr zu spielen, um sie zu verfremden, um in ihr zu schreiben, um uns in ihr zu finden. Es geht uns mit ihr, wie es ENZENSBERGER mit seiner *Landessprache* geht: Sie liegt uns auf der Zunge, sie liegt uns in den Ohren, wir werden sie nicht los, und wir müssen sie verändern, damit wir mit ihr leben können. In dieser Sprache können wir nämlich auch den Mund aufmachen und uns zur Wehr setzen, in ihr können wir auch Kritik üben, argumentieren, unsererseits unterbrechen, uns behaupten. In dieser Sprache müssen wir uns artikulieren, definieren, verständlich machen. Wir müssen uns diese Sprache zu eigen machen, um unserem Leben Ausdruck zu geben und um unser Leben in ihr zu bestimmen. Dabei geht es nicht darum, so zu reden wie die Männer. Es würde auch nicht genügen, denn es gibt Evidenz, daß bei absolut gleichen Äußerungen in den gleichen Situationen die Reaktionen anders sind, wenn die Äußerungen Männern zugeschrieben werden. Es geht vielmehr darum, daß jede Frau in ihrem Bereich darauf besteht, genausoviel Anerkennung, Autorität und Macht zu bekommen, wie ihr zusteht, so daß sie gehört wird und nicht mehr unsichtbar und peripher bleibt. Dabei ist es nicht nötig, daß wir uns über einzelne Sprachveränderungen einig sind, ob

Neubildungen oder Paraphrasen zur Vermeidung sexistischer Sprache, ob Vulgärausdrücke und tabuisierte Themen oder nicht, es ist auch nicht nötig, einig zu werden darüber, ob wir eine eigene Sprache, eine androgyne Sprache, in der geschlechtsspezifische Unterschiede aufgehoben sind, oder eine Vielfalt von Stilen und Registern anstreben sollen, wir können in verschiedenen Weisen unsere Sprache für uns nutzbar machen. Worum es geht, ist, daß wir uns bewußt werden, daß wir uns durch unsere Sprache definieren und daß wir uns nicht mehr definieren lassen. Der Sensibilisierung folgt bewußteres Sprechen: Wir müssen also so sprechen, daß wir uns nicht mehr selbst entwerten, daß wir uns nicht mehr selbst Kompetenz absprechen und unsere eigenen Erfahrungen trivialisieren, daß wir nicht mehr unsere Bedürfnisse zurückstellen, unsere Ansprüche mäßigen und Konflikte vermeiden. Frauensprache bedeutet: Frauen reden mit Selbstvertrauen und Sicherheit, mit Autorität, mit Gefühl, mit Zärtlichkeit, entwickeln ihre eigenen Stile, literarische, alltagssprachliche, professionelle, poetische, werden hörbar, hören sich gegenseitig und werden gehört. Frauensprache heißt Veränderung.

Dies sind unsere Träume für die Zukunft. Manch eine träumt schon ihren Traum – Simone de Beauvoir. Manch eine lebte schon ihren Traum – Anaïs Nin. Manch eine zerbrach an diesem Traum – Ingeborg Bachmann, Virginia Woolf, Sylvia Plath.

Für viel Ermutigung und liebevolle Unterstützung beim Verfassen dieses Vortrages danke ich Luise Pusch und Ludwig Trömel. Für ihre Mühe mit diesem Manuskript und ihre ständige kompetente Hilfe mit meinen anderen Manuskripten bin ich Frau Tatjana Rapp zu Dank verpflichtet.

Anmerkungen

1 George Eliot; George Sand; Anne, Charlotte and Emily Brontë.
2 Interessant ist, daß sogar in dem Bereich, wo sich die Stimmlagen von Männern und Frauen überschneiden, und beim Flüstern die Stimme noch zuverlässig anscheinend aufgrund anderer Anhaltspunkte als die einer Frau oder die eines Mannes identifiziert wird,

ebenso wie die Stimmen von Mädchen und Jungen vor der Puber-
tät, also zu einem Zeitpunkt, wo noch keine physischen Unterschiede im Stimmapparat entwickelt sind, unterschieden werden können. SCHWARTZ (1968), SCHWARTZ/RINE (1968), SACHS et al. (1973),
SACHS (1975).

3 MOULTON et al. (1978), SCHNEIDER/HACKER (1973).
4 PEISERT (1975).
5 RÖMER (1973).
6 SAUTER-BAILLIET (1978).
7 KRAMER (1974), BREND (1971), MARKEL et al. (1972).
8 CROSBY/NYQUIST (1977).
9 ZIMMERMAN/WEST (1975).
10 EAKINS/EAKINS (1979).
11 Diese Beispiele sind SCHLEICH (1978) entnommen.
12 Entnommen SCHLEICH (1978).
13 ADAMSKY (1976).

5 Männer reden – Frauen schweigen: Frauensprache*

In unsere Kultur gehören stereotype Vorstellungen von Frauen, die viel reden und dabei wenig sagen. Diese Vorstellungen sind in unserer Sprache kodifiziert. Wir haben Beschreibungen dieser Frauen als Klatschbasen, Schwatzbasen, Quasseltanten, Quasselstrippen, im Bayerischen als Quadratratschen und Tratschtanten. Was sie produzieren, wird charakterisiert als Weibergeschwätz, das sowohl trivial als unzuverlässig ist. Es gibt keine analogen Beschreibungen der verbalen Aktivitäten von Männern. Männer reden anscheinend weniger, und auf ihr Wort ist Verlaß: ein Mann – ein Wort.

Diese stereotypen Vorstellungen beeinflussen, was wir beobachten, was wir erwarten, wie wir Erlebnisse kategorisieren und wie wir uns verhalten. Sie beeinflussen auch in der Wissenschaft unsere Intuitionen, unsere Wahrnehmungen, unser Interesse, unsere Fragestellungen und unsere Hypothesenbildung. So ist es möglich, daß populäre Mythen als wissenschaftliche Hypothesen durch empirische Arbeiten untermauert werden. Im Bereich des Kinderspracherwerbs z. B. wird mindestens seit JESPERSENS *Language* (1922) vertreten, daß Mädchen früher als Jungen reden lernen, besser und flüssiger sprechen, komplexere Satzstruktur und größeres Vokabular haben etc. Sie sprechen also früher, mehr und schöner als Jungen. Es gibt zahlreiche Arbeiten, die versuchen, die eine oder andere dieser Behauptungen empirisch zu unterstützen. Bei positiven Ergebnissen könnte man dann die stärkere Hypothese aufstellen, daß Mädchen und Jungen unterschiedliche verbale Begabung haben, was in der Tat immer wieder zu hören ist. Bei genauerem Hinsehen aber stellt sich heraus, daß JESPERSENS Intuition bis heute nicht bestätigt ist: Es gibt, soweit wir das heute wissen, keinen einzigen signifikanten geschlechtsspezifischen Unterschied in der verbalen Fähigkeit von Mädchen und Jungen.[1]

---

* Vortrag vom 15. 6. 1979 an der Universität Marburg, Ringvorlesung *Frauen und Wissenschaft*.

Eine Erklärung sowohl für die Hypothesenbildung als auch für die ziemlich intensive Forschung, um die Hypothese zu belegen, sehe ich darin, daß JESPERSEN und zahlreiche männliche Wissenschaftler nach ihm von dem populären Mythos geleitet waren, daß Frauen und Männer intellektuell ungleich ausgestattet sind: lange Haare, kurzer Verstand. Eine Hypothese, die kleinen Mädchen mehr verbale Fähigkeit zugesteht, war attraktiv, da total harmlos. Es ist einfach unbedeutend, ob Mädchen oder Jungen früher, mehr oder schöner reden, ähnlich, wie es unbedeutend für das spätere Leben ist, ob ein Kind mit 12 oder mit 16 Monaten zu laufen anfängt, ob es mehr oder schöner läuft als ein anderes. Mädchen dürfen da besser sein als Jungen, wo es nicht zählt. Damit steht im Einklang, daß manche Studien, die Mädchen mehr Flüssigkeit, Korrektheit, bessere Aussprache, Rechtschreibung etc. zusprechen, bei Jungen besseres Verständnis und verbales Argumentieren feststellen. Wir sehen sofort, daß sich hier schon das logische abstrakte Denken und die mathematische Begabung, die bevorzugt Männern zugeschrieben werden, ankündigt.[2] So nimmt es auch nicht wunder, daß Jungen im High-School-Alter, wo es nämlich wichtig wird, Leistungen zu haben, die einem den Eingang zu den guten Colleges sichern, Mädchen in verbaler Fähigkeit einholen und dann im College, wo es darum geht, die für Bewerbungen ins Berufsleben oder in die Graduate School nötige Leistung zu zeigen, gar die Mädchen überrunden.

Wir beginnen heute in der Linguistik damit, auch andere populäre Mythen in Frage zu stellen. In mehr und mehr verschiedenen Typen von Gesprächssituationen wird nachgewiesen, daß Männer mehr reden als Frauen, daß sie Frauen mehr unterbrechen als Frauen sie und daß sie Gespräche dominieren.[3] Das ist nicht nur da so, wo es zählt, sondern selbst da, wo es scheinbar nicht zählt. Wir sind nicht überrascht, wenn für den universitären Diskurs festgestellt wird, daß Frauen mehr schweigen, daß Männer mehr Themen einführen, längere Redebeiträge liefern und Frauen öfters unterbrechen.[4] Wir wissen aus Erfahrung, daß das kommunikative Verhalten von Studentinnen und Studenten unterschiedlich ist. Wir Frauen haben oft geschwiegen, während ein mittelmäßiger Mann mit großer Sicherheit und Autorität langwierige Ausführungen machte. Wir haben alle schon geschwiegen, wenn in einer Versammlung, Diskussion oder Konferenz, die unsere war, ein Mann das Wort ergriff und uns bevormundete und belehrte.

Wir sind nicht überrascht, daß Männer Gespräche in der Öffentlichkeit dominieren, selbst dann noch, wenn sie in der Minderheit sind.

Erstaunlich ist aber, daß das auch für den Privatbereich gilt, wo niemand zugegen ist und niemand zuhört, wo es scheinbar nicht zählt. So untersuchte FISHMAN die spontanen Unterhaltungen gemischtgeschlechtlicher Paare zu Hause während des Frühstücks oder nach dem Abendessen und stellte fest, daß die Männer das Gespräch kontrollieren und die Frauen die Arbeit leisten, um es aufrechtzuerhalten.[5]

Allerneueste Forschung zeigt überdies, daß sogar bei Paaren, die sich noch nicht kennen, also wenn eine Frau und ein Mann sich zum ersten Mal unterhalten, Männer dominieren. Auch da werden Frauen häufiger von Männern unterbrochen als umgekehrt.[6] Das ist um so erstaunlicher, als man erwartet, daß die Höflichkeit unter Fremden das gewohnte Verhaltensmuster von Männern aufheben würde. Dieses Ergebnis gibt uns Frauen auch noch den Hinweis, daß ein Kontext der Höflichkeit uns noch nicht garantiert, daß wir als gleichberechtigte Gesprächspartnerinnen reden dürfen. Höflichkeit scheint ein untergeordnetes Prinzip zu sein. Ebenso könnten Position und Status weniger wichtig sein als die Geschlechtszugehörigkeit der Sprecher. Dafür habe ich bis jetzt nur einige Anhaltspunkte, z. B. daß Frauen in Machtpositionen von sich sagen, daß sie Männern gegenüber so sprechen, als hätten sie eine untergeordnete Rolle. So sagte eine Frau in einer Spitzenposition der amerikanischen Regierung: »Ich versuche nie aus dem Auge zu lassen, daß... dies eine Welt der Männer ist, und wenn ich wichtige Probleme besprechen muß, gehe ich so vor, daß die Männer MIR ziemlich bald ihre Ideen geben und das genau die Ideen sind, die ich im Kopf habe... aber über einen Umweg durch die Hintertür sind es IHRE Ideen.«[7]

Eine andere Frau mit amerikanischem Ph.D. (Doktor der Philosophie) rät ihren Kolleginnen in gehobenen Stellungen: »Frage einen Mann nach seiner Meinung zu deinen Ideen, zeige dich für seine Hilfe dankbar, formuliere deine Gedanken als Fragen... dann wirst du, wenn es gut geht, akzeptiert. Sogar der Mann mit der größten Unsicherheit wird dir deine Erfolge nicht übelnehmen, wenn du sie nicht erwähnst.« [Zitiert nach LOCKHEED/HALL (1976).]

Wir wissen noch nicht, ob Status, Rolle, Partnerbeziehung unterschiedliches Kommunikationsverhalten mehr determinieren als Geschlecht oder ob das Geschlecht mehr als alle anderen Kategorien unterschiedliches sprachliches Verhalten bestimmt. Im Augenblick haben wir nur unsere hartnäckigen Vorstellungen, daß Frauen und Männer verschieden sprechen.

Ich komme also jetzt, nachdem ich über die Quantität des Redens von Frauen und Männern gesprochen habe, zu meinem Untertitel: Frauensprache, die mein eigentliches Thema ist.

Eva wurde aus Adams Rippe geschaffen, und sie war zweitrangig. Mann und Frau sind eins, und dies Eine ist der Mann. Im zweiten Schöpfungsbericht des Alten Testaments wird dem Menschen nach einiger Zeit ein Weib zugeführt: der Mensch und sein Weib. Die Frauen sollen den Männern untertan sein ebenso wie die Sklaven ihrem Herrn. So heißt es im Brief des Apostels Paulus an Titus (2,2–2,10): »Die alten Männer seien nüchtern, ehrbar, besonnen, gesund im Glauben, in der Liebe und in der Geduld. Desgleichen seien die alten Frauen ehrwürdig in der Haltung, weder dem verleumderischen Klatsch noch der Trunksucht ergeben, Lehrmeisterinnen im Guten, damit sie die jungen Frauen verständig anhalten, Gatten und Kinder zu lieben, besonnen zu sein, keusch, häuslich, gütig, ihren Gatten sich unterordnend, damit das Wort Gottes nicht in üblen Ruf gebracht werde. Ebenso ermahne die jungen Männer, in allem besonnen zu sein. ...Die Sklaven ermahne, daß sie ihren Herren in allem gehorsam, gefällig, nicht widersetzlich seien; daß sie nichts veruntreuen, sondern allseitig echte Treue beweisen, damit sie der Lehre Gottes, unseres Retters, in allem Ehre machen.«

Im 1. Brief des Paulus an Timotheus steht über die Haltung der Frauen (2,11–2,12): »Die Frau soll sich stillschweigend in aller Unterordnung belehren lassen. Zu lehren gestatte ich der Frau nicht. Sie soll auch nicht über den Mann herrschen wollen, sondern sich still verhalten.«

Diese Vorstellungen werden noch heute durch die Kirche und andere Kulturträger weitervermittelt; sie sind tief in unserem Bewußtsein verankert. Seit dem Mittelalter gibt es säkulare Instruktionen, wie Frauen sich verhalten und wie sie reden sollen. Sie sind von Männern geschrieben. Dagegen gibt es keine Instruktionen, in denen Frauen Männern vorschreiben, wie sie reden sollen. Wie sehen nun die Instruktionen der Männer aus? Frauen wurde seit eh und je von Männern geboten, nicht viel zu reden, insbesondere sollten sie die Geheimnisse, Fehler und Sünden ihrer Männer nicht preisgeben.[8] Wir sehen einen Zusammenhang mit dem Stereotyp der Frauen, die viel reden und nichts sagen: Hinter beidem, dem Verbot und dem Stereotyp, steht die Angst, die Frauen würden etwas Wesentliches und Wichtiges, nämlich etwas Negatives über ihre Männer sagen. Der Stereotyp von den klatschenden Weibern ist eine implizite Aufforderung, den Frauen nicht Gehör und Glauben zu schenken, und ist nichts anderes als ein indirektes Verbot an Frauen, etwas auszuplaudern und zum klatschenden Weib zu werden. Explizite Verbote auf der einen Seite und implizite Verbote in antifeministischer Literatur, in frauenfeindlichen Witzen, in sexistischen Redensarten und Idiomen auf der anderen sind zwei Seiten der gleichen Münze: Die Frau darf nicht reden, und die Frau hat nichts zu sagen.

Angesichts dieser Anweisungen, die das Reden von Frauen und nicht von Männern betreffen, ist es unwahrscheinlich, daß Frauen und Männer gleich reden. Es würde bedeuten, daß Frauen sich erfolgreich über jahrhundertealte Gebote und Verbote hinweggesetzt hätten. Ebenso wäre es angesichts der verschiedenen Sichtweisen, die das Reden von Frauen und Männern beschreiben, wie sie sich in den stereotypen Redensarten unserer Sprache niedergeschlagen haben, unwahrscheinlicher, wenn Frauen und Männer gleich reden würden. Nicht nur wären die landläufigen Formulierungen einfach inhaltslos, böswillige Verleumdungen, Abschreckungen mittels Schlechtmachen, sondern sie hätten auch absolut keine Wirkung gehabt. Es ist plausibler, daß die jahrhundertealten Verbote, wie wir sie in geflügelten Worten, im Volksmund, in der Literatur haben, sich in unserem Bewußtsein und in unserem Verhalten niedergeschlagen haben, so daß sie, wenn sie nicht tatsächliche Unterschiede im Sprechen von Frauen und Männern generieren, so doch zumindest unterschiedliche Erwartungen und Bewertungen für das Sprachverhalten von Frauen und Männern zur Folge haben.

So möchte ich also die Frage, die mir immer wieder gestellt wird, nämlich: »Gibt es das überhaupt, Frauensprache?« (je nach intellektuellem Anspruch der Fragesteller auch formuliert als: »Was ist der theoretische Status des Terminus *Frauensprache*?« oder: »Reden Frauen wirklich anders als Männer?«), hier mit einem Plausibilitätsargument beantworten: Es ist unwahrscheinlich, daß angesichts der starken unterschiedlichen Erwartungen und Bewertungen über unser Reden unser tatsächliches Verhalten keine Unterschiede aufweist.

Am besten belegt sind bisher außer den konversationsanalytischen Unterschieden, die ich oben erwähnte, Unterschiede auf der phonologischen Ebene. Soziolinguistische Untersuchungen zeigten, daß Frauen korrekter sprechen als Männer, genauer, daß Frauen der unteren Mittelschicht sich mehr an der sprachlichen Variante mit höherem Prestige orientieren als Männer. Auf den übrigen linguistischen Beschreibungsebenen, Syntax, Semantik und Pragmatik, befinden wir uns auf unsicherem Boden. Es gibt Hypothesen für das Amerikanische, daß Frauen mehr »tag questions« (unser deutsches *nicht wahr*), mehr Intensifikatoren, mehr indirekte Formulierungen von Aufforderungen oder Behauptungen, mehr »hedges« (Umgehungen) benutzen als Männer, aber wir brauchen noch viele großangelegte Untersuchungen, um diese Thesen empirisch zu unterstützen oder zu widerlegen. Die Mechanismen, die häufiger bei Frauen auftreten sollen, haben hauptsächlich damit zu tun, daß Frauen ihre Behauptungen abschwächen und einschränken, vager und unpräziser sprechen, sich mehr auf ihre Gesprächspartner beziehen, indirekter und höflicher sprechen.

Abschwächungen werden z. B. erreicht durch Modifikatoren wie:

> ich bin nicht sicher, aber ...
> könnte es nicht sein, daß ...
> ich würde meinen, daß ...

Behauptungen werden unpräziser, wenn man sie modifiziert mit *irgendwie, irgendwo, ungefähr, wohl, eine Art von, sozusagen, etwas* etc.

> Ich bin irgendwie sicher ...
> Sie war wohl da.
> Irgendwo war mir dabei nicht wohl.

Mit *weißt du, du weißt doch* und *weißt du was* bezieht man sich auf den Gesprächspartner, setzt Einverständnis voraus oder kündigt einen Redebeitrag an. Das geschieht auch mit der Einleitung »Das ist aber interessant«, das ähnlich wie »weißt du was« auf eine Situation hindeutet, in der die Sprecherin, ähnlich wie ein Kind, beschränktes Rederecht hat.

Indirekte Aufforderungen oder Behauptungen kann man mit Hilfe von Fragesätzen machen, z. B.:

> Könntest du das schnell für mich holen?

für

> Kauf das schnell für mich!

Würdest du bitte anhalten?

für

Halt mal an!

Findest du nicht, daß es schon spät ist?

für

Es ist gleich Zeit zum Heimgehen.

Ist er nicht ein Blödmann?

für

Er ist ein Blödmann.

Wenn es zutrifft, daß Frauen solche Mechanismen häufiger verwenden als Männer, also mit weniger Selbstvertrauen und Sicherheit sprechen, wäre es nicht verwunderlich, daß ihnen häufig die Autorität und oft sogar die Intelligenz abgesprochen wird.

Weder der Nachweis phonologischer Unterschiede noch die Hypothese über syntaktisch-semantische Unterschiede in den Äußerungen von Frauen widerspricht unseren Intuitionen. Von Frauen wird erwartet, daß sie gefällig, verharmlosend, liebenswürdig und emotional reden. Sie dürfen keine Vulgärausdrücke benutzen, nicht fluchen, ihren Ärger nicht stark ausdrücken, nicht obszön werden, keine schlechten Witze erzählen. Sie müssen gefällig, anständig und verbindlich sein, auch in ihrem Sprachverhalten.

Im Gegensatz dazu werden Frauen in der Sprache nicht gefällig und anständig behandelt. Sie werden trivialisiert als *Mädchen,* ähnlich wie schwarze Männer ihr Leben lang *boys* bleiben. Wenn sie etwas leisten, werden sie als Ausnahmen spezifiziert, so z. B. *Frau Thatcher,* aber *Schmidt* für zwei Politiker, *Robin Lakoff,* aber *Lakoff* für zwei Linguisten. Die Parallele zwischen der Sprache des Sexismus und der Sprache des weißen Rassismus ist interessant.[9] So wie man im Englischen bei höherer Position oder besonderem Verdienst spezifiziert, wenn es sich um eine Frau handelt, spezifiziert man auch, wenn es sich um eine Schwarze oder einen Schwarzen handelt. Wir haben deshalb: woman dean, lady doctor, female vocalist und Negro writer, black film maker, Negro poet, black historian. So wie es bis vor kurzem für eine Frau als Kompliment galt, wenn man ihr sagte: Du hast einen Kopf wie ein Mann, du denkst, arbeitest, redest wie ein Mann, so war es bis vor kurzem für Schwarze ein Kompliment, wenn man ihnen sagte: You don't think, act, talk like a Negro. Diesem Parallelismus verdankt der folgende Witz seine besondere Wirkung: Question: What do you think God looks like? Answer: Well, first of all she is black. Übrigens liegt der Schock hier mehr bei dem *she* als bei *black.* Die schwarze Hautfarbe Gottes ist leichter zu verkraften als das weibliche Geschlecht. Auf jeden Fall zeigt der Witz unseren Rassismus und unseren Sexismus auf, wobei der Sexismus noch untergründiger und weniger durchschaubar ist.

Der ungleichen, diskriminierenden und degradierenden Behandlung von Frauen in der Sprache gelten die Bemühungen in verschiedenen Ländern von verschiedenen Ansatzpunkten her. Selbst in Deutschland ist man schon darauf aufmerksam geworden, daß Frauen schon in Stellenausschreibungen diskriminiert werden. So steht in der *Frankfurter Rundschau* vom 30. 4. 1979 über die Leiterin der Leitstelle für die Verwirklichung der Gleichstellung der Frau: »Frau Rühmkorf hat auch durchgesetzt, daß bei Stellenausschreibungen Hamburger Behörden ein alter Zopf abgeschnitten wurde. Bisher wurden vor allem wichtige Positionen männlich definiert, Hilfsberufe dagegen oder untergeordnete Stellen wurden häufig weiblich beschrieben. Jetzt wird z. B. nicht mehr allein ein Arzt gesucht, sondern Ärztin/Arzt.« Diese Einsichten sind aber bei uns noch sehr begrenzt. Unsere Schulbuchverlage haben noch kein Bewußtsein für diskriminierende Darstellungen der Frauen in Lehrbüchern. Dagegen gibt es in Amerika von vielen großen Verlagen Richtlinien, in denen sie ihre Autoren anleiten, wie sie die Darstellung der Frau verbessern können.[10] Auch große amerikanische Berufsorganisationen wie die Modern Language Association, die American Psychological Association oder die National Council of Teachers of English setzen sich offiziell und aktiv für die Gleichbehandlung der Frau in der Sprache ein. Es wird nicht mehr vom Schüler, Lehrer, Studenten, Professor als *er* gesprochen, sondern man referiert auf Schüler, Lehrer mit *sie oder er,* man spricht von Studenten, Professoren im Plural, um das generische *he* zu vermeiden. Ganze Sätze werden umformuliert, damit Frauen nicht länger ausgeschlossen, unsichtbar und peripher sind.

Bei uns dagegen fällt niemandem auf, daß kürzlich bei Feiern am 23. Mai, bei denen das 30jährige Bestehen des Grundgesetzes gewürdigt wurde, nur von den Vätern des Grundgesetzes die Rede war (von allen drei Fraktionsvorsitzenden). Es fiel einer Linguistin der Universität Trier, Dr. Guentherodt, auf, und sie richtete einen Brief betreffs verfassungsfeindlicher Sprache an die Vorsitzenden der drei Bundestagsfraktionen: »... Es kann Ihnen nicht unbekannt sein, daß unter den siebzig Mitgliedern des Parlamentarischen Rates *vier Frauen* waren, u. a. die in Kassel lebende Rechtsanwältin Frau Dr. Elisabeth Selbert. Diese Frauen und ihre Leistungen werden durch den Hinweis ›*die Väter des Grundgesetzes*‹ völlig ignoriert. Ich bitte Sie deshalb, von dpa und der hiesigen Tageszeitung eine Richtigstellung zu fordern und eine Entstellung der historischen Gegebenheiten auch in Zukunft verhindern zu helfen. Unser sprachliches Handeln ist soziales Handeln und damit auch dem Grundgesetz und seinem Artikel 3 verpflichtet.«

Sie monierte außerdem mit Erfolg Formulierungen im Entwurf des Landesgesetzes über die wissenschaftlichen Hochschulen in Rheinland-Pfalz vom Juli 1977, in dem nur von dem Hochschulassistenten die Rede war:

§50 (1) »*Der* Hochschulassistent hat die Aufgabe, in Forschung und Lehre die für eine Habilitation erforderlichen oder gleichwertige wissenschaftliche Leistungen zu erbringen. Ihm obliegen auch wissenschaftliche Dienstleistungen ...«

§50 (3) »*Der* Hochschulassistent ist in der Forschung nach eigener Entscheidung tätig; hierfür steht ihm die Hälfte seiner Arbeitszeit zur Verfügung. *Er* hat Lehrveranstaltungen durchzuführen und Dienstleistungen zu erbringen. Sofern *er* nach der Beurteilung des zuständigen Fachbereichs die entsprechende Qualifikation hat, führt *er* die Lehrveranstaltungen selbständig durch ...«

Im Landesgesetz über die wissenschaftlichen Hochschulen in Rheinland-Pfalz, verkündet am 21. 7. 1978, heißt es nun:

§51 (1) »*Die* Hochschulassistenten haben die Aufgabe, in Forschung und Lehre die für eine Habilitation erforderlichen oder gleichwertige wissenschaftliche Leistungen zu erbringen.«

§51 (3) »*Die* Hochschulassistenten sind in der Forschung nach eigener Entscheidung tätig; hierfür steht ihnen die Hälfte ihrer Arbeitszeit zur Verfügung. *Sie* haben Lehrveranstaltungen durchzuführen und Dienstleistungen zu erbringen. Sofern *sie* nach der Beurteilung des zuständigen Fachbereichs die entsprechende Qualifikation haben, führen *sie* die Lehrveranstaltungen selbständig durch.«

Es gibt einen einfachen Test, mit dem man sich Asymmetrien in der Sprache und im Sprachverhalten vergegenwärtigen kann: Man stellt sich einfach die Frage: »Könnte das einem Mann passieren?« Und sieht sehr schnell, wer benachteiligt und wer privilegiert ist. Z. B. steht in der *Frankfurter Rundschau* vom 30. 4. 1979: »Frau Rühmkorf und ihre 6 Mitarbeiter, darunter auch ein Mann, ein Experte in Fragen des Arbeitsrechts, vermitteln, geben Tips und Hinweise.« Es ist unmöglich zu sagen: Frau Rühmkorf und ihre 6 Mitarbeiterinnen, darunter auch ein Mann...

Fünf Frauen müssen sich als Mitarbeiter betiteln lassen, weil ein Mann dabei ist. Ein Mann kann nicht unter die Bezeichnung *sechs Mitarbeiterinnen* eingeschlossen werden. Man beachte aber auch, daß ein einziger Mann sofort als Experte beschrieben wird, von den fünf Frauen erfährt man nichts.

Die neuen Beihilfeanträge an das Landesamt für Besoldung und Versorgung von Baden-Württemberg sehen vor, daß die Personaldaten in folgender Weise angegeben werden: Vom AntragstellER wird Name und Vorname verlangt, vom EhegattEN der Vorname. Frauen müssen sich also jetzt sowohl unter *AntragstellER* als auch unter *EhegattE* einbegriffen fühlen.

In der Schweiz sind die Steuererklärung wie auch die meisten anderen Dokumente an den Mann adressiert, von der Frau interessiert nicht einmal der Name. Es genügt der Vermerk »Frauenverdienst«. Die Frau ist auch für viele Absender einschließlich der Firmen, die Warenproben für Babynahrung versenden, Frau Urs Müller. Bei gemeinsamem Bankkonto und trotz Monierens bin ich auf der Bankkarte der Schweizerischen Bankgesellschaft Ludwig Trömel. Zur Vorsicht steht noch der Vermerk: *nicht als Identitätsausweis.*

Zu einem Autorenessen des Konstanzer Universitätsverlages werde ich mit Frau Privatdozentin Trömel-Plötz eingeladen. Alle Männer werden mit ihren »verehrten Frau Gemahlinnen« eingeladen, ob sie verheiratet sind oder nicht. Bei Männern, so sagte der Verlagsleiter zu mir, gehe man davon aus, daß sie verheiratet seien. Bei mir – ich bin meines Wissens bis jetzt die einzige AutorIN – räumt man nicht einmal aufgrund meines Doppelnamens die Möglichkeit ein, daß ich verheiratet sein könnte.

Journalisten, Beamte, Sekretärinnen, Verlagsleiter, denen diese kleinen Unebenheiten unterlaufen, werden sich zumeist für ihr Versehen entschuldigen. Auch diese Manöver müssen wir noch mal durchschauen, denn auch Versehen kann man sich nur leisten, wo es nicht zählt. Die einzige Autorin, die einzige

Habilitierte, die einzige Kollegin im Kreis von Männern ist nicht so wichtig, daß MAN sie extra ansprechen muß. In der Nichtbeachtung, die man sich nur bei unwichtigen Dingen leisten kann, liegt eine Art der Mißachtung. Da Frauen in allen Berufsbereichen in den gehobenen Positionen die Ausnahme sind, tut man sich schwer, sie korrekt anzusprechen, ihre Zuständigkeit zu akzeptieren, ihnen zuzuhören und einfach angemessen mit ihnen umzugehen. Ihre Titel fallen rasch unter den Tisch, ihre Namen werden entstellt, ihre Leistung wird minimalisiert.

Wir müssen uns sensibilisieren für unsere Sprache, für sexistische, diskriminierende Muster in unserer Sprache. Wir müssen die Ohren spitzen und den anderen aufs Maul schauen, sie beim Wort nehmen, aber wir müssen auch darauf achten, wie wir selbst reden. Es ist wichtig, daß wir unsere Bedürfnisse selbst artikulieren und nicht Männer für uns reden lassen.

In der Art und Weise wie Männer reden, in der Männersprache wird mehr Sicherheit, Selbstvertrauen, Autorität vorgetäuscht, als wirklich da ist. Es ist eine Erfahrung in der Therapie, daß bei Männern die Fassade von Stärke schnell zusammenbricht und sie sehr verwundbar sind. Frauen machen sich von vornherein verwundbar und sind dahinter oft stark und eine wirkliche Unterstützung für den Mann. Es wäre wichtig, daß Männer ein bißchen mehr in Berührung kommen mit ihrer Verwundbarkeit und ihren Ängsten, sich auch in ihrer Schwäche zeigen können und auf der anderen Seite die Stärke der Frauen akzeptieren können, so daß sich auch Frauen in der Öffentlichkeit in ihrer Stärke zeigen können, nicht nur in der privaten Sphäre ihrer Beziehung. Männer, die gute Beziehungen mit Frauen wollen, die wirklich Frauen akzeptieren und lieben können, identifizieren sich schnell mit den Forderungen, die Frauen heute stellen; sie wollen ja eine gleichwertige Partnerin und können es aushalten, eine Partnerin zu haben, nicht ein Kind, Mädchen, Püppchen, dem man überlegen sein kann. Für uns Frauen bedeutet das, daß wir schnell testen können, was für einen Mann wir vor uns haben, daß wir besser wählen können. Für die Männer bedeutet das, daß sie, wenn sie eine gute Beziehung haben wollen, eine gute Ehe, sich mit den Vorstellungen und Wünschen der Frauen auseinandersetzen und identifizieren müssen; wenn sie das nicht können, liegt ihnen nichts an ihrer Partnerin; wenn sie sich eine Partnerin suchen, die gar nicht gleichwertig sein will, sagt das etwas über ihre Männlichkeit:

Sie brauchen die kleinere, schwächere, unreife Frau, wahrscheinlich auch dann viele andere Frauen, um diese Männlichkeit immer weiter zu bestätigen.

Also Reaktionen auf Emanzipationswünsche von Frauen können als Test benutzt werden: Wie männlich bin ich wirklich, will ich mich als Frau entwickeln, welche Partnerin suche ich mir und wie gut soll meine Beziehung sein.

Sprache ist nicht neutral – sie ist über Jahrhunderte gewachsen und spiegelt unsere Einstellungen und Grundannahmen wider. Im Patriarchat ist der Mythos männlicher Überlegenheit eine dieser Grundannahmen, die axiomatisch gegeben ist und nicht mehr hinterfragt wird. Unsere Sprache hilft mit, diesen Mythos immer wieder zu belegen und immer wieder zu produzieren, indem sie feste Formulierungen zur Verfügung stellt, wo Männer immer an erster Stelle stehen, indem sie ein maskulin orientiertes Pronominalsystem hat, in dem auf *man, jemand, wer, jeder, mancher, niemand* mit *er* und *sein* referiert werden muß, indem sie Asymmetrien wie *Fräulein, Frau* und *Herr* verfügbar macht, indem sie Frauen unsichtbar macht, denn bei den Ausdrücken alle *Schweizer,* die *Bürger,* zahlreiche *Lehrer,* keine *Arbeiter,* englische *Schriftsteller* wissen wir weder, ob Frauen eingeschlossen sind, noch wie viele. Sprache ist ein Instrument, um Wirklichkeit herzustellen, die Wirklichkeit des Patriarchats. Durch neuen Gebrauch ändern wir die feststehenden Formulierungen, die Unterscheidungen, die maskulinen Formen, die unsere Sprache verfügbar macht; damit ändern wir die Regeln unserer Sprache und damit auch die ihnen zugrundeliegenden Mythen.

Anmerkungen

1 MACAULAY (1978).
2 GARAI/SCHEINFELD (1968).
3 FISHMAN (1978), ZIMMERMAN/WEST (1975), SWACKER (1975), EAKINS/EAKINS (1979), etc.
4 KLANN (1978), WERNER (undatiert), EAKINS/EAKINS (1979).
5 FISHMAN (1978).
6 WEST/ZIMMERMAN (undatiert).
7 CASSLER (1958), S. 67.
8 BORNSTEIN (1978).
9 BOSMAJIAN (1974).
10 Vgl. *Guidelines.*

6 Frauen, Damen, Mädchen und Fräulein: Die Vergewaltigung der Frauen in der Männersprache*

Der 17jährige junge Mann..., ein Mann von knapp 20 Jahren..., mit seinen 16 Jahren der jüngste Mann dieser Olympischen Spiele – so konnten wir es in den Sportberichten vor kurzem hören; von den Frauen dagegen hieß es ausnahmslos die Mädchen auf dem Eis, unsere Goldmädchen, das Mädchen, die Mädchen und ab und zu Damen. Hochleistungssportlerinnen sind natürlich keine Damen, so wird auch die einzelne Sportlerin nie eine Dame genannt. Die Bezeichnung Damen für mehrere Sportlerinnen scheint einfach übernommen zu sein von den offiziellen Beschreibungen der Sportarten wie Slalom der Damen, Abfahrtslauf der Damen etc. und ebenso konventionell zu sein wie die Anredeformel »meine Damen und Herren«. Da aber eine Gruppe von Sportlern trotz *Slalom der Herren, Kür der Herren* etc. eher Männer genannt werden und nicht Herren, hat es mit den Damen vielleicht doch noch etwas Besonderes auf sich. Kleiner Hinweis aus einer Fehlleistung: Beim Slalom der Damen war die erste Fahrerin »der erste Vorläufer«. Jedenfalls so jung die Männer auch waren bei diesen Olympischen Spielen, es waren keine Jungen dabei, und wie alt immer die Frauen waren, sie waren keine Frauen.

Warum diese Asymmetrie? Kommt sie nur bei Sportberichterstattern vor, oder finden wir sie auch bei Männern, die bewußter mit Sprache umgehen? Wir Frauen wissen, daß wir auch von anderen Männern, sogar von denen, die sich professionell mit Sprache beschäftigen, als Damen bezeichnet werden, wenn sie ein bißchen Respekt zeigen wollen, und als Mädchen, wenn es auf Respekt gerade nicht ankommt, genauso wie wir mit Fräulein betitelt werden, gleich ob wir verheiratet sind oder nicht, gleich ob wir 20 oder 40 Jahre alt sind.

Warum wehren sich Frauen heute gegen die Bezeichnungen Mädchen, Damen, Fräulein? Und warum fällt es Männern so schwer, Frauen zu sagen anstatt Damen und Mädchen und das Fräulein ganz aufzugeben?

* Erschienen am 3.5.1980 im *Südkurier* in der Reihe *Das besondere Thema.*

Die ewigen Mädchen

Mädchen wie *Junge* sind geschlechtsspezifische Ausdrücke für Kinder. Ist es ein Mädchen oder ein Junge? fragen wir bei einem kleinen Baby. Wenn die Kinder größer werden, 14, 15, 16, wird das Mädchen ein junges Mädchen, der Junge schon ein junger Mann. Mit 17 hat der junge Mann das junge Mädchen schon überrundet: Er ist ein Mann und sie ein junges Mädchen; sie bleibt dann, auch wenn sie älter wird, bis ins gesetzte Alter ein Mädchen, danach wird sie eine alte Frau, wenn nicht ein altes Weib oder eine alte Jungfer. Daß sie unabhängig von ihrem Alter Mädchen genannt werden, gibt einen Hinweis darauf, daß Frauen, auch wenn sie erwachsen sind, wie Kinder und nicht wie Erwachsene behandelt werden, d. h., sie werden bevormundet, versorgt, beschützt, es wird ihnen vorgeschrieben, was sie tun und sagen dürfen; sie sind nicht selbständig und unabhängig.

Die feinen Damen

Recht ähnlich ist es mit der Bezeichnung *Damen,* mit der anscheinend das Wort Frau euphemistisch verbrämt und veredelt werden muß. Eine Frau, die sich mit ihren schweren Einkaufstaschen abrackert, soll sich wohl daran aufheitern, wenn sich beim Metzger »die nächste Dame bitte« oder »die Dame vor mir« auf sie bezieht. Muß ihre Mühe, ihr hartes Leben vertuscht werden? Auch die sogenannte Dame des Hauses hat sich oft abgerackert mit Saubermachen und Essenvorbereiten, ehe die Gäste kommen. Dafür kann sie sich den Rest des Abends entschädigen und sich mit Dame des Hauses betiteln lassen.

Aber schlimmer noch als die Verbrämung des Frauseins – da es anscheinend nicht genügend Würde oder Grazie hat – durch den Ausdruck *Dame* ist, daß Frauen als Damen nicht ernst genommen werden. Von Damen erwartet man nur gepflegtes Äußeres und feines Gebaren, aber keine richtige Arbeit, keinen guten Kopf und keine hervorragende Leistung irgendwelcher Art.

Man stellt sie sich etwas schwächlich, zerbrechlich, etwas älter, aber dafür teuer herausgeputzt vor, nur auf Äußeres und Oberflächliches bedacht, wohlhabend, ohne arbeiten zu müs-

sen. Eine Fabrikarbeiterin, eine Krankenschwester, eine Sportlerin, eine Wissenschaftlerin, eine Richterin, eine Politikerin ist
keine Dame. Man kann nicht einmal sagen: Ingrid Bergman ist
eine schöne Dame, Hanna Schygulla ist eine hochbegabte
Dame. Damen tun nichts Ernsthaftes, Wichtiges und Bedeu-
tendes, verlangen keine gleichen Löhne für gleiche Arbeit und
wollen auch sonst nicht gleich behandelt werden wie Männer.
Damen sind mit dem Status quo zufrieden. Damen konkurrieren nicht mit Männern und machen Männern keine Schwierigkeiten. Es ist ein Unterschied zwischen einer Frauengruppe und
einem Damenzirkel. Es gibt keine Damenbewegung, sondern
nur eine Frauenbewegung. Man kann nicht sagen: »Hildegard
Hamm-Brücher gehört als Dame und Freie Demokratin in die
Regierung«, denn eine Politikerin als Dame zu bezeichnen,
heißt ihre Leistung abwerten und sie als Person degradieren. In
ernsthaftem Kontext klingt Dame oft herablassend oder ironisch: Was wünscht die Dame?

Die kleinen Fräulein

Die Anrede *Fräulein* zeigt am augenfälligsten, wie Frauen und
Männer ungleich behandelt werden: Die Unterscheidung danach, ob eine Frau verheiratet ist oder nicht, ist sicher für
andere Frauen nicht interessant, sie wird allein für Männer
gemacht, denn für sie allein ist es eine wichtige Information, ob
eine Frau noch zu haben ist oder nicht. Genauso ist es übrigens
mit ihrem Aussehen.
Auch wo es völlig unwichtig scheint, werden Frauen in ihrem
Aussehen beschrieben. In Zeitungsartikeln über Frauen in
hohen Positionen, vor allem im öffentlichen Leben, finden sich
mit schöner Regelmäßigkeit Angaben zu ihrer Figur, ihrer
Kleidung, ihrer Frisur, ihrer Haar- und Augenfarbe, wenn nicht
zu ihren Körpermaßen, so als wären sie in einem Schönheits-
wettbewerb. Diese Darstellungen werden von Männern und für
Männer gemacht. Daher werden Frauen sowohl in ihrer Verfügbarkeit für den Mann als auch in ihrer Attraktivität für den
Mann beschrieben.
Das unverheiratete Fräulein hat außerdem geringeren gesellschaftlichen Status als die verheiratete Frau. Ebenso zeigt sich
der geringere berufliche Status von Frauen in anonymen
Dienstleistungspositionen in den Bezeichnungen: das Fräulein

vom Amt, das Fräulein im Café, das Kinderfräulein, das Servierfräulein. In der Anrede Fräulein drückt sich für uns deshalb oft ein gewisses Maß an Geringschätzung und Respektlosigkeit aus. Wir Frauen vermeiden deshalb, eine Kellnerin »Fräulein« zu rufen, und wir reagieren empfindlich, wenn wir als erwachsene Frau von wildfremden Männern mit Fräulein betitelt werden.

Die Macht der Männer

Warum bestehen Männer darauf, uns Mädchen, Damen und Fräulein zu nennen, wo doch ein einfaches Gebot der Höflichkeit verlangt, daß Leute nach ihrer Präferenz betitelt werden? Warum bezeichnen sie uns nicht als Frauen? Weil damit ein Stück der Infantilisierung und Trivialisierung von Frauen zurückgenommen würde, weil sie als Erwachsene behandelt und als Gleichgestellte ernst genommen werden müßten, auch weil sie ein Stück weniger Objekte, die für den Mann verfügbar sind, wären, sondern eigenständig und unabhängig. Im ganzen würde es heißen, Frauen den Status des Erwachsenseins zuzusprechen, einen Status, wie Männer ihn haben, und das würde wiederum bedeuten, daß die Männer einen Teil ihrer Macht abgeben müßten, wenn sie Frauen als gleich wichtig und gleichrangig anerkennen würden.
Weil es letztlich um Macht geht, um die Aufgabe einer privilegierten Position gegenüber einer großen Minderheit, dem zweiten Geschlecht, sind die Widerstände der Männer so groß, selbst die kleinsten Änderungen vorzunehmen.

Die Sprache der Mächtigen

Die Sprache ist auf der Seite der Mächtigen. In der Sprache spiegelt sich die gesellschaftliche Rangordnung. Männer kommen immer zuerst. Frauen stehen immer hintenan: Mann und Frau, er und sie, Vater und Mutter, Söhne und Töchter, Bruder und Schwester, Arbeiter und Arbeiterinnen, Hänsel und Gretel, Romeo und Julia, Herr und Frau Müller.
Frauen werden in Beziehung zu Männern definiert: Sie sind die Frau von, die Tochter von, die Witwe von einem Mann (den Witwer von einer Frau gibt es nicht), sie sind Arztfrauen,

Professorenfrauen, Diplomatenfrauen, die Ärztinnenmänner, Professorinnenmänner, Diplomatinnenmänner gibt es in unserer Sprache nicht, obwohl sie zumindest im Fall der Ärztinnen in Wirklichkeit relativ zahlreich existieren.

In der Sprache sehen wir, um wen es geht und wer nicht zählt: Der beste Mann für einen Job wird gesucht, der kluge Mann baut vor. Der Mann auf der Straße, der Gentleman und der kleine Mann sind alle Männer, auch die Gewährsmänner, die Mittelsmänner, die Amtmänner, die Pressemänner, die Ratsherren, die Bauherren, die diversen Räte, nicht zu vergessen die Pfarrer, Ministranten, Bischöfe, Küster und Päpste.

Selbst wenn es um Gruppierungen mit mehr Frauen als Männern geht, zählen die Frauen nicht: Wir müssen die Teilnehmer, die Kunden, die Wähler, die Studenten, die Arbeiter, die Lehrer sagen, obwohl wir im Deutschen weibliche Formen zur Verfügung haben. Es nützt nichts: eine Lehrerin und ein Lehrer sind schon zwei Lehrer, und wie viele Lehrerinnen auch dazukommen, es ändert sich nichts: auch 99 Lehrerinnen und ein Lehrer sind 100 Lehrer und nicht 100 Lehrerinnen. Frauen zählen nicht. In unserer Sprache ist ständig von potentiellen Männern die Rede, und Frauen müssen sich eingeschlossen fühlen, auch wenn es *der eine oder der andere, einer nach dem anderen, einer, jeder, der nächste, er, der* und *sein* heißt:

> Jeder Mensch muß *seine* Kreativität entwickeln können, *er* soll sich nach *seinen* Fähigkeiten ausbilden dürfen und *seinen* Leistungen entsprechend aufsteigen können.

> Es ist immer *einer* dabei, *der* zu spät kommt.

> Jemand – ich weiß nicht mehr wer – hat mir das erzählt, und *er* hat diesen Zusammenhang angedeutet.

In der Sprache zeigt sich, wer die Norm ist und wer die Abweichung. Wir sprechen von den Gesetzgebern, den Politikern, Volksvertretern, Arbeitgebern, Handwerkern und Bettlern und denken dabei nur an Männer. Der Bundeskanzler, der Bundespräsident, der Rektor einer Universität, ein Großindustrieller – wie könnten sie etwas anderes sein als Männer. In den Stellenausschreibungen werden für hohe Positionen nur Männer gesucht, obwohl wir im Deutschen, wie gesagt, weibliche Formen zur Verfügung haben. Sie werden nicht benötigt. Frauen müssen sich angesprochen fühlen unter lieber Leser, lieber Zuhörer, lieber Steuerzahler, lieber Wohnungsinhaber, unter Arbeitnehmern, Bürgern, Sozialdemokraten, Atheisten und Studenten.

Acadia University Library
Wolfville, N.S. Canada

Die Sprache ist auf der Seite der Mächtigen, weil die Mächtigen die Wirklichkeit definieren. Männer definieren Frauen als Mädchen, Damen oder auch Weiber, Hexen, Emanzen. Nachdem Frauen so definiert sind, ist es auch legitim, ihnen bestimmte Eigenschaften wie Intelligenz, Kreativität, Durchsetzungskraft, Entscheidungsfähigkeit, Selbstvertrauen und bestimmte Rechte wie das Recht auf gleiche Ausbildung, gleiche Berufswahl, gleiche Aufstiegsmöglichkeiten abzusprechen. Wir kennen analoge Situationen, was die Schwarzen, die Juden, die Indianer betrifft. Auch hier wurden Gruppen von Menschen ausgesondert, mit degradierenden Definitionen belegt, bis sie keine Menschen mehr waren, sondern Sklaven, Ungeziefer, Rothäute, und dann war es nur noch ein kleiner Schritt, sie in Ghettos oder Konzentrationslager oder Reservationen zu stecken, wenn nicht ganz auszurotten. Ein übertriebener Vergleich? Sprachliche Parallelen zwischen der Sprache des Sexismus und der Sprache des Rassismus fehlen nicht: Auch schwarze erwachsene Männer wurden von den Weißen in Amerika sowie von den weißen Kolonialisten in Afrika und anderswo *boys* (also *Jungen*) genannt, ähnlich wie erwachsene Frauen *Mädchen* sind. Auch die Leistung von Schwarzen wurde als etwas Besonderes spezifiziert: die schwarze Sängerin, der schwarze Dichter, der Negerschriftsteller etc., so wie man sagen muß weiblicher Fachmann, weiblicher Konzertmeister, weiblicher Staatssekretär, weiblicher Vorstand, weiblicher Oberst, weiblicher Kapitän (z. B. einer Frauenmannschaft). Deshalb ist es nicht unwichtig, wie wir angeredet werden. Mit der Anrede wird zu einem wesentlichen Teil die Beziehung definiert. Wenn wir schon in der Anrede trivialisiert werden, werden wir auch in der Beziehung dominiert und sind nicht gleichrangig. Die Diskriminierung besteht häufig in verbalen Äußerungen: darin, wie wir angeredet oder nicht angeredet werden; darin, wie über uns gesprochen wird; darin, daß wir ignoriert und ausgelassen werden; darin, daß wir nicht zählen; darin, daß wir nicht ernst genommen werden; darin, daß wir abgewertet werden.

Redeverbot

Die Diskriminierung von Frauen in der Sprache tritt aber auch viel offener zutage, und zwar in Redensarten, Sprichwörtern und geflügelten Worten, die uns anweisen, still und unauffällig zu sein, damenhaft, brav und harmlos, die uns in unsere Schranken weisen, wenn wir trotzdem den Mund aufmachen. Zunächst sind da explizite Verbote zu reden:

Das Weib schweige in der Kirche.

Die Frau schweige in der Gemeinde.

Und ins Gerede zu kommen:

Die beste Frau ist die, über die man am wenigsten spricht.

Wie absurd diese Gebote sind, sieht man, wenn man sie für Männer formuliert:

Das Mannsbild schweige in der Kirche.

Der Mann schweige in der Gemeinde.

Der beste Mann ist der, über den man am wenigsten spricht.

Was hier eingeschränkt wird, ist das Reden in der Öffentlichkeit, das öffentliche Auftreten und Handeln von Frauen.

Sollten uns diese Vorschriften nicht den Mund verschnüren, dann kann man uns beschimpfen als Schnattergänse, Klatschbasen, Schwatztanten, Quasselstrippen und damit unser Reden abtun als unzuverlässiges, übertriebenes, belangloses Weibergeschwätz. Wir bringen Gerüchte in Umlauf, haben böse Zungen, geifern und keifen wie vormals Xanthippe, reden viel und sagen wenig.

Unterdrückung in Konversationen

Und genügt das alles noch nicht und wir wagen es, mitzureden mit den Männern, dann bekommen wir nicht nur zu spüren, daß wir Verbote überschritten haben, sondern dann wird uns in jedem Gespräch Gewalt angetan. Es ist noch wenig durchschaut und wenig bekannt, wie wir in konkreten Gesprächssituationen auf verbale und nichtverbale Weise unterdrückt werden. Aber in soziologischen, psychologischen und linguistischen Untersuchungen von Unterhaltungen zwischen Frauen und Männern wird jetzt mehr und mehr aufgedeckt, wie Männer auch in Gesprächen dominieren und sei es nur ein Gespräch am Frühstückstisch. Ganz entgegen den gängigen stereotypen Vorstellungen von den viel redenden Frauen stellt sich heraus, daß Männer mehr reden als Frauen, d. h. öfter das Wort ergreifen und längere Redebeiträge liefern als Frauen, daß sie das Gesprächsthema bestimmen und den Gesprächsablauf steuern. Frauen dagegen werden in Gesprächen mehr wie Kinder behandelt, die ja auch nicht jederzeit reden dürfen und die ja auch nichts Wichtiges zu sagen haben. Kinder müssen häufig um das Wort bitten, wenn sie etwas sagen wollen; Kinder dürfen Erwachsene nicht unterbrechen, können aber ihrerseits mitten im Satz unterbrochen werden, denn was Erwachsene zu sagen haben, geht immer vor.

Inwiefern geht es nun Frauen in Gesprächen mit Männern ähnlich wie Kindern? Auch Frauen scheinen eingeschränktes Rederecht zu haben; denn es fällt auf, daß sie häufig erst darauf aufmerksam machen, daß sie etwas sagen wollen, oder auch daß sie eine inhaltliche Vorankündigung machen, daß sie etwas Interessantes zu sagen haben. Sie tun das, indem sie ihren Redebeitrag einleiten mit:

> Weißt du was?

> Weißt du, was ich mir überlegt habe?

> Das ist aber interessant! So etwas!

Darauf erteilt dann der Mann die Redeerlaubnis, indem er zurückfragt:

> Was denn?

> Was ist interessant?

Frauen können also nicht einfach anfangen zu reden, sie müssen zuerst sicherstellen, daß sie überhaupt eine Reaktion bekommen und daß sie angehört werden. Das weist darauf hin, daß Männer dadurch Kontrolle im Gespräch ausüben, daß sie häufig einfach nicht reagieren. Eine zweite Beobachtung über Unterhaltungen zwischen Frauen und Männern bestätigt das: Frauen stellen sehr viel mehr Fragen als Männer – auch bei gleichem Wissensstand. Es handelt sich also nicht nur um Informationsfragen, sondern um Behauptungen, die als Fragen formuliert sind:

> Meinst du nicht auch, daß das nur ein Vorwand ist?

anstatt

> Das ist nur ein Vorwand.

> Könnten wir nicht einen Ausflug machen?

anstatt

> Wir könnten doch einen Ausflug machen.

Fragen zwingen den Gesprächspartner sehr stark zu einer

Antwort, in der Tat wird jede Reaktion nach einer Frage als Antwort interpretiert, sogar Schweigen. Frauen machen also anscheinend in Gesprächen mit Männern die Erfahrung, daß, wenn sie eine gewöhnliche Behauptung aufstellen, nicht garantiert ist, daß eine Antwort kommt.

Nicht zu reagieren, nicht einzugehen auf eine Gesprächspartnerin, nicht Bezug zu nehmen auf ein Thema, sind starke Mechanismen der Gesprächskontrolle. So wurde gezeigt, daß in Alltagsgesprächen zwischen Paaren Frauen zwar häufiger das Wort ergreifen und anfangen, ein Thema zu entwickeln, aber ihr Thema nicht durchsetzen können. Sie scheitern daran, daß die Männer nicht reagieren, daß die Männer kein Interesse zeigen, das Thema zu diskutieren oder auch nur zuzuhören. Die Frauen lassen dann ihr Thema fallen. Auf diese Weise kontrollieren die Männer, worüber gesprochen wird, und bestimmen, was wichtig ist. Ganz anders dagegen reagieren Frauen, wenn ein Mann ein Thema einführt. Sie zeigen Aufmerksamkeit, gehen auf ihn ein mit interessierten Fragen, anerkennenden Zwischenbemerkungen, unterstützen ihn also, so daß er sein Thema entwickeln und fortführen kann.

Ein weiterer Mechanismus der Gesprächssteuerung ist die Unterbrechung. Auch hier werden Frauen ähnlich wie Kinder behandelt. Sie werden nämlich fortlaufend, in gleichen Abständen unterbrochen. Diese Unterbrechungen sind unabhängig vom Thema oder von anderen Faktoren, und sie passieren einseitig nur den Frauen. Männer werden von Frauen kaum unterbrochen. Es gibt Untersuchungen von Gesprächen, in denen 96 Prozent aller Unterbrechungen von Männern kommen. Solche systematischen Unterbrechungen sind extreme Verletzungen des Rederechts und zeigen am eklatantesten, daß Frauen nicht als gleichwertige Gesprächspartner respektiert werden und daß das, was sie sagen, disqualifiziert wird. Männer scheinen sich anders zu orientieren, wenn sie mit Frauen sprechen, ähnlich wie wir uns anders orientieren, wenn wir mit Kindern oder mit Ausländern sprechen. Männer dominieren nicht nur in der Öffentlichkeit, in der Politik, in allen Institutionen, sondern auch in der privaten Sphäre, in Gesprächen in der Familie, in intimen Unterhaltungen zwischen Paaren, die sich für emanzipiert halten, sogar in Konversationssituationen, wo sich eine Frau und ein Mann gerade kennenlernen. Der Sexismus, die Unterdrückung von Frauen aufgrund ihres Geschlechts, ist durchgängig in allen Bereichen der Sprache und des Sprechens.

So deprimierend das alles für uns ist und wie schwierig es auch für uns ist, gehört zu werden, wir müssen uns trotzdem Gehör verschaffen. Wir müssen darauf bestehen, so angeredet zu werden, wie wir es wünschen, explizit angesprochen und nicht nur eingeschlossen, mitgemeint zu werden. Wir müssen die Regeln, die unser Sprechen einschränken, durchbrechen und zeigen, daß wir etwas zu sagen haben.

Wir müssen auch immer wieder darauf bestehen, daß das, was wir sagen, ernst genommen wird, so daß wir endlich in Gesprächen als gleichwertig respektiert und anerkannt werden.

7 Frauensprache: Zum Sexismus in unserer Sprache und unserem Sprachverhalten*

I Einführung

Ich werde oft gefragt: Was ist das eigentlich, Frauensprache, gibt es das überhaupt?, oder konfrontiert: Das gibt es doch gar nicht, Frauensprache, oder angegriffen: Was soll denn das sein, Frauensprache, was hat denn das mit Linguistik zu tun, was ist der theoretische Status des Terminus? Manche Leute reagieren sehr heftig auf den bloßen Ausdruck Frauensprache; wenn es Frauensprache nicht gibt, dann darf ich das Wort auch nicht benutzen. Das Wort ist anscheinend anstößiger als *Einhorn*, *Rotkäppchen* und *Schneewittchen*. Bei manchen zeigt sich die negative Reaktion anders: Ich werde auf die Inkonsistenz des Titels »Frauensprache in unserer Welt der Männer« hingewiesen, oder meine wissenschaftliche Redlichkeit und meine Wissenschaftlichkeit schlechthin werden bezweifelt.

Ich beschäftige mich seit langem mit psychotherapeutischer Sprache, d. h. Sprache, wie sie in der Psychotherapie verwendet wird. Das ist zwar ein etwas legitimeres Gebiet, aber auch da habe ich gemerkt, daß bestimmte Leute unnötig aggressiv auf meine Arbeit reagierten, und zwar weil sie starke Ressentiments gegen Psychotherapie hatten. Ähnlich erkläre ich mir die Reaktionen auf meine Beschäftigung mit Frauensprache. Männer und Frauen haben starke negative Gefühle über Frauen, und das zeigt sich, da sie es sich selbst nicht eingestehen können und vor anderen nicht zum Ausdruck bringen dürfen, in der ganzen Skala von negativen Reaktionen nicht nur auf das Gebiet Frauensprache, sondern auf jede frauenspezifische Thematik. Auf frauenspezifische *Themen* in der Wissenschaft, an der Universität, in Zeitungen und den Medien und *Termini* wie Frauensprache, Frauenzentrum, Frauenhaus, Frauenbuchladen, Frauenkneipe darf man ja getrost reagieren, da darf man

---

* Grundsatzreferat vom 12. 1. 1980, gehalten auf der Tagung *Frauensprache – Sprache der Unterdrückten?*, Paulus-Akademie, Zürich.

sich abreagieren, dazu darf man seine Meinung unverblümt äußern, darüber darf man doch wohl noch einen Witz machen. Nur: die Proportionen stimmen nicht. Und manchmal wird davon auch der Inhalt in Mitleidenschaft gezogen, so z. B., wenn ein frauenspezifisches Thema abgelehnt wird, weil es »nicht wissenschaftlich« ist; so geschehen bei einem Konstanzer Professor der Slavistik.

Ich benutze den Begriff Frauensprache, weil er mir sehr gefällt. Er sagt mir zu, er stimuliert mich und andere, er erregt die Gemüter. Ich spiele mit dem Wort, ich provoziere, ich verunsichere, je nachdem, und es gibt mir auch die Möglichkeit, mit einigen Frauen wirklich darüber zu reden, wie ihre Großmutter erzählt hat und wie ihre Mutter verbal auf Babys reagiert und wie die alten Frauen in Italien reden und wer in ihrer Familie immer die Geschichten erzählte, und zu sehen: Das können Männer nicht so, das kommt von den Frauen, und auch: Das habe ich vielleicht schon verlernt, oder: Das habe ich schon nicht mehr gelernt.

II Frauensprache – Sprache der Unterdrückten

Natürlich gibt es keine Frauensprache, wenn man darunter eine Sprache versteht, die nur Frauen beherrschen und die Männer nicht verstehen können. Natürlich reden Frauen und Männer in Deutschland oder in der Schweiz die gleiche Sprache, und Männer verstehen so ziemlich alles, was wir sagen, und umgekehrt. Wir kommunizieren miteinander, und das funktioniert mehr oder weniger gut.

Aber wenn man genauer hinhört, gibt es Äußerungen, die nur von einer Frau gemacht werden können:

> Ich bin Lehrerin
> Ich bin Hausfrau
> Ich bin Mutter
> Ich bin Krankenschwester

sagt im Normalfall kein Mann. Eine Frau dagegen kann gut

> Ich bin Rechtsanwalt
> Ich bin Elternvertreter
> Ich bin Dekan
> Ich bin Minister

äußern (nur werden wir sie dann nicht als bewußte Frau, sondern eher als mit Männern identifizierte einstufen), aber nicht:

Ich bin Vater
Ich bin Krankenpfleger
Ich bin Mönch

Ein Mann wird kaum zu seinem Sohn sagen: »Was habe ich denn da für ein niedliches, süßes Schnuckelpüppchen«, zumindest nicht in der Öffentlichkeit. Oder: »Wo habe ich denn bloß wieder meinen Lippenstift liegengelassen«, es sei denn, er ist Schauspieler. Frauen werden sich nicht über die Größe von Busen und Ärschen vorübergehender Frauen unterhalten und leider auch nicht über die Eigenschaften bestimmter Körperteile bei vorübergehenden Männern.

Wir sehen, daß uns mehr und mehr Äußerungen und Kontexte einfallen, die wir mehr mit Frauen oder mehr mit Männern verbinden. Zum Teil liegt es am Thema, am Vokabular; ich bin sicher, daß es Gespräche gibt, die nur von männlichen Sprechern in Abwesenheit von Frauen geführt werden können, Witze, die nur von Männern erzählt werden, und umgekehrt Gespräche, die sofort zulassen, die Teilnehmer eindeutig als Teilnehmerinnen, als Frauen zu identifizieren. Frauen und Männer haben unterschiedliche Lebensbereiche, reden über unterschiedliche Dinge. Zum Teil liegt es aber auch daran, wie Frauen und Männer reden, wie sie ihre Gespräche beginnen, wie sie ihre Äußerungen modifizieren, wie sie Bitten oder Fragen formulieren, wie sie ihre Gesprächspartnerinnen und -partner anreden, einbeziehen, auf sie eingehen. Unser starkes Gefühl, daß Frauen und Männer anders reden, hängt eher mit dem Wie des Redens zusammen als mit dem Was. Frauen und Männer reden in unterschiedlicher Weise über die gleichen Dinge. Ist die Art und Weise, wie Frauen reden, eine Art der Kommunikation, wie sie benachteiligten Gruppen im Kontakt mit den Herrschenden zukommt, ehrerbietig und gehorsam, wie Kinder mit Erwachsenen reden müssen, unterwürfig, wie Diener mit ihren Herren, wie Farbige mit Weißen reden mußten und müssen, Gefangene mit Gefängniswärtern, Untergebene irgendwelcher Art mit den Mächtigen, auf deren Gunst sie angewiesen sind? Ist die Art und Weise, wie Frauen reden, eine Sprache der Unterdrückten? Müssen Frauen so reden, wie sie reden? Welche wissenschaftlichen Ergebnisse gibt es bisher über die Art und Weise, wie Frauen reden?

Es wird gesagt und trifft sicher zu, daß Frauen höflicher, gefälliger, schöner, korrekter reden als Männer. Männer brauchen nicht so höflich zu sein und dürfen stärkere Ausdrücke benutzen. Auf der phonetischen Ebene wurde belegt, daß Frauen sich mehr am Standard, an der Sprachvariante, die das höhere Prestige hat, orientieren als Männer. Auf anderen linguistischen Ebenen gibt es noch nicht genügend Unterstützung für die verschiedenen Behauptungen, die gemacht werden, z. B. sollen Frauen die Sicherheit, mit der sie etwas sagen, mehr einschränken als Männer, nicht so direkt und weniger präzise reden, ihre Behauptungen abschwächen. Wir wissen noch zu wenig darüber, ob diese Hypothesen stimmen. Aber auf einem Gebiet gibt es schon interessante Ergebnisse, und zwar auf dem Gebiet der Konversationen zwischen Frauen und Männern. Hier werden hauptsächlich von amerikanischen Soziologinnen Untersuchungen über Dominanz und Kontrolle in Gesprächen durchgeführt, darüber, wie in Gesprächen Macht ausgeübt wird. Dabei geht es nicht um politische Debatten, Gerichtsverhandlungen oder andere Diskurse, wo wichtige Entscheidungen getroffen werden, sondern um Machtausübung und Unterdrückung im Alltagsbereich, in den normalen Gesprächen zu Hause, unter Paaren, die zusammenleben, oder Paaren, wo eine Frau und ein Mann sich gerade kennengelernt haben.

Es ist wichtig zu verstehen, daß die hierarchische Ordnung, die Männer obenan setzt und Frauen immer hintenan, sich nicht nur darin zeigt, daß kaum Frauen in entscheidenden Positionen des öffentlichen Lebens zu finden sind, sondern daß diese Hierarchie immer wieder in unseren täglichen Interaktionen geschaffen und bestätigt wird. Es gibt nicht irgendwo im abstrakten Raum eine Unterdrückung von Frauen, die durch die historischen und gesellschaftlichen Gegebenheiten entstanden ist und sich nun in allen möglichen Bereichen widerspiegelt, sondern die Unterdrückung geschieht konkret jeden Tag in allen möglichen Interaktionen. Die Unterdrückung wird täglich neu produziert in jedem Gespräch, wo eine Frau von einem Mann unterbrochen, nicht beachtet, nicht gehört, nicht anerkannt, nicht unterstützt, lächerlich gemacht wird. Der Status quo, die Machtverhältnisse, wie sie sind, werden durch dieses verbale Dominanzverhalten aufrechterhalten.

Dabei heißt Macht haben nicht nur, daß man seinen Willen anderen aufzwingen kann, sondern nach BERGER und LUCKMANN (1967) ist der Mächtige derjenige, der seine Definition von Realität durchsetzen kann, d. h. derjenige, der bestimmen kann, was wirklich, recht, rational, sinnvoll, wichtig ist. Dieses

Bestimmen und Durchsetzen von dem, was zählt, geschieht sehr oft im Gespräch, z. B. im Gerichtssaal, im diplomatischen Diskurs, in Prüfungen, in psychiatrischen Aufnahmegesprächen, in einem Vorstellungsgespräch, in Diskussionen und in den trivialsten Alltagsinteraktionen, wo ja Beziehungen hergestellt und verfestigt werden. Ein Beispiel: Wenn ein Schweizer Zöllner an der Grenze, die ich jeden Tag passiere, mich mit *Fräulein* anredet und ich das geschehen lasse, dann hat er die Beziehung zwischen uns so definiert, daß er mich als jung, unverheiratet und damit zugänglich für Männer, insbesondere für sich selbst, hinstellt und sich als einen Mann, der sich diese Bestimmung kraft seiner Autorität leisten kann. Er hat die Realität auf eine bestimmte Weise definiert. Wenn ich ihm zulächle und weiterfahre, keine Korrektur vornehme, dann ist die Wirklichkeit unserer Beziehung genauso, wie er sie definierte – ich habe seine Definition akzeptiert. Ich habe nicht versucht, meine Definition von Wirklichkeit durchzusetzen. Es nützt absolut nichts, daß ich weiß, daß ich älter bin als er, verheiratet, höheren Status habe etc., genausowenig wie es einem Schwarzen, der im Süden Amerikas von einem Tankstellenwärter weißer Hautfarbe mit *boy* angesprochen wird, nützt, daß er weiß, er ist ein berühmter Professor und sein Gegenüber hat nicht einmal die High-School absolviert. Macht, Dominanz, Unterdrückung, Diskriminierung werden in diesen Interaktionen produziert, da praktiziert; die Äußerungen selbst, in unseren Beispielen die Anreden mit *Fräulein* oder *boy, sind* die Diskriminierung; Diskriminierung ist meistens ein verbaler Akt, in dem die Wirklichkeit so definiert wird, daß eine/r aufgrund seines Geschlechts oder seiner Farbe einer oder einem anderen überlegen ist. Deshalb ist es so wichtig und keine Trivialität, wie wir angeredet werden, deshalb ist es so wichtig, ob wir gehört werden, deshalb ist es so wichtig, ob wir bevormundet werden oder ob wir uns durchsetzen. Die gesellschaftliche Struktur, wie sie ist, mit den Statusbeziehungen und Machtverhältnissen, wie wir sie kennen, wird durch das übliche, normale verbale und nichtverbale Verhalten von Frauen und Männern aufrechtgehalten, und in individuellen Situationen werden diese Machtverhältnisse durch dieses Verhalten geschaffen. Wenn wir uns nicht wehren, wenn wir uns normal, d. h., wie es von uns erwartet wird, verhalten, schaffen wir unsere eigene Unterdrückung zusammen und im Einvernehmen mit den Männern.

Damit wir uns wehren können, müssen wir über die subtilen Formen der Unterdrückung lernen, wir müssen wissen, wie wir z. B. im Gespräch dominiert und kontrolliert werden.

Wir haben schon gute Intuitionen, z. B. darüber, daß sich ein Gespräch unter Frauen sofort ändert, wenn ein Mann dazukommt: Es fängt sofort an, sich um ihn zu drehen und von ihm gesteuert zu werden. Das ist der Grund, warum Männer aus Frauenzentren ausgeschlossen sind, und auch der Grund, warum diese Tagung nur für Frauen ist. Wir haben starke Gefühle und Erfahrungen damit, was aus unseren Gesprächen wird, wenn Männer dazukommen.

Frauen in der Politik oder in anderen Entscheidungspositionen machen konkrete Beobachtungen darüber, wie sie in Gesprächen dominiert werden. So haben skandinavische Politikerinnen bemerkt, daß, wenn sie zu Anfang einer Sitzung, nachdem ein Problem dargelegt wurde, einen Lösungsvorschlag machen, dieser häufig unter den Tisch fällt, wenn dagegen nach zweistündiger Diskussion ein ganz ähnlicher Vorschlag von einem Mann vorgetragen wird, es zu einer Abstimmung und zur Annahme des Vorschlages kommt. Als die Frauen darauf aufmerksam machten, hat man ihnen schlechtes Timing vorgeworfen.

Eine Amerikanerin in maßgeblicher Position sagt, daß sie, wenn sie etwas Wichtiges durchsetzen will, mit den Männern so redet, daß der Eindruck entsteht, die Idee käme von ihnen.

Das zeigt uns, daß sich das Gewicht und die Bedeutung einer Äußerung oder einer Handlung ändert, je nachdem ob eine Frau oder ein Mann sie macht. Bei gleichem Inhalt wird ein Vorschlag, eine Idee eher akzeptiert, wenn sie von einem Mann kommen. Wenn zwei das Gleiche tun, ist es nicht das Gleiche. Diese Einsicht hat sehr ernüchternde Folgen im Hinblick auf alle Emanzipationsbestrebungen. Ich komme darauf noch zurück.

III Männersprache – Sprache der Unterdrücker

Zunächst zu der Frage, mit welchen Mechanismen in Gesprächen Kontrolle ausgeübt wird.

Pamela FISHMAN (1978) untersuchte bei gemischtgeschlechtlichen Paaren die Gesprächseröffnung, und zwar nicht in offiziellen oder öffentlichen Situationen, sondern sie machte

Aufnahmen von Unterhaltungen dieser Paare in ihren eigenen vier Wänden.

Sie fand u. a. in ihrer Analyse, daß die Frauen fast dreimal so viel Fragen stellten wie die Männer. Sie schreibt, es schiene ihr manchmal, als würden Frauen nichts tun, als nur fragen. Bei genauerem Hinsehen zeigt sich aber, daß viele dieser Fragen die Funktion der Gesprächseröffnung haben. Frage und Antwort sind feste Sequenzen wie Gruß und Gegengruß. Wenn man eine Frage stellt, muß eine Antwort gegeben werden, und jede Äußerung, die folgt, wird als Antwort interpretiert, selbst Stille. Die Funktion einer Frage ist also u. a. zu garantieren, daß eine Reaktion kommt, die eventuell ausbliebe, wenn die Frage als Behauptung formuliert wäre.

Vergleiche:

> Denkst du nicht auch, daß diese Prozedur nur eine Arbeitsbeschaffung ist?

im Gegensatz zu:

> Diese Prozedur ist nur eine Arbeitsbeschaffung.

Zudem fand FISHMAN, daß Frauen ihre Äußerungen häufiger mit Fragen wie

> Hast du das schon gehört?

> Weißt du, was mir heute passiert ist?

oder mit Ausrufen wie

> Das ist ja unglaublich!

> Das gibt es ja nicht!

einleiten. Auch diese Einleitungen garantieren eine Reaktion beim Angesprochenen, nämlich beispielsweise die Fragen

> Was denn?

> Was gibt es nicht?

die der Sprecherin die Erlaubnis erteilen zu erzählen. D. h., Frauen müssen einmal dafür sorgen, daß sie, wenn sie etwas sagen, Antworten bekommen, und zweitens dafür, daß sie überhaupt reden dürfen (ähnlich wie Kinder scheinen Frauen beschränktes Rederecht zu haben). Das dient uns als Hinweis dafür, daß Männer Kontrolle im Gespräch ausüben, indem sie häufig einfach nicht reagieren. Normale Gesprächsanfänge von Frauen werden ignoriert, fallen unter den Tisch; nur die Themen, die als besonders interessant angekündigt werden, werden verfolgt. Die Kontrolle besteht also selbst bei den von Frauen eingebrachten Themen in der Themenauswahl durch den Mann. Was interessant ist, bestimmt der Mann.

Ein anderer wichtiger Aspekt der Kontrolle ist die Themensteuerung, nachdem ein Thema eingeführt ist. Da gibt es den Mechanismus der Unterbrechung. Hier zeigten ZIMMERMAN und WEST (1975), daß Männer Frauen wesentlich häufiger unterbrechen als Frauen Männer. In ihrer Untersuchung kamen 96 Prozent der Unterbrechungen von Männern. Die Unterbrechungen sind ziemlich gleich verteilt, während sie bei gleichgeschlechtlichen Paaren – ob Frauen oder Männern ist gleich – geballt vorkommen. D. h., Männer verhalten sich anders, wenn sie mit Frauen reden, als mit Männern. Die Unterbrechungen kommen bei gemischtgeschlechtlichen Unterhaltungen praktisch nur von Männern und passieren fortlaufend, unabhängig vom Thema, von Persönlichkeitsfaktoren oder auch Statusunterschieden. Der Schluß bietet sich an, daß Frauen systematisch von Männern unterbrochen werden. Männer scheinen sich anders zu orientieren, wenn sie eine Frau als Gesprächspartnerin haben, ebenso wie die Orientierung eine andere ist, wenn wir mit Kindern anstatt Erwachsenen, Ausländern anstatt Einheimischen etc. sprechen. Eine mögliche Interpretation ist, daß Frauen als Sprecherinnen nicht respektiert werden und daß das, was sie sagen, disqualifiziert wird. Männer verweigern Frauen den gleichen Status als Gesprächspartner, nämlich daß sie in gleichem Maß Themen einführen und entwickeln dürfen. Dies gilt sogar – wie WEST und ZIMMERMAN (undatiert) in allerneuesten Forschungsergebnissen zeigten – für Frauen und Männer, die sich gerade kennengelernt haben. Auch bei solchen Paaren unterbrechen die Männer die Frauen mehr als umgekehrt. Selbst in einer Situation, die Höflichkeit verlangt, werden wir nicht als gleichberechtigte Gesprächspartnerinnen behandelt. Höflichkeit ist anscheinend ein untergeordnetes Prinzip, ebenso wie höherer Status eventuell ein untergeordnetes Prinzip ist. Das wichtigste Prinzip scheint zu sein, ob jemand eine Frau oder ein Mann ist.

Eine weitere Möglichkeit, ein Gespräch zu kontrollieren, ist durch die schiere Quantität des Redens und durch die Lautstärke. Im Gegensatz zu der Vorstellung von den geschwätzigen Weibern zeigen Forschungen eindeutig, daß Männer öfter das Wort ergreifen und mehr reden als Frauen, daß Frauen in gemischtgeschlechtlichen Situationen mehr schweigen. Außerdem reden Männer (unabhängig davon, ob sie etwas zu sagen haben oder nicht) erwiesenermaßen lauter als Frauen. Auch das entspricht unseren Erfahrungen in allen gemischtgeschlechtlichen Gesprächssituationen.

Zusammenfassend hat sich in konversationsanalytischen Untersuchungen ergeben, daß Frauen weniger reden, mehr unterbrochen werden, weniger bestimmen können, worüber geredet wird, weniger Themen erfolgreich durchsetzen können, mehr sich die Aufmerksamkeit ihrer Gesprächspartner sichern und um ihr Rederecht kämpfen müssen, d. h., nicht als gleichwertige Gesprächspartnerinnen anerkannt werden. Männer dominieren nicht nur in der Öffentlichkeit, sondern auch in der privaten Sphäre. Es ist eine Sache unserer Sensibilisierung und unseres Temperaments, ob wir dieses Verhalten der Männer als Kontrolle, Dominanz, Benachteiligung oder Unterdrückung bezeichnen wollen. Ich möchte diese Mechanismen im Sprachverhalten von Männern, gleich ob sie bewußt oder unbewußt eingesetzt werden, als sexistisch bezeichnen. Sexismus heißt Unterdrückung auf Grund von Geschlecht. Frauen, die sich nicht wehren, sondern anpassen und unterwerfen, verhalten sich dann auch typisch wie Unterdrückte, die so ihre Unterdrücker noch bestätigen und legitimieren.

IV Sexismus in unserer Kommunikation und Unterstützung des Sexismus durch unser Sprachverhalten

Müssen Frauen so reden, können sie sich nicht den Interaktionsstil der Männer aneignen? Müssen sie zu ihrer eigenen Unterdrückung beitragen? Dazu ist zu sagen, daß der Sexismus sehr stark ist. Er hat tiefe Wurzeln, und er geht weit zurück. Er hängt mit dem Bild, das sich Männer von jeher von Frauen machten, mit dem Idealbild der Frau zusammen. Die Religion hat einen Anteil daran, daß Frauen als zweitrangig definiert wurden und wie sie heute noch gesehen werden. Die Verhaltensgebote für Frauen in der Bibel sind denen für Sklaven ähnlich (siehe Seite 82). Die Parallele zwischen Sexismus und Rassismus bietet sich wieder an.

Zum Frauenbild, wie es die Bibel vermittelt, zitiere ich aus dem 1. Brief des Paulus an Timotheus:

> Desgleichen, daß die Frauen in würdiger Haltung, mit Schamhaftigkeit und Besonnenheit sich schmücken, nicht mit geflochtenem Haarputz und mit Gold- und Perlenschmuck oder Kleiderluxus, sondern – wie es sich Frauen geziemt, die Frömmigkeit bekennen – mit guten Werken. Die Frau soll sich stillschweigend in aller Unterordnung

belehren lassen. Zu lehren gestatte ich der Frau nicht. Sie soll auch nicht über den Mann herrschen wollen, sondern sich still verhalten. Denn Adam wurde zuerst erschaffen, dann erst Eva. Und nicht Adam ließ sich verführen, sondern das Weib ließ sich betrügen und kam zu Fall. Sie soll zum Heile gelangen durch Kindergebären, sofern sie in Glaube und in Liebe und in Heiligkeit besonnen verharrt (1 Timotheus 2,9 bis 2,15).

Halte die Witwen in Ehren, die wirklich Witwen sind (1 Timotheus 5,3). Eine Witwe soll nur dann in den Stand der Witwen aufgenommen werden, wenn sie mindestens sechzig Jahre alt ist, eines Mannes Weib war, im Rufe guter Werke steht, Kinder aufgezogen, Gastfreundschaft geübt, den Heiligen die Füße gewaschen, Bedrängten geholfen, überhaupt, wenn sie sich an guten Werken aller Art beteiligt hat. Jüngere Witwen dagegen weise zurück; denn wenn sie – Christus untreu – dem sinnlichen Triebe unterliegen, wollen sie heiraten. Es lastet dann auf ihnen der Vorwurf, daß sie die erste Treue gebrochen haben. Außerdem gewöhnen sie sich daran, müßig in den Häusern herumzulaufen, und zwar nicht nur nichtstuend, sondern auch schwatzhaft und neugierig, und zu reden, was sich nicht ziemt. Ich bin also dafür, daß jüngere (Witwen) heiraten, Kinder gebären, ihren Haushalt führen, dem Gegner keinen Anlaß zur Schmähung bieten. Denn einige sind schon vom rechten Wege abgekommen und folgen dem Satan (1 Timotheus 5,9–5,15).

In den Briefen der Apostel werden die Frauen nicht angeredet; die Anreden für gläubige Männer lauten: *Brüder, liebe Brüder, meine lieben Brüder.* Frauen werden als etwas anderes, Besonderes, weniger Wichtiges behandelt. Später wurde die Frau zugleich auf ein Podest erhoben und wie ein Kind behandelt. Mit der konkreten erwachsenen Frau, die mitredet und mitentscheidet, brauchte man sich dann nicht zu befassen. An der Abwertung und Geringschätzung, die sich darin zeigt, daß Frauen nicht ernst genommen werden, hat sich nichts geändert. Diese Vorstellungen werden noch heute durch die Kirchen und andere Kulturträger weitervermittelt, sie sind tief in unserem Bewußtsein verankert. Dazu passen dann auch die Instruktionen, wie Frauen reden sollen. Um einige zu nennen: Frauen wurde seit eh und je von Männern geboten, nicht zuviel zu reden.

Wenn Frauen das männliche Gebot durchbrechen, wird ihr

Reden abgewertet als Geschnatter, Geschwätz und Klatsch. Ihr Reden miteinander stellt anscheinend eine Gefahr für den Mann dar. Wie wäre es sonst zu erklären, daß Frauen seit dem Mittelalter angewiesen wurden, weder die Geheimnisse noch die Sünden und Fehler ihres Mannes preiszugeben.

Das Reden von Frauen untereinander löst Angst beim Mann aus – auch heute noch. Frauen, die ins Frauenzentrum gehen, wissen das: Sie müssen sich irgendwann mit der Reaktion ihrer Männer darauf auseinandersetzen. Dieser Reaktion liegt oft Angst zugrunde. In antifeministischer Literatur und in frauenfeindlichen Witzen findet sich immer wieder das Bild von den klatschenden Weibern. Dies ist die Art und Weise der Männer, mit ihrer Angst vor Gefahr umzugehen, indem sie Frauen, die miteinander reden, lächerlich machen. Jeder Witz enthält das implizite Verbot der Männer: Frauen dürfen nicht miteinander reden, insbesondere dürfen sie nicht über ihre Männer reden. Wie viele von uns haben dieses Verbot schon internalisiert und betrachten es als unsere eigene Anstandsregel. Es gibt noch mehr Regeln: Frauen dürfen auch nicht den Mund auftun, wenn Männer zugegen sind. So heißt es schon in der Bibel: »Das Weib soll schweigen in der Gemeinde.« Später kam dazu: »Die Frau schweige in der Kirche.« Und zudem dürfen Frauen nicht ins Gerede kommen, denn seit der Antike gilt: »Die beste Frau ist die, von der man am wenigsten spricht.« (Perikles in einer Ansprache an die Witwen.) Gebote und Verbote überall und von alters her, was unser Sprechen betrifft.

Die Religion hat auch etwas damit zu tun, daß Gebote und Verbote akzeptiert und internalisiert werden, daß wir Schuldgefühle haben, wenn wir sie durchbrechen, daß wir nicht autonom werden können, daß wir Kinder bleiben; und als Kinder werden wir auch von der Kanzel oft angesprochen. Für Frauen geht die Infantilisierung noch weiter, sie werden auch noch von anderen Männern, nicht nur vom Pfarrer, wie Kinder behandelt. Für Frauen, die sich entwickeln wollen, die autonom werden wollen, ist es ungeheuer wichtig zu durchschauen, was sie von außen und innen hindert, Autonomie zu erlangen. Es ist auch für Männer wichtig, aber ganz besonders für Frauen, die noch mehr in die infantile, schwache Rolle gezwungen werden, wo sie unsichtbar sind und unauffällig bleiben sollen. Männer haben schon die Rolle des Stärkeren, Aktiven, dürfen auffallen, gesehen werden, sind schon wichtig.

Natürlich hat sich der Sexismus auch in unserem Sprachverhalten niedergeschlagen. Wir finden auch hier die bekannte Hierarchie: Es heißt immer Mann und Frau, Vater und Mutter, er und sie, Sohn und Tochter, in dieser Reihenfolge; die Berufsbezeichnungen für Frauen, sofern es sie überhaupt gibt, sind mit wenigen Ausnahmen wie Putzfrau und Hebamme von den männlichen Bezeichnungen abgeleitet; es gibt zahlreiche Asymmetrien wie in den Titeln *Frau, Fräulein, Herr*, aber auch im Pronominalsystem: *jeder Teilnehmer – er* trifft sowohl auf rein männliche Gruppen als auch auf gemischtgeschlechtliche zu, *jede Teilnehmerin – sie* nur auf weibliche Gruppen.

Frauen müssen sich angesprochen fühlen, wenn vom Studenten – er, vom Professor – er, vom Wohnungsinhaber – er, vom Steuerzahler – er, vom Arbeiter – er, vom Wähler – er die Rede ist. Diese Asymmetrien in unserer Sprache zeigen, wer unter- und wer übergeordnet ist, wer gemeint ist, wer das Sagen hat. Ähnliche Asymmetrien gibt es übrigens in der nichtverbalen Kommunikation, z. B. im taktilen Bereich: Auch hier hat sich der Sexismus niedergeschlagen; z. B. werden Frauen viel häufiger von Männern berührt als umgekehrt. Auch hierin drückt sich Macht aus, wie HENLEY (1970) und GOFFMAN (1956) überzeugend argumentieren. Insofern wir diese sexistischen Sprachen so sprechen, wie sie sind, schön reden, wie es uns ziemt, ja nicht laut, obszön und vulgär werden, im passenden Augenblick die Augen auf- und niederschlagen, die Beine schön überschlagen, die Herrschaft der Männer anerkennen, indem wir sie immer zuerst nennen und für wichtiger halten, insofern ist unser Verhalten auch sexistisch, insofern unterdrücken auch wir selber Frauen. Wenn wir uns mit den sexistischen Verhaltensweisen von Männern identifizieren, sind wir selbst sexistisch.

Es ist schwer, diese Sprachen, die verbale Sprache und die Körpersprachen, die Sprache der Blicke, der Gestik, der Körperhaltung, zu ändern. Diese Sprachen haben wir gelernt, sie sind die einzigen, die wir haben und die wir beherrschen. Wir können nicht einfach ganz anders reden, es gibt keine Privatsprache. Wir können nur immer ganz kleine Änderungen vornehmen, und die müssen wir Schritt für Schritt einüben, und das ist mühsam. Mühsam ist auch, diese kleinen Schritte ständig wieder rechtfertigen und verteidigen zu müssen gegen enorme, unangemessen große Widerstände. Und wir wollen wie alle den Weg des geringsten Widerstandes gehen.

Das sind die inneren Widerstände. Andere kommen von außen,

z. B. werden Frauen, die so reden und so auftreten wie Männer, sofort als Mannweiber diskreditiert und abgetan. Die Frauenbewegung brachte entsprechende Schimpfwörter für Frauen, die sich anmaßen, männliche Eigenschaften und männliches Verhalten an den Tag zu legen. Emanze ist eines der mildesten. Aber die Situation ist noch schlimmer. Nicht nur sind die inneren und äußeren Widerstände groß, wie wir alle wissen, die wir gegen sie ankämpfen, sie sind sogar so groß, daß geändertes Verhalten, falls wir es bewerkstelligen, überhaupt nicht wahrgenommen wird. So hat WEST (1979) Unterbrechungen, die Frauen initiierten, untersucht und festgestellt, daß Männer nicht durch sie bedroht waren wie durch Unterbrechungen von einem anderen Mann, sondern sie als harmlose Manöver übergingen. Also die Unterbrechungen von Frauen wurden so behandelt, als wären sie gar nicht passiert.

Es wird plausibel, daß Frauen in gehobenen Positionen, gleich wie sie reden, immer noch so behandelt werden, als hätten sie weder Macht noch Status oder Leistung vorzuweisen. Die gleichen Akte und Äußerungen werden anders wahrgenommen, bewertet und gewichtet je nachdem, von wem sie kommen. Wir können uns noch so emanzipiert verhalten, wir werden trotzdem nur behandelt wie dumme Frauen, die nicht denken können und nichts zu sagen haben. Naomi WEISSTEIN sagt in ihrem berühmten Aufsatz »Psychology Constructs the Female: or, the Fantasy Life of the Male Psychologist«, daß es bei den Erwartungen, die man in unserer Gesellschaft an Frauen hat, ein Wunder ist, daß kleine Mädchen erst in der Oberschule merken, daß sie dumm sein sollen, und daß es noch ein größeres Wunder ist, daß es manche Frauen noch nicht mal an der Universität und später merken. Die Anspielung hier bezieht sich auf Forschungsergebnisse, die bei kleinen Mädchen intellektuelle Überlegenheit zeigen, in der Oberschule Verschlechterung bei den Mädchen und danach an der Universität klare Überlegenheit in Produktivität und Leistung bei den Männern. WEISSTEIN zieht daraus den Schluß, daß Frauen nicht von vornherein unterlegen *sind,* sondern durch ihre Sozialisierung *werden.* Ich ziehe daraus den Schluß, daß Mädchen da besser sein dürfen, wo es nicht zählt.

So deprimierend diese Ergebnisse für uns sind und wie schwierig es auch für uns ist, gehört zu werden, wenn wir anders reden, wir müssen trotzdem anders reden. Wir müssen unsere Definition von Wirklichkeit durchsetzen, wir müssen durchsetzen, was uns wichtig ist, auf welche Weise immer, jede auf die Weise, die ihr am besten liegt, jede mit ihren Mitteln, auch mit den Mechanismen der Gesprächskontrolle und -steuerung, die jetzt nur Männer benutzen, jede in ihrer Umgebung und in ihrem Rahmen, bis unser neuer Kommunikationsstil wahrgenommen wird und bis wir endlich gehört werden.

8 Frauensprache: Konsequenzen für unser Handeln*

Amerikanischen Frauen ist es zuerst aufgefallen, daß das englische Wort *man* zwar Mensch schlechthin, unabhängig vom Geschlecht, bedeuten soll, häufig aber mit *man* nur Männer gemeint sind. Das zu *man* gehörige Pronomen ist *he* (er); ebenso wurde bis vor kurzem auf *child, baby, teenager, student* etc. nur mit *he* referiert. Weiterhin bemerkten diese Amerikanerinnen, daß bei Berufsbezeichnungen, wenn es um Berufe mit Prestige ging (wie z. B. doctor, lawyer, judge, ambassador, executive, dean, professor etc.), das Pronomen immer maskulin war, bei nicht so glamourösen Berufen (wie nurse, secretary, teacher) dagegen feminin. Dies sind keine trivialen Kleinigkeiten: In psychologischen Experimenten wurde gezeigt, daß selbst, wo der Kontext eindeutig klarmacht, daß es sich bei *der Mensch* und *der Student* um Frauen und Männer handelt, wir uns doch nur Männer vorstellen, vom *Mann auf der Straße, Ehrenmann* und *Durchschnittsmenschen* ganz zu schweigen. Ferner wurde gezeigt, daß Studentinnen und Studenten weniger gern Vorlesungen einer Professorin als eines Professors besuchen und daß sie identische wissenschaftliche Arbeiten, wenn sie mit einem Frauennamen versehen sind, schlechter bewerten, als wenn ein männlicher Autorenname gegeben ist. Eine neuere Untersuchung von TONHEY (1974) zeigt konkret, daß das Prestige in einem von Männern dominierten Beruf sinkt, wenn mehr Frauen in diesen Beruf eintreten.

Es wird klar, daß es nicht harmlos ist, wenn die typische Person immer ein Mann ist, sozusagen *der* Stellvertreter für die Menschheit. Diese Darstellung ist nicht nur eine Verzerrung der Wirklichkeit, sondern, wie die oben genannten Experimente zeigen, dieses Bild, diese Vorstellung beeinflußt auch unsere Bewertung von Handlungen. Wenn wir immer nur vom Professor, Schriftsteller, Richter, Kritiker, Arzt, Rechtsanwalt als *er*

---

* Abschlußreferat vom 13. 1. 1980, gehalten auf der Tagung *Frauensprache – Sprache der Unterdrückten?*, Paulus-Akademie, Zürich.

sprechen, konditionieren wir uns gegen Professorinnen, Schriftstellerinnen, Richterinnen, Kritikerinnen, Ärztinnen, Rechtsanwältinnen, wir erwarten dann keine Frauen in diesen Berufen und akzeptieren sie auch weniger in diesen Rollen und bewerten ihre Leistungen in diesen Berufen geringer. Die Erwartungen aber, und das ist tragisch, beeinflussen das Verhalten, die Leistung. Es konnte gezeigt werden, daß Kinder, die nach vorgetäuschten psychologischen Tests ihren Lehrerinnen und Lehrern gegenüber als besonders vielversprechend gekennzeichnet wurden, die aber zufällig ausgewählt waren, in der Tat nach einiger Zeit bessere Leistungen und sogar einen höheren Intelligenzquotienten vorwiesen als die nicht so gekennzeichneten Kinder.[1]

Sogar Ratten reagieren auf die Erwartungen in den Köpfen der mit ihnen Experimentierenden. Die als »dumm« vorgegebenen Ratten verhalten sich tatsächlich dümmer als die sogenannten »gescheiten«.[2]

Weil es überhaupt nicht trivial, harmlos oder unbedeutend ist, wie Frauen in der Sprache behandelt werden, ob sie vorkommen, ob sie explizit genannt oder ob sie implizit eingeschlossen werden, bestanden amerikanische Frauen auf sprachlichen Änderungen, und es ist erstaunlich, in welchem Maße sie diese durchsetzen konnten. Englisch hat sich wirklich durch die Frauenbewegung geändert, und es ist durch die Verbreitung in den Medien ins Bewußtsein aller eingegangen, daß Frauen auch in der Sprache benachteiligt werden und nicht mehr benachteiligt werden sollen. Wer sich nicht mit der Unterdrückung von Frauen identifizieren will, sagt nicht mehr *mankind* und *man* in generischer Bedeutung, sondern *women and men*, nicht mehr *professor – he*, sondern *professor – she or he*, nicht mehr *chairman* (Vorsitzender), sondern *chairperson*, nicht mehr *stewardess*, sondern *flight attendant*. Das hat sich auch offiziell niedergeschlagen in einem Riesenwerk des amerikanischen Arbeitsministeriums, einem Verzeichnis der Berufsbezeichnungen, in dem über 3000 Berufsbenennungen, die alters- und geschlechtsspezifisch waren, z. B. *office boy, girl Friday* oder *cameraman, cleaning woman,* geändert wurden.[3]

Auch in Irland und England gibt es übrigens von offizieller Seite ähnliche Änderungen und Empfehlungen.

Wir sind in Deutschland und in der Schweiz noch weit von solchen antidiskriminierenden Praktiken und noch weiter von Antidiskriminierungsgesetzen entfernt. Wir sind fast am Anfang, was das Bewußtsein über den alltäglichen Sexismus, der uns umgibt, angeht.

In der Schweiz werden immer noch Haustöchter, Serviertöchter, Mädchen für alle Zwecke gesucht und Frauen gleich welchen Alters insistent mit *Gruezi, Fräulein* und *gern, Fräulein* bedacht. Vor allem bei jungen Frauen, wenn ihr unverheirateter Familienstand bekannt ist, wehren sich Leute mit Händen und Füßen, *Frau Sowieso* zu sagen, egal mit was für einem Titel die junge Frau angeredet werden will. Das ist nicht nur bei den sogenannten einfachen Leuten so, sondern es fällt auch den Verantwortlichen an den Universitäten schwer, im Vorlesungsverzeichnis bei unverheirateten Frauen *Frau* anstatt *Fräulein* zu setzen. Die Frauen, die nicht mehr mit *Fräulein* betitelt werden wollen, müssen – so geschehen an der Universität Zürich – ihren Wunsch offiziell bekanntgeben. Der Basler Regierungsrat hat beraten und beraten, und die Bundesräte entschieden sich für die Beibehaltung des schönen Titels *Fräulein*, weil »unverheiratete Frauen mit dieser Anrede nicht diskriminiert werden, denn im fortschrittlichen Kanton Basel-Stadt gilt jede Frau, mit oder ohne Ehering am Finger, als vollwertig und wird beruflich und menschlich ernst genommen«.

In Deutschland ist das *Fräulein* offiziell abgeschafft; dazu waren eine Reihe von Gesetzesbeschlüssen nötig. Aber nirgendwo wurden oder werden je die betroffenen Frauen selbst gefragt, was mit ihrem Selbstwertgefühl geschieht, wenn sie fortwährend gefräuleint werden. Niemand fragt, wie sie angeredet werden *wollen*.

Die Bühnenbildnerin Corrodi aus Basel wehrt sich mit folgender gelben Karte:

Sehr geehrte Herrlein,

falls Sie diese Anrede nicht besonders mögen – sie eventuell gar als unhöflich empfinden –, kann ich das durchaus verstehen.

Sind Sie nicht auch der Meinung, daß man erwachsene Personen weiblichen Geschlechtes generell mit *Frau* anreden sollte?

Mit freundlichen Grüßen

Promovierte Frauen erhalten immer wieder Briefe, adressiert an *Herrn Dr.* Vorname Nachname, auch wenn ihr Vorname nicht abgekürzt, sondern ausgeschrieben ist. Solche Briefe kommen nicht nur von ungebildeten Absendern, sondern auch von germanistischen Instituten deutscher Universitäten oder von wissenschaftlichen und nichtwissenschaftlichen Verlagen, von Buchläden, von männlichen Kollegen, die um Nachdrucke oder Information bitten. Ich habe mir angewöhnt, keine Nachdrucke bei der Anrede *Herr Trömel-Plötz, dear Sir* etc. zu verschicken und selbst im Zweifelsfall immer *Frau* anstatt *Herr* zu benutzen, z. B. Frau Toni Wirth, Frau Claude Winter, Frau Eike Sommer.

In Fernsehdiskussionen, wenn überhaupt Frauen teilnehmen durften, habe ich wieder und wieder beobachtet, daß die Frauen ignoriert wurden, einfach nicht oder höchstens nur einmal kurz zu Wort kamen, daß das, was sie sagten, schnell unterging und nicht zum Gesprächsthema wurde, daß sie, auch wenn sie als Expertinnen eingeladen waren, weniger sagten als die männlichen Nichtexperten. Ich habe mich immer wieder gefragt: Warum wurde diese Frau überhaupt eingeladen, wer wollte eigentlich etwas von ihr wissen? Wie muß sie sich nach dieser Diskussion gefühlt haben? Der Sexismus in unserem Leben ist so durchgängig, daß wir nicht einmal merken, daß Frauen nicht im gleichen Maß reden dürfen wie Männer, daß Frauen überhaupt nicht teilnehmen dürfen bei Podiumsgesprächen und Diskussionen, daß sie nie zahlenmäßig gleich wie die Männer vertreten sind, daß sie bei öffentlichen Reden und Vorträgen die Ausnahme sind. Wir vermissen sie gar nicht, wenn sie bei einer Runde fehlen, es geht uns nichts ab, wenn die einzige Frau, die teilnahm, gar nicht zu Wort kam. Wir sind es gewohnt, Männern zuzuhören und nicht Frauen.

Es fällt den meisten von uns auch nichts auf, wenn wir die Woche der Brüderlichkeit feiern und Brot für Brüder sammeln, denn in der Kirche haben wir auch nur gehört: »Ihr aber seid alle Brüder« (Matthäus 23,8). Wer wundert sich dann noch, daß selbst die amerikanische Landschildkröte männlichen Geschlechts ist trotz ihres weiblichen Artikels. Im Fernsehen hörte ich einen Bericht darüber, wo und wie sie lebt. Sie lebt im ganzen friedlich und zufrieden, soweit ich mich erinnere. Und dann vernahm ich zu meinem Erstaunen: »Sie muß Laub nehmen, wenn es Laub gibt, aber wenn die Paarungszeit kommt, kommt sie in Konflikt: Was ist wichtiger: Laub zu sammeln und ein Junggeselle zu bleiben oder auf Brautschau zu gehen?«

Ich habe bemerkt, daß bei jedem Dokument, das mir in letzter Zeit von deutscher und Schweizer Seite ausgestellt wurde, entweder mein Name inkorrekt oder unvollständig war, ein Titel inkorrekt war oder fehlte oder sonst eine Fehlleistung bei meinen persönlichen Daten passiert war. Ich bildete die vorläufige Hypothese, daß ich überhaupt kein Ausweispapier und keine Urkunde besaß, welche ohne Tadel waren, und sah daraufhin alle meine Papiere durch:

Die Geburtsurkunden meiner zwei Söhne, die im Kantonsspital in Münsterlingen in der Schweiz zur Welt gekommen sind, geben keine Titel an, und von meinem Namen bleibt nur der Vorname. Also unter *Mutter* heißt es da: Senta, geborene Plötz. In Amerika dagegen, wo mein erster Sohn im Universitäts-Hospital von San Diego geboren ist, kam jemand von der Krankenhausverwaltung an mein Bett, um die Daten genau aufzunehmen. Die Geburtsurkunde zeigt keine Fehler, woran man sehen kann, daß es grundsätzlich möglich ist, die Namen der Kinder und der Eltern korrekt wiederzugeben.

Auf meinem Fahrzeugausweis und auf meinem Führerausweis (= Führerschein), beide ausgestellt vom Straßenverkehrsamt des Kantons Thurgau in Frauenfeld, stehen keine Titel, und mein Doppelname ist geschrumpft zum Namen meines Mannes.

Auf meiner alten Versicherungskarte der »Zürcher« Versicherungsgesellschaft stand nur der Name meines Mannes, aber mein Doktortitel, auf der neuen stand mein Doppelname, aber der Titel fehlte.

Nun hätte ich denken können, daß diese Versehen mehr mit der Schweiz zu tun haben als mit meinem Status als Frau, wenn ich nicht ähnliche Namensentstellung und Fehltitulierung von deutschen Stellen erlebt hätte.

Das Deutsche Generalkonsulat in Zürich stellte meinen Paß trotz Vorlage des alten Passes und trotz korrekter Beantragung einfach auf den Namen *Trömel* aus. Auch der Hinweis darauf, daß ich nach meinem alten Paß einen Doppelnamen trage, genügte nicht zur Änderung. Ich mußte meine Heiratsurkunde vorlegen, »in welcher der Name *Trömel-Plötz* als Ehenamen vom Standesbeamten ausdrücklich beurkundet wird«.

Auf meiner Habilitationsurkunde der Universität Konstanz, unterzeichnet vom Rektor und vom Dekan, wird mir das Recht zur Führung der Bezeichnung »Privatdozent« verliehen. Auf meiner Ernennungsurkunde zur Professorin des Ministeriums für Wissenschaft und Kunst von Baden-Württemberg, unterzeichnet vom Minister für Wissenschaft und Kunst, fehlt mein Doktortitel.

Auf meinen amerikanischen Magister- und Doktorurkunden

dagegen ist mein Name korrekt und sogar mit *ö* geschrieben, obwohl dieser Buchstabe im amerikanischen Alphabet nicht existiert.

Bei jedem Ausweis und jeder Urkunde, die mir in letzter Zeit ausgestellt wurden, fand sich also bei genauerem Hinsehen eine Namensentstellung oder eine Fehltitulierung. Doch da fiel mir mein Ausländerausweis der Fremdpolizei des Kantons Thurgau in die Hände mit korrektem Namen und Titel und widerlegte meine Hypothese. Ich konnte es kaum glauben: die Schweizer Fremdpolizei ist genauer als ein deutsches Generalkonsulat und ein deutsches Ministerium. Aber dann las ich weiter und fand unter *Aufenthaltszweck:*

> Wohnsitz in Kreuzlingen (wissenschaftliche Assistentin und Produzentin an der Universität Konstanz)

und inferierte, daß die Schweizer Polizei mehr mit Produzentinnen vertraut war als mit Privatdozentinnen.

Freud wies schon in »Zur Psychopathologie des Alltagslebens« (1904) darauf hin, daß Namensentstellung der erste Schritt zum Namenvergessen hin sei und dieselbe Funktion habe, nämlich Kränkung, Schmähung, Geringschätzung auszudrücken, denn der Name ist ein wesentlicher Bestandteil der Persönlichkeit.[4]

In meinen Briefen an die diversen Ämter und Stellen, in denen ich auf die Fehlleistungen aufmerksam machte, schrieb ich: »Da es keine zufälligen Versehen sind, daß bei Frauen Titel und Teile ihres Doppelnamens wegfallen, sondern eine systematische Mißachtung der Person, bitte ich Sie, von nun an ganz besonders bei Frauen darauf zu achten, daß ihre Doppelnamen honoriert werden und ihre Titel nicht wegfallen.«

Wir müssen sehen, daß die kleinen Versehen nicht zufällig sind, sondern systematisch: Sie passieren allen Frauen und nur Frauen. So wie in den USA Frauen schneller mit ihren Vornamen angeredet werden als Männer, was man sehr gut bei Fernsehinterviews beobachten kann, so werden in Deutschland und in noch größerem Maße in der Schweiz Doppelnamen und Titel von Frauen nicht registriert, ganz im Gegensatz zu den Titeln und selbst komplizierten Doppelnamen von Männern. Es gibt eine Erklärung für diese Versprecher; sie sind keineswegs arbiträr. Sie passieren auf Grund der starken Erwartungen, die man bei Frauen hat, Erwartungen darüber, wie sie heißen sollen und was sie leisten sollen. Was diesen Erwartungen nicht entspricht, wird meist nicht wahrgenommen oder nicht honoriert. Ich schaffe jetzt manchmal einen kleinen

Ausgleich und lasse im Zweifelsfall den Titel bei einem Mann weg und verleihe ihn bei einer Frau. Es gibt auch Gründe, warum diese Versehen, Mißverständnisse und Fehlleistungen immer wieder passieren: Es gilt in unserer Gesellschaft als unmoralisch, offen und explizit bestimmte Minderheiten, Unterprivilegierte verschiedener Art, Angehörige nicht-weißer Rassen, Jüdinnen und Juden und eben auch Frauen zu diskriminieren. Da die Überzeugung, daß diese Gruppen minderwertig sind, aber da ist, kann sie nur in den kleinen Versehen, in Witzen, in einer gelegentlichen Äußerung, die man notfalls zurücknehmen kann, herauskommen. Nur selten schafft die Geschichte eine Möglichkeit, wo es für kurze Zeit legitim ist, den Judenhaß, den Rassenhaß, den Fremdenhaß, den Frauenhaß offen und öffentlich auszudrücken. Die Schweiz ist da, was die Xenophobie und den Antifeminismus betrifft, ziemlich entgegenkommend, beide dürfen verhältnismäßig frei zum Ausdruck gebracht werden.[5]

Wenn wir es nicht mit tiefen Überlegenheits- und tiefen Haßgefühlen zu tun hätten, wäre auch nicht zu erklären, warum die Widerstände gegen die Gleichbehandlung von Frauen so groß sind. Die Widerstände sind ja selbst bei minimalen Änderungen, die wir wollen, riesig. Es wäre doch ein leichtes für Männer, einfach zu sagen: »Wenn ihr weiter nichts wollt, als daß wir euch mit *Frau* anreden anstatt mit *Fräulein,* und *Frauen* sagen anstatt *Mädchen* oder *Damen,* das könnt ihr sofort haben.« Aber das sagen die wenigsten Männer; die meisten haben große Mühe zu verstehen, daß uns »diese Kleinigkeiten« etwas bedeuten, und noch größere Mühe, die kleinen Änderungen vorzunehmen. Es ist eben so, daß mit der Anrede *Frau* ein höherer Status zuerkannt wird und mit der Bezeichnung *Frau* die Infantilisierung und Verharmlosung, die durch *Mädchen* und *Fräulein* ausgedrückt wird, ein Stück weit aufgehoben wird. Diese Anreden laufen hinaus auf mehr Macht für Frauen, und das bedeutet weniger Überlegenheit und Macht für Männer. Darauf richtet sich der Widerstand.

Wenn Minimalforderungen wie gleiche Anrede, bei denen der Aufwand, sie zu erfüllen, praktisch gleich Null ist, auf so große Schwierigkeiten stoßen, welche Widerstände müssen wir erwarten für unsere Forderung nach gleichen Möglichkeiten, nach gleicher Wahl und gleichen Alternativen in bezug auf Ausbildung, Beruf, Kindererziehung, Lebensstil und Lebensziel.

Es ist nicht verwunderlich, daß amerikanische Soziologinnen und Psychologinnen, die sich mit Frauensprache befaßten, darauf übergehen, Macht zu untersuchen, Macht in den verbalen und nichtverbalen Interaktionen zwischen Frauen und Männern im Alltag. Die Idee von Nancy HENLEY, einer Psychologin an der University of Lowell in Massachusetts, Verfasserin des Buches »Body Politics: Power, Sex and Non-verbal Communication«,[6] ist es, daß hauptsächlich durch nichtverbale Kommunikation die massive, aber verborgene Kontrolle ausgeübt wird, die nötig ist, um die Hälfte der Bevölkerung in einer de-facto-Unterwürfigkeit zu halten. Sie sagt, daß vieles, was Frauen als Passivität, Unsicherheit, Dozilität vorgeworfen wird, normale Reaktionen auf eine Geste männlicher Dominanz sind, die logische Antwort in einer Reihe von Versuchen, wo Frauen sich behaupten wollten, aber durch nichtverbale Strategien unterdrückt wurden. Also oft, wenn sich starke Frauen Selbstunterdrückung vorwerfen, weil sie sich einem Mann gegenüber unterwürfig verhielten, haben sie eigentlich auf eine Dominanzgeste eines Mannes mit Furcht reagiert. Der Grund für unser nichtaggressives Verhalten wird also nicht so sehr in der Sozialisierung in die weibliche Rolle oder in der Internalisierung in unseren Köpfen gesehen noch in den gesellschaftlichen Bedingungen, wie z. B. in der ökonomischen Abhängigkeit oder in Sanktionen, wenn wir uns gegen die weibliche Rolle sträuben, sondern in der wiederholten konkreten Erfahrung, daß unsere Selbstbehauptung immer wieder am Dominanzverhalten der Männer scheitert.[7]

Was nötig wäre, ist nicht so sehr Selbstbehauptungstraining für Frauen, sondern großangelegte Erziehungsprogramme für Männer. Änderungsvorschläge, die HENLEY hier macht, da sie es für Energieverschwendung von Frauen hält, Männer zu erziehen, sind einmal aktive Unterstützung von Frauen. Darunter versteht sie, unsere nichtverbale und verbale Kraft und Energie Frauen zu geben anstatt Männern, z. B. unsere Aufmerksamkeit bei einer Party, bei einer Diskussion Frauen zu schenken, sie genauso anzusehen, anzulächeln, mit interessierten Fragen zu unterstützen, wenn sie reden, wie wir es sonst mit Männern tun, ihnen genauso gut zuzuhören, sie genauso wichtig zu nehmen, uns nach ihnen zu orientieren, wie wir es bei Männern so schön gelernt haben. Wir können einer Frau Raum geben und sie verteidigen, wenn jemand in ihren Raum eindringt, nichtverbal oder verbal durch Unterbrechung. Solche und ähnliche Handlungen empfiehlt HENLEY neben denen einer besseren Sozialisierung kleiner Jungen und einer Unterstützung progressiver Entwicklungen in Organisationen von Männern.[8]

Der eigene Sexismus wird hier nicht so sehr als Beitrag zur Unterdrückung, Selbstunterdrückung gesehen, sondern als Überbewertung von Männern, als implizite Unterdrückung von Frauen durch die größere Hochschätzung der Männer.

Was können wir tun?

Zunächst müssen wir unser Sprechen als Handeln verstehen. Wir handeln, wenn wir jemand grüßen, einladen, anreden, eine Stelle ausschreiben, jemand beleidigen, verteidigen, übersehen und nicht grüßen, vergessen einzuladen, falsch anreden, an zweite Stelle setzen etc. In diesem Handeln definieren wir unsere Beziehungen. In diesem Handeln schaffen wir unsere Wirklichkeit, produzieren wir unsere Welt.

Die Schwarzen in Amerika haben sich eine andere Wirklichkeit geschaffen, indem sie darauf bestanden, anerkannt zu werden, in den Geschichtsbüchern genannt zu werden, an den Universitäten vertreten zu sein, sichtbar zu sein, etwas zu sagen zu haben. Das wurde zum Teil durch sprachliches Handeln erreicht. Sogar daß sie *blacks* genannt wurden und nicht mehr *Negros*, haben sie durchgesetzt – ein neues Wort für ein neues Selbstbild, und *Black is Beautiful* ging in das Bewußtsein aller Amerikanerinnen und Amerikaner ein. Wer *Black is Beautiful* sagt, sagt nicht nur einen Slogan, sondern handelt in einer bestimmten Situation: Sie oder er kann sich je nach Situation mit der Äußerung behaupten, kann Angriffe zurückweisen, kann widersprechen, kann drohen, kann sich zu einer politischen Einstellung bekennen, kann eine politische Voraussage machen, kann sich mit anderen solidarisieren und vieles mehr.

Ähnlich müssen wir uns eine andere Wirklichkeit schaffen, ganz ähnlich, denn die Parallelen zwischen der Sprache des Rassismus und der Sprache des Sexismus sind nicht zu übersehen, wie BOSMAJIAN, Autor von *The Language of Oppression*[9], zeigte. Wir müssen genauso wie die Schwarzen darauf bestehen, so genannt und angeredet zu werden, wie wir es wollen, und zwar mit Respekt, beachtet zu werden, wenn wir etwas sagen, nicht unterbrochen zu werden, ernst genommen zu werden. Das ist schwierig, und wir können es nicht im Alleingang bewerkstelligen. Es ist schon in einer privaten Unterhaltung mit dem Mann, mit dem wir zusammenleben oder den wir gerade kennengelernt haben, schwierig, wie FISHMAN und WEST zeigen, es ist sogar schwierig, wenn wir höheren Status haben als die männlichen Gesprächspartner, wie WEST zeigen konnte, und es ist noch schwieriger in einer Situation, wo wir die einzige Frau in einem Gremium von Männern sind oder wo wir niedrigeren Status haben als unsere männlichen Gesprächspartner oder sogar beides. Deshalb ist es wichtig, Frauen zu gewinnen, die sich mit uns verbünden können, und uns mit Frauen zu solidarisieren. Es ist ganz besonders wichtig, andere Frauen zu unterstützen, wo immer wir können. Wir können Frauen unterstützen, indem wir sie motivieren, sich weiterzubilden, so viel aus sich zu machen, wie es nur geht, selbständig zu werden. Wir können Mädchen im Schulalter motivieren, sich für naturwissenschaftliche Fächer zu interessieren, und Abiturientinnen, technische Fächer zu studieren. Wir können Studentinnen motivieren, das Studium nicht abzubrechen, hart zu arbeiten, sich hervorzutun, andere Frauen, das Abitur nachzumachen, auf dem 2. Bildungsweg zu studieren. Und vor allem nicht nur in die Berufe und Gebiete zu gehen, wo Frauen wieder Beziehungsarbeit leisten, also Lehrberufe, Pflegeberufe, die typischen Frauenberufe, sondern auch in sogenannte Männerberufe.

Frauen zur Leistung zu motivieren bedeutet, sie davon zu überzeugen, daß es legitim ist, hohe Ansprüche für sich zu haben, ehrgeizig zu sein und Erfolg zu haben. Es ist genauso legitim für Frauen wie für Männer. Unser Beruf und Befriedigung durch unseren Beruf ist für uns genauso wichtig wie für Männer. Unterstützung von Frauen heißt auch bevorzugte Behandlung von Frauen, nicht nur in einem Gespräch, wie HENLEY vorschlägt, sondern auch in allen anderen Bereichen. Solche Bevorzugung ist für eine bestimmte Übergangszeit, bis Frauen und Männer gleich behandelt werden, nötig. Aus diesem Grunde gibt es z. B. in den USA ein Quotensystem, das einer Firma oder einer Institution vorschreibt, wie viele weibliche Beschäftigte bis zu einem bestimmten Zeitpunkt einzustellen sind. Bei gleicher Qualifikation sollen Frauen (und übrigens auch Schwarze) bevorzugt werden. Dies ist die einzige Möglichkeit, einen Ausgleich zu schaffen, der vielleicht nicht Jahrhunderte dauert. Wir müssen uns einmal vorstellen, wie lange es dauern wird, bis auf dem Weg, auf dem wir jetzt gehen, und mit dem Tempo, mit dem wir uns fortbewegen, 50 Prozent aller leitenden Stellen, 50 Prozent aller Stellen, die jetzt ausschließlich von Männern besetzt sind, von Frauen eingenommen werden. Wie lange wird es dauern, bis an der ETH 50 Prozent Professorinnen, im Bundesrat 50 Prozent Frauen, im Burghölzli 50 Prozent Psychiaterinnen, in den Schweizer Banken 50 Prozent Direktorinnen sind.

Unterstützung von Frauen heißt auch Unterstützung ihrer Arbeit, indem wir zu Ärztinnen und Fotografinnen gehen, zu Rechtsanwältinnen, zu Steuerberaterinnen, Architektinnen, zu Psychotherapeutinnen, zu den weiblichen Vortragenden bei einer Konferenz (ein Kollege von mir, Professor der Romanistischen Sprachwissenschaft in Konstanz, geht bei Simultanvorträgen, wenn er die Wahl hat, grundsätzlich zu einer Frau und nicht zu einem Mann, weil er der Ansicht ist, daß die Frau besser sein muß, um sich in der gleichen Position in dieser Konferenz zu befinden wie ein Mann). Unterstützung der Arbeit von Frauen heißt auch, ihnen bevorzugt Arbeitsmöglichkeit zu geben und sie angemessen zu bezahlen, also der ungleichen Arbeitsverteilung und der Ausbeutung in der Bezahlung entgegenzuwirken.

Was können wir noch tun? Wir müssen uns informieren, damit wir Benachteiligung, Unterdrückung und Ausbeutung erkennen können, wenn wir sie antreffen. Dann können wir auch korrekte Information und angemessene Behandlung von anderen, z. B. in der Werbung oder in den Medien oder in den Schulbüchern, verlangen. Dann können wir auch öffentlich und politisch handeln, z. B. Briefe an Verlage, Zeitungen, Medien, Institutionen schreiben, Aktionen wie Tagungen, Vorträge, Vorlesungen veranstalten, Artikel, Bücher und Zeitungen schreiben, in Parteien und Vereinen arbeiten, um den allgemeinen Informationsrückstand abzubauen und um überall eine Sensibilisierung für unsere Situation und schließlich Bewußtseinsänderung zu erreichen. Solche Bewußtmachung in genügendem Ausmaß geht gesetzlicher Änderung voraus; Gesetzesänderung bewirkt aber wieder eine Änderung des Bewußtseins und der Sitten in weitem Ausmaß. Wir müssen also zuerst artikulieren, wo wir benachteiligt und diskriminiert werden, und die richtigen Leute darauf aufmerksam machen. So schlägt Ingrid GUENTHERODT[10] u. a. Zusammenarbeit mit Juristinnen vor, denn der zweite Schritt ist die Änderung von Gesetzen, damit diskriminierende Akte gerichtlich verfolgt werden können. In England gibt es z. B. seit 1975 einen Sex Discrimination

Act, in den USA ist das Equal Rights Amendment fast in allen Staaten verabschiedet. Im englischen Gesetz, Abschnitt 38 über diskriminierende Stellenanzeigen, findet sich der Satz, daß bei Berufsbezeichnungen mit geschlechtsspezifischer Konnotation wie Kellner, Verkäuferin, Postbote, Stewardeß die Absicht zu diskriminieren unterstellt wird, außer die Ausschreibung enthält zusätzlich einen Hinweis auf das Gegenteil. Wir müssen uns vorstellen, was für ein hoher Bewußtseinsstand in der Bevölkerung sein muß, daß sich eine solche Formulierung im Gesetz niederschlagen kann; vergleichen wir damit meinen Leserbrief an *DIE ZEIT*, wo ich bei klarer sprachlicher Ungleichbehandlung immer noch die gute Absicht des Autors, nicht zu diskriminieren, unterstelle.[11]

Die Entwicklung in Großbritannien und USA macht uns Mut. Was mit einzelnen Briefen, wie Ingrid GUENTHERODT sie schreibt, anfängt, die auf die sprachliche Ungleichbehandlung hinweisen, kann, wie im Fall des rheinland-pfälzischen Hochschulgesetzes, in Gesetzgebung eingehen.[12] Was als kleine Änderung anfängt, wie der Titel *Ms.* im Amerikanischen anstatt *Mrs.* und *Miss,* kann sich in aller offiziellen Korrespondenz durchsetzen. Wenn es auch heute noch in Deutschland und in der Schweiz zutrifft, daß es häufig nicht registriert wird, wenn wir auf der Anrede *Frau,* auf unseren Doppelnamen oder Titeln bestehen, weil die Rollenklischees stärker sind als unser aktuelles Handeln, können sich diese Rollenklischees und die Erwartungen, die mit ihnen verbunden sind, eben nur ändern, wenn wir weiterhin anders sprechen und handeln. *Noch* sind die Rollenklischees stark, aber je mehr wir die Gebote und Verbote, die unser Sprechen betreffen, durchbrechen und die stereotypen Vorstellungen über unser Verhalten in Konversationen nicht bestätigen, desto eher werden die Rollenklischees aufgehoben, weil sie einfach nicht mehr zutreffen. Dies ist unsere einzige Chance.

Anmerkungen

1 ROSENTHAL/JACOBSON (1968), ROSENTHAL (1966).
2 ROSENTHAL/FODE (1960), ROSENTHAL/LAWSON (1961).
3 GUENTHERODT (1979).
4 FREUD (1904, 1972), S. 77. Für diesen Hinweis bin ich Ingrid Guentherodt dankbar.

5 Z. B. fand kürzlich im Bundesrat eine Abstimmung über den Status
   von in der Schweiz lebenden Ausländern statt, wo mit der größten
   Mehrheit, die es je im Bundesrat gab, abgelehnt wurde, daß sie die
   gleichen Rechte wie Schweizer haben sollen; auch die Verweige-
   rung des Wahlrechts für Frauen kann immer noch öffentlich
   diskutiert werden. Aber auch in Deutschland wird Feminismus in
   Wahrig, *Das große deutsche Wörterbuch,* noch 1966 als weibisches
   Wesen beim Mann (besonders Homosexuellen) definiert: Den
   Hinweis verdanke ich Ingrid Guentherodt.
6 HENLEY (1977).
7 HENLEY (1976), S. 18.
8 Vgl. HENLEY (1978), S. 36–37.
9 BOSMAJIAN (1974).
10 GUENTHERODT (1975). In ihrem Referat vor dem Deutschen Akade-
   mikerinnenbund über »Frauen in Lehre und Forschung«.
11 Dieser Leserbrief wurde nicht abgedruckt. Er bezieht sich auf einen
   Artikel in der *ZEIT,* Nr. 48, 23. Nov. 1979, über die Bundestagsab-
   geordnete und Leiterin des Finanzausschusses Ingrid Mathäus mit
   dem Titel »Die Dame mit der schnellen Gangart: Die 34jährige
   Mutter Ingrid Mathäus leitet den Finanzausschuß.« Er lautet:
   Sehr geehrte Damen und Herren!   25. Nov. 1979
   Könnte auf der zweiten Seite Ihrer Zeitung unter der Sparte
   »Bundestags-Karriere« der folgende Titel stehen:
       Der Herr mit der schnellen Gangart.
   Und der Untertitel:
       Der 34jährige Vater Hans Müller leitet den Finanzausschuß.
   Warum werden Frauen als Damen, als Mütter, als Ehefrauen, als
   Mädchen oder als Blondinen beschrieben, wo in den gleichen
   Kontexten Männer nicht als Herren, Väter, Ehemänner, Jungen
   oder Blondschöpfe spezifiziert werden, weil es als unrelevante
   Information im jeweiligen Zusammenhang gilt. Wird trotzdem
   solche Information angeboten, z. B. der 34jährige Vater oder der
   geschmackvoll gekleidete Herr oder der stramme Blondschopf
   wird Parteivorsitzender, ergeben sich ganz besondere Interpretationen: Alter, Familienstand, Körperbau, Haarfarbe, Kleidung
   sind erwähnenswertere Aspekte als Aspekte der politischen Laufbahn und Kompetenz. Es folgt: der Herr und zweimalige Vater ist
   als Politiker nicht allzu ernst zu nehmen.
   Natürlich hat der Autor, Herr Piel, nicht bewußt intendiert, Ingrid
   Mathäus als Politikerin zu diskreditieren. Expliziter, offener Sexismus wäre in Ihrer Redaktion sicher nicht akzeptiert. Eklatante
   Diskriminierung gilt als unmoralisch. Die Mechanismen der Diskriminierung von Frauen sind daher notgedrungen subtiler, wie z. B.
   in Herrn Piels Artikel eine leichte Ironisierung schon im Titel: Die
   Dame und Mutter wird hervorgekehrt und dadurch die Politikerin
   trivialisiert, ihre Leistung verharmlost; ein Schimmer von Unernst-
   haftigkeit fällt auf die politische Arbeit der Dame und 34jährigen
   Mutter. Aber das ist – wie gesagt – nicht von Herrn Piel beabsich-
   tigt.

Gehört es zu den Prinzipien einer Zeitung, Frauen gleiche Behandlung zukommen zu lassen, wie es sicher für Sie zutrifft, dann genügt es nicht, bei Mitarbeiterinnen und Mitarbeitern die gute Absicht zu unterstellen und im übrigen den Status quo zu erhalten und zu verfestigen durch die üblichen Spezifizierungen von Politikerinnen als Frau Sowieso, wenn nicht als Damen, Mütter, Ehefrauen und Mädchen. Journalistinnen und Journalisten, die sich nicht sensibilisieren für die subtilen Mechanismen der Unterdrückung von Frauen in ihren Äußerungen und ihren Produkten, tragen dazu bei, daß die Ungleichheit so bleibt, wie sie ist. Die gute Absicht beim Sprechen und Schreiben garantiert nicht, daß das Geschriebene und Gesprochene nicht diskriminierend ist, daß Frauen nicht benachteiligt, ausgeschlossen, vergessen, abgewertet, verharmlost und trivialisiert werden.

Ich möchte aber die wichtige Einsicht Dieter Piels am Ende seines Artikels honorieren, wo er eine Begründung dafür gibt, warum »so wenig Frauen in der Politik wirklich Erfolg haben« – sie haben keinen Ehemann, der ihnen produzieren hilft und auf dessen Kosten sie sich profilieren und mit den Männern konkurrieren können. Das trifft nicht nur für die Politik, sondern für alle anderen Berufsgebiete zu.

Was auf der anderen Seite von einer Frau, die in der Politik »wirklich Erfolg« hat, erwartet und verlangt wird, zeigt sich indirekt in dem anerkennenden Lob Herrn Piels, daß Frau Mathäus bei der Geburt ihres ersten Kindes nur vier Tage vom Bundestag fehlte, und in seiner fröhlichen Voraussage, daß die Arbeit des Finanzausschusses durch die Geburt ihres zweiten Kindes nicht leiden werde. Auch diese Erwartungen an Frauen, »die wirklich Erfolg haben«, gelten nicht nur in der Politik, sondern in allen anderen Berufsbereichen.

> Mit freundlichen Grüßen
> Senta Trömel-Plötz, Ph. D. (Privatdozentin
> im Fachbereich Sprachwissenschaft,
> Universität Konstanz)

Auf diesen Brief hin erhielt ich übrigens eine vorgedruckte Karte, adressiert an *Frau Trömel,* mit der Anrede *Lieber Leser,* der ich nur entnehmen kann, daß *Die Zeit* Frauen gar nicht als Leserinnen antizipiert und deshalb auch Titel und Doppelname einer Frau nicht wahrgenommen werden.

12 Siehe S. 87

9 Frauensprache – Männersprache: Sprachen der Unterdrückung oder Sprachen der Befreiung?*

I Einleitung

Vor ein paar Wochen hat mich Frau Dr. Keller gebeten, einen Einladungstext zu diesem Vortrag zu schreiben. Ich habe einige Ideen aufgeschrieben und ihr geschickt. Daraufhin rief sie mich an und sagte: »Was du geschrieben hast, gefällt mir nicht; es ist zu gelehrt und zu wissenschaftlich. Impliziert war: Wenn wir deinen Text auf die Einladung setzen, kommt garantiert niemand. Wenn es dir recht ist, schreib' ich das lieber selber.« Es war mir sehr recht, und ich freue mich, daß Sie ihrer Einladung gefolgt sind.

Aber ich habe mir dann doch überlegt, was eigentlich bei meinem schönen gelehrten Text passiert ist, und ich bin zu dem Schluß gekommen, daß es etwas damit zu tun hat, daß im Gegensatz zu unserer Tagung über Frauensprache im Januar auch Männer zu diesem Vortrag eingeladen sind. Anscheinend verändert schon eine potentielle Zuhörerschaft von Männern meine Formulierungen, wenn nicht den Inhalt meines Vortrages, in die Richtung von sogenannter Wissenschaftlichkeit und sogenannter Objektivität. Die konkrete Anwesenheit von Männern hier und jetzt verändert für mich sehr stark nicht nur die Atmosphäre, sondern auch meine Gefühle und Erwartungen über die Situation, in die ich mich mit diesem Vortrag begeben habe. Ich muß deshalb sehr bewußt versuchen, nicht in den gleichen Fehler zu verfallen wie mit der Ankündigung des Vortrages, d. h., ich muß versuchen, persönlich zu sein, anstatt mich unangreifbar zu machen durch distanzierte Wissenschaftssprache und ständigen Bezug auf wissenschaftliche Ergebnisse. Ich bin sicher, daß es mir nicht immer gelingen wird.

Meine Welt, so traurig es mich macht, ist eine Welt der Männer. Nicht nur was die berufliche Seite angeht, das erwarte ich nicht

---

* Vortrag, 10. 6. 1980, Paulus-Akademie, Zürich.

anders. Im Beruf, also an der Universität, bin ich von Männern umgeben und arbeite mit Männern zusammen. Eine Ausnahme sind amerikanische Wissenschaftlerinnen, die ich von meinem Studium her kenne oder mit denen ich, seit ich feministische Linguistik mache, korrespondiere. In allen Gremien sind Männer, denn Männer entscheiden an der Universität und im Kultusministerium; wenn immer ich telefoniere, ob mit dem Prüfungsamt in Freiburg, dem Finanzamt für Körperschaften oder dem Landesamt für Besoldung in Stuttgart, ich habe es nur mit Männern zu tun. Nur durch einen glücklichen Zufall gibt es in Konstanz in meinem Fachbereich noch eine Linguistin, Dr. Luise Pusch, Privatdozentin und Heisenberg-Stipendiatin, mit der ich in feministischer Linguistik zusammenarbeiten kann. Keine andere Linguistin an einer deutschen Universität, die feministisch gesinnt ist – es gibt sowieso nur eine Handvoll –, hat dieses Privileg. Sie sind alle praktisch allein an ihrer jeweiligen Universität, ob in Aachen, Berlin, Trier oder Hannover oder auch am Max-Planck-Institut für Psychologie in Nimwegen, Holland, d. h., sie sind isoliert als Wissenschaftlerinnen und müssen im Alleingang etwas durchsetzen. Zumeist bleibt es bei den Versuchen.

Aber nicht nur meine Berufswelt ist eine Welt der Männer, sondern meine totale Umgebung ist von Männern bestimmt. Im Haus gibt es ein paar Frauen, aber alle offiziellen Kontakte sind nur mit Männern: Hausverwalter, Hausmeister, Briefträger und alle Handwerker und Lieferanten sind Männer. Auch innerhalb unserer vier Wände stammt alles Signifikante, abgesehen von den Frauenbüchern, die immer mehr werden im Regal, von Männern: Ich höre Tim Buckley und weiß, Rock ist von Männern dominiert, die paar Frauen sind Ausnahmen: Janis Joplin, Grace Slick, Joan Armatrading. Ich höre Barock – es gibt nur männliche Komponisten, unter den Interpreten ist ab und zu eine Frau. Ich liebe Filme – die Regisseure sind Männer. Ja, es gibt Agnes Vardá. Ich freue mich an Architektur und Möbeln. Ich kenne keine Architektin. Ja, die Frau von Charles Eames, aber ihr Vorname fiel mir lange nicht ein (sie heißt Ray Eames). Ich weiß, im Bauhaus gab es Frauen, aber ich kenne keine Gebäude von ihnen, nur Vasen, Gebrauchsgegenstände. Unsere Möbel sind von Männern entworfen ebenso wie unser Besteck und Teegeschirr. Alle unsere Siebdrucke, Plakate und Gouachen sind von Männern. Selbst unsere Bettwäsche, Handtücher, Flaschen für Toilettenwasser sind von männlichen Modeschöpfern. Rundherum, vom Schmuckmacher bis zum Schuster, von Zeitungsredakteuren bis zu Immobilienmaklern, vom Frauenarzt bis zum Zahnarzt, selbstverständlich bei Krankenkasse und Banken, sind alle Kontakte meiner täglichen Umgebung Kontakte mit Männern. Bei unbestimmtem Geschlecht einer kleinen Skulptur ertappe ich mich, daß ich *er* sage. Wir gehen zwar in meiner Familie zu einer Kinderärztin, aber mehr aus Zufall als aufgrund einer Wahl, zu einer Fotografin, aber eher, weil sie zuerst unsere Freundin war, ehe sie unsere Fotografin wurde, zu einer Rechtsanwältin – dies aus bewußter Entscheidung für eine Frau, aber schon der Steuerberater ist wieder männlich und alle übrigen Spezialisten auch. Obwohl mehr Frauen als Männer bei uns ein- und ausgehen und unser ältester Sohn, als er dreieinhalb war, seine Großmutter, als sie die 17jährige Kinski ein schönes Mädchen nannte, verbesserte: »Nein, das ist eine Frau«, ist er in seinen Spielen ein Tänzer, ein Arzt oder ein Künstler.

Es gibt nur einen Kontext in meinem Leben, in dem ich ebenso viele oder mehr Frauen treffe als Männer, und das ist in der Psychotherapie. Aber selbst das bezieht sich nur auf Ausbildungskandidatinnen und -kandidaten und schon kaum mehr auf praktizierende Therapeutinnen und Therapeuten. Sobald es um Lehre, Forschung und Verwaltung an einem Institut, um wissenschaftliche Veröffentlichungen, Vorträge, Konferenzen und Zeitschriften geht, sind auch in der Psychotherapie die Männer wieder eindeutig in der Überzahl.

Auch von der Seite meines Mannes her – er ist Mathematiker an der ETH – wird mein Leben nicht durch Frauen bereichert. Er hat nur männliche Kollegen und fast nur männliche Studenten. Eine Kollegin, wissenschaftliche Assistentin und Doktorandin, schied vor kurzem aus, als sie ein Kind bekam. Es bleibt also nur der ganz private Bereich, in dem wir uns mit Frauen anstatt mit Männern umgeben können.

Ich möchte Sie bitten, einfach Ihren Lebenszusammenhang einmal daraufhin anzusehen, wo Frauen und wo Männer sind, und Sie werden merken, daß Frauen – außer frau oder man kultiviert bewußt ein Leben mit Frauen, d. h. in Frauengruppen, Frauenwohngemeinschaften, in Freundschaften und in professioneller Zusammenarbeit mit Frauen – unsichtbar sind und einfach untergehen.

Dieses Unsichtbarsein, Nicht-Vorkommen außer als Ausnahmen, ist ein wichtiges Phänomen, was die Stellung von Frauen in unserer Gesellschaft und jegliche Änderung des Status quo anbelangt. Wenn Frauen unsichtbar bleiben und nicht auf sich aufmerksam machen, können sie weiterhin vergessen und unterdrückt werden. Dieses Phänomen spiegelt sich auch in der Sprache: Auch hier sind Frauen unsichtbar, weil nur von Männern die Rede ist, auch hier werden Frauen ausgeschlossen und vergessen, weil nur Männer zählen. Der Sexismus zeigt sich in der Sprache.

Weil Sprechen, d. h. sprachliches Handeln, ein wichtiger Teil gesellschaftlichen und politischen Handelns ist, bemühen wir Frauen uns, sexistischen Sprachgebrauch zu ändern. D. h. zunächst, daß wir uns sensibilisieren wollen, so daß wir Sexismus in der Sprache identifizieren und vermeiden können. Wir bemühen uns zum Beispiel, uns Frauen sichtbar zu machen, indem wir Frauen explizit nennen und ansprechen und darauf bestehen, daß Männer dasselbe tun. Wir bemühen uns darum, uns selbst zu definieren, und lassen es nicht zu, daß Männer uns mit ihren Definitionen, ob als Damen oder Fräulein oder gnädige Frau, trivialisieren und bagatellisieren. Wir wollen unsere Definition durchsetzen und als Frauen ernst genommen und gleichwertig behandelt werden.

II Frauensprache

Ich habe im Januar hier auf der Tagung »Frauensprache – Sprache der Unterdrückten« über Sexismus in unserer Sprache und unserem Sprachverhalten gesprochen. Daraufhin erschienen Rezensionen und Berichte in Zeitungen und Zeitschriften, und immer wieder tauchte der Terminus »Frauensprache« auf. Ich habe damals gesagt, daß ich den Begriff benutze, um mit ihm zu spielen und je nach der Situation zu provozieren, und manchmal auch, um etwas ganz Fraueneigenes zu erfassen, eine Art zu reden, die nur Frauen beherrschen. Auch in meinem Radio-Interview mit Radio DRS wurde ich gefragt, ob es denn so etwas wie Frauensprache gäbe, und ich habe geantwortet, daß es Frauensprache natürlich nicht in dem Sinn gibt, daß Frauen eine eigene Sprache sprechen, die Männer nicht verstehen. Umgekehrt verstehen Frauen natürlich die Sprache der Männer. Aber das heißt noch nicht, daß Frauen und Männer auf die gleiche Weise sprechen. Es gibt ja auch bilinguale Situationen, z. B. an der deutsch-holländischen Grenze, wo eine Sprecherin holländisch und eine andere deutsch spricht und beide einander verstehen. Deshalb sind Holländisch und Deutsch trotzdem nicht die gleiche Sprache.

Ich habe auch heute keine Definition von Frauensprache anzubieten, weil ich keine Definition geben will, denn dann bewege ich mich schon wieder in der Sprache der Männer, lasse mich auf ihre Kriterien und Bewertungen dafür ein, was ernst genommen werden kann, was als wissenschaftliches Arbeiten gilt.

JESPERSEN, HALL und andere haben darauf hingewiesen, daß Frauen anders sprechen als Männer. Auch sie gaben keine wissenschaftlichen Definitionen und keine empirischen Belege für ihren Eindruck. Im allgemeinen fiel die Charakterisierung, die Linguisten und Anthropologen von Frauensprache gaben, negativ aus: Die Art und Weise, wie Frauen sprechen, wurde als Defizit gesehen, als Abweichung von der Norm, die durch das Sprechen von Männern definiert war. Auch heute noch werden von Linguistinnen und Soziologinnen negative Eigenschaften weiblichen Sprechens analysiert, die Einschränkungen im Vergleich zur Männersprache, die Nachteile. Es ist wichtig, darauf aufmerksam zu machen, denn eine negative Bewertung und defizitäre Charakterisierung ist nicht notwendig. Ich werde darauf noch eingehen.

Aber für mich ist auch ein Idealbild von Frauensprache wichtig. Es ist vielleicht mehr eine Wunschvorstellung als Realität und deshalb wichtiger als alle empirischen Beobachtungen: Im Idealfall, stelle ich mir vor, ist Frauensprache eine Art von Kommunikation unter Frauen, wo wir uns einander verbunden und miteinander verbunden fühlen, ohne uns lang zu kennen, ohne vorausgehende Prüfung der Charaktere, über Nationalität, Rasse, Alter und Klassen hinweg, weil wir zuallererst Frauen sind, bewußt uns als Frauen erleben mit demselben Anliegen, uns gegen unsere Unterdrückung zu wehren. Im Idealfall ist Frauensprache unterstützender Dialog, Offenheit, Kreditgeben, Akzeptieren, Verstehen – wir haben so etwas auf der letzten Tagung hier erlebt.

Vielleicht ist es dieser Traum von einer Sondersprache, an der die Männer nicht teilhaben können, der die Gemüter so erregt, wenn sie den Terminus »Frauensprache« hören, so daß sie gleich angreifen müssen, noch ehe sie etwas verstanden haben.

Unabhängig von diesem Verständnis von Frauensprache fasse

ich nun kurz zusammen, was wir aus gesprächsanalytischen, also soziologischen Untersuchungen darüber wissen, wie Frauen anders sprechen, und welche Hypothesen von linguistischer Seite über Frauensprache aufgestellt wurden. Von beiden Forschungsrichtungen her sind die Charakterisierungen so, daß Frauensprache eher als Defizit gesehen wird und weniger als Stärke.

1. Frauen ergreifen weniger oft das Wort und liefern kürzere Redebeiträge. Frauen führen mehr Themen ein als Männer, aber bringen weniger Gesprächsthemen zu Ende, weil sie nicht von Männern unterstützt werden. Sie leisten aber ihrerseits Gesprächsarbeit, indem sie die Männer bei der Durchführung ihrer Themen unterstützen.

2. Frauen stellen mehr Fragen als Männer; darunter sind neben Informationsfragen auch Behauptungen, die als Fragen formuliert werden, und Fragen, mit denen sie ihr Rederecht erzwingen oder sich Aufmerksamkeit verschaffen müssen. Sie scheinen also Fragen dazu zu benutzen, daß sie eine Reaktion bekommen, die sonst ausbliebe. Auch andere Mechanismen wie Übertreibung oder größere Variabilität in der Intonation deuten darauf hin, daß Frauen garantieren müssen, daß sie überhaupt gehört werden.

3. Frauen beziehen sich häufiger auf vorhergegangene Redebeiträge, d. h., sie gehen mehr auf ihre Gesprächspartnerinnen und -partner ein, sie benutzen mehr Pronomina wie *ich, meiner* Ansicht nach, es ist *mir* aufgefallen, d. h., sie sind persönlicher. Frauen gebrauchen öfter *bitte*, Frauen entschuldigen sich mehr.

4. Frauen lassen sich unterbrechen. In der Tat werden Frauen systematisch von Männern unterbrochen, d. h., alle Frauen, unabhängig von ihrem Status und dem des unterbrechenden Mannes, werden unterbrochen, und Frauen werden in regelmäßigen Abständen unterbrochen. Frauen hingegen unterbrechen umgekehrt Männer kaum. So gibt es Untersuchungen von Unterhaltungen, in denen 96 Prozent aller Unterbrechungen von Männern kamen.

Dies alles gilt für gemischtgeschlechtliche Unterhaltungen, und die Kategorien sind verhältnismäßig grob, so daß wir sie leicht beobachten können, wenn wir einmal auf sie aufmerksam wurden. Wie es sich für Frauen anfühlen kann, nicht reden zu können, während Männer ständig reden, wird sehr schön von Beate KLÖCKNER in »Unter Männern« im Kursbuch 47: *Frauen* geschildert. Die Kombination von eigener innerer Behinderung zusammen mit der äußeren konkreten Gesprächskontrolle durch Männer, wenn Frauen wirklich den Mund auftun, ergibt die oppressive Situation, die wir als Frauen in Gesprächen mit Männern kennen und in der viele Frauen immer stiller werden oder verstummen.

LAKOFF, Professorin für Linguistik in Berkeley, identifizierte für das Amerikanische folgende Eigenschaften von »Woman's Language«:

1. Frauen sprechen höflicher, benutzen mehr Euphemismen und hyperkorrekte Formen und weniger Vulgärausdrücke.

2. Frauen benutzen bestimmtes Vokabular, das Männer nicht zur Verfügung haben, z. B. Differenzierungen im Bereich der Farben oder Adjektive wie *cute, sweet* etc.

3. Frauen benutzen häufig Frageintonation bei Deklarativsätzen.

4. Frauen benutzen Umgehungen, wo sie nicht angebracht sind, d. h., sie schränken die Sicherheit, mit der sie etwas sagen, ein, obwohl sie sicher sind und der Hörer nicht geschützt werden muß, z. B. *er ist ziemlich klein; ich glaube, ich habe das vergessen; möglicherweise machen wir das; es scheint mir, er ist ein Chauvinist.*

5. Frauen benutzen mehr konversationssteuernde Partikeln *(you know, oh dear, goodness etc.)*, um zu garantieren, daß sie verstanden werden.

6. Frauen benutzen mehr »tag questions«, d. h. Sätze mit *nicht wahr*, und schränken damit die Gültigkeit ihrer Behauptungen ein.

In manchen dieser Hypothesen erkennen wir den Stereotyp wieder, daß Frauen unklar, verschwommen, unpräzise, langatmig und indirekt reden. Wo direkte, prägnante, starke Ausdrucksweise zählt, ist das natürlich ein Defizit. Schwerwiegende Konsequenzen sind, daß, was Frauen sagen, oft abgetan wird als unernstes, irrelevantes Geplapper, daß wir – Frauen und Männer – nicht auf Frauen hören. Was Frauen sagen, hat kein Gewicht.

LAKOFF sieht noch andere Konsequenzen: Frauen sind in einer »double-bind«-Situation, sie verlieren in jedem Fall: Wenn sie wie eine Dame sprechen, höflich, korrekt, gepflegt, verbindlich, traut man ihnen weder einen tiefen Gedanken oder eine kluge Idee noch irgendwelche Leistung zu, sie sind Dekoration und nicht vollwertige, gleichwertige Menschen. Wenn sie aber nicht wie eine Dame sprechen, sondern direkt und geradeheraus und etwas zu sagen haben, dann sind sie nicht feminin, sondern vermännlicht, Mannweiber, eben keine richtigen Frauen. Das Dilemma für Frauen ist groß – ob sie die Sprache lernen, die von ihnen erwartet wird oder nicht, Bestrafung ist ihnen sicher.

III Männersprache

Ganz anders ist die Situation für Männer: Wenn *sie* die Sprache lernen, die von Männern erwartet wird, d. h. direkten, knappen, starken Ausdruck benutzen, erwartet sie nur Belohnung – sie werden akzeptiert. Spielen sie nicht mit, müssen sie in Kauf nehmen, daß sie als verweichlicht, weibisch, eventuell homosexuell angesehen werden. Aber durch Leistung kann man hier vieles wettmachen.

Manchmal wird argumentiert, daß Männersprache genauso eingeschränkt ist wie Frauensprache. Männer müssen schlechte Witze erzählen können, dürfen nicht zu gewählt reden, müssen alle Ausdrücke für technische und mechanische Dinge kennen etc.

Aber der Männer, die das ernsthaft als Einschränkung empfinden und nicht nur als Argument benutzen, sind wenig – ich habe, glaube ich, noch keinen getroffen. Es ist so ähnlich wie mit der Berufswahl; auch hier hören wir ab und zu, daß Männer gern Krankenschwester, Kindergärtnerin, Hebamme, Kinderfräulein und Hausfrau werden würden, aber wir sehen nicht, daß sie in diese Berufe strömen.

Männer haben die Wahl: So wie sie mit geringer Bestrafung einen Frauenberuf wählen können und in dem Beruf anerkannt werden, können sie mit geringem Verlust die chauvinistischen Attribute der Männersprache aufgeben. Sie sind nicht in einem »double-bind«. Aber das passiert nicht. Nur wenige Männer kümmern sich überhaupt um unser Anliegen, was Sexismus in der Sprache anbelangt, noch weniger identifizieren sich mit uns. Die meisten diskriminieren uns durch ihr sexistisches Reden.

Auch hier möchte ich zusammenfassen, was wir unter Sexismus in der Sprache verstehen: Es sind die Asymmetrien in der Sprache, die immer zuungunsten der Frauen gehen. Hierzu gehört, daß Frauen häufig nicht eigens angesprochen werden – es heißt *lieber Zuhörer, lieber Leser, lieber Mieter, lieber Teilnehmer*. Die Struktur unserer Sprache ist so, daß solche Ausdrücke wie *die Politiker, die Teilnehmer, der Wissenschaftler, der Leser* ambig sind, d. h. sowohl nur Männer gemeint sein können als auch Frauen und Männer. Die präferierte Lesart ist aber die erstere; wer denkt schon, wenn von dem Wissenschaftler oder von den Politikern die Rede ist, daß auch Frauen dabei sein können. Selbst bei Sol SAPORTA, einem amerikanischen Linguisten, der schon 1974 einen Vortrag vor der Modern Language Association über *Sprache in einer sexistischen Gesellschaft* hielt, fand ich einen Satz, daß etwas für Frauen leichter zu erklären sei als für Linguisten. D. h., auch für ihn sind Linguisten nur Männer, und das, obwohl es in Amerika eine relativ große Anzahl von Linguistinnen gibt.

In unserer Sprache kommt diesem Verständnis zusätzlich noch der Gebrauch von Pronomina entgegen: Wir referieren auf der Arzt, der Rechtsanwalt, der Professor mit *er* und *sein*; wir müssen sagen *einer nach dem anderen, jedem das Seine, manch einer*, wenn wir es mit Frauen und Männern zu tun haben. Im ganzen entsteht das Bild, daß Frauen unsichtbar sind, weil man nicht an sie denken muß und sie nicht mitbedenkt, wenn man spricht, weil man sich nur Männer vorstellt, wenn man zuhört.

Frauen systematisch nicht anzusprechen, zu vergessen, auszuschließen, sind diskriminierende Sprechhandlungen. Sexistisches Reden ist Diskriminierung.

Außer den syntaktischen Asymmetrien gibt es eine Unmenge von lexikalischen Ungleichheiten, die Asymmetrie der Titel *Frau* und *Fräulein* versus *Herr*, die viel größere Anzahl von Pejorativen, Vulgärausdrücken, Schimpfwörtern, die Frauen bezeichnen, die unterschiedliche Terminologie, was Frauen und Männer anbelangt im Bereich der Berufsbezeichnungen[2], der Gesetzgebung und Rechtsprechung[3] usw.

Die entsprechenden Handlungen, wenn diese asymmetrischen Ausdrücke verwendet werden, sind Degradierung und Lächerlichmachen von Frauen, Beleidigung und Beschimpfung von

Frauen, Abwertung und Geringschätzung von Frauen, Benachteiligung von Frauen, Trivialisierung und Verharmlosung von Frauen und ihrer Belange etc. Diese Handlungen sind diskriminierende Akte. Diskriminierung von Frauen geschieht täglich durch die Produktion sexistischer sprachlicher Äußerungen.

Da Sprechen Handeln ist, da ich durch die Art und Weise, wie ich rede, jemanden ignorieren, schmähen, mißachten, beleidigen kann, ist es nicht gleichgültig, ob ich *Frau* oder *Fräulein* sage, ob ich eine Frau mit ihrem Doppelnamen oder ihrem Titel anspreche oder nicht, ob ich auf Frauen mit *Mädchen* und *Damen* oder *Frauen* referiere. Es gibt noch einen zweiten wichtigen Grund, warum es nicht gleichgültig ist, ob ich Frauen angemessen anrede oder nicht, wie ich über Frauen und wie ich mit ihnen rede. Durch die Art und Weise, wie wir sprechen, produzieren wir in einem wichtigen Sinn die Wirklichkeit, damit bestimmen wir, wie unsere Welt beschaffen ist, was wichtig ist. Z. B. wird mit der Form der Anrede häufig die ganze Interaktion kontrolliert und die Wirklichkeit der Beziehung definiert; durch asymmetrische Anrede und andere Ungleichheiten entstehen Dominanzbeziehungen, durch Pejorative werden Frauen durch einen einzigen negativen Aspekt definiert, obwohl immer sehr viele andere Aspekte zur Auswahl stehen; dadurch entsteht der negative Stereotyp der Frau. Durch den Gebrauch asymmetrischer Anredeformen wird Dominanz weiter reproduziert, durch den Gebrauch von Pejorativen wird das Vorurteil verfestigt und perpetuiert. Dadurch, daß Männer den Stereotyp der Frau und die Beziehungen, die sie mit Frauen eingehen, definieren können, üben sie Macht aus. Sie kontrollieren, wie Interaktionen zwischen Frauen und Männern verlaufen können und welchem Bild Frauen entsprechen müssen, welche Erwartungen man an sie hat, was sie leisten können und was sie tun dürfen. Männer bestimmen und definieren die Wirklichkeit, auch die der Frauen.

Wenn Männer eine gescheite Frau, die den Mund aufmacht, abtun als unfeminin oder gar männlich, dann haben sie feminin so definiert, daß es neben schwächlich, abhängig, ängstlich, zart auch still, passiv und nicht allzu gescheit einschließt. Maskulin dagegen bedeutet u. a. aktiv, sich zu Wort melden, klug, gescheit. Solange Männer die Wirklichkeit definieren, ist es egal, wie viele Frauen intelligent sind, stark, unabhängig, aktiv, sie werden umdefiniert als unfeminin und männlich, beides eine Abwertung für eine Frau. Es bleibt nur die Möglichkeit, daß

Frauen darauf bestehen, sich selbst zu definieren und sich nicht umdefinieren zu lassen. CARMICHAEL, ein Schwarzer der amerikanischen Bürgerrechtsbewegung, sagte, daß Definition ungeheuer wichtig sei, denn die, die definieren können, sind die Mächtigen, die Herren. Die, die sich definieren lassen müssen, sind Sklaven. Immer mehr wird aus verschiedenen wissenschaftlichen Richtungen, Soziologie, Psychologie, Kommunikationswissenschaft, Linguistik, der Faktor Macht als Erklärung für sexistische Sprache angeboten. Sexistische Sprache wird als eine Sprache der Unterdrückung angesehen, mit der die Mächtigen, die Männer, eine andere Gruppe, die Frauen, unterdrücken. Im Gegensatz zu anderen Gruppen, die gegen ihre Unterdrückung ankämpften und Unterstützung aus anderen Lagern bekamen, wie die Schwarzen Amerikas aus der weißen Mittelklasse, erfahren aber die Frauen, die politisch für ihre Gleichbehandlung kämpfen, erneute Abwertung als Blaustrümpfe, Mannweiber und Emanzen auch von den sogenannten liberalen oder linken Männern. Eine tiefenpsychologische Erklärung für den weitgehenden Sexismus und den Widerstand gegen jegliche Änderung ist deshalb vonnöten. Harriet E. LERNER, Psychologin an der Menninger Clinic, bietet an, daß es neben dem kulturellen Druck, der durch Geschlechtsrollenstereotype ausgeübt wird, auch intrapsychischen Druck gibt, der auf Frauen wirkt, so daß sie Mädchen bleiben wollen (d. h. kindliche, abhängige, liebliche Züge kultivieren) und sich wie Damen benehmen (d. h. sich den Normen von Sauberkeit, Gepflegtheit, Anstand anpassen, nichts Wichtiges, Ernsthaftes tun, nicht mit Männern konkurrieren). Dieser Druck kommt von tiefen Ängsten über die biologische Funktion der Frau und ihr in der Phantasie gegebenes destruktives Potential. Die Angst vor den reproduktiven Funktionen wie Menstruation, Gebären, Stillen sowie die Angst vor der kastrierenden Mutter ist in vielen Kulturen belegt, sagt LERNER. Die Angst vor der Frau ist in beiden Geschlechtern sehr stark und führt dazu, daß Frauen selbst ihr phantasiertes, kastrierendes und destruktives Potential abbauen, indem sie sich ungeschickt machen, den Mann gewinnen lassen, die Maskulinität des Mannes schützen, und dazu, daß Männer ein Interesse an Mädchen und Damen haben, die sie beschützen können, und nicht an Frauen, die sie fürchten müssen.[4] Es erstaunt deshalb nicht, daß sowohl Frauen wie Männer an sexistischer Sprache festhalten. Sexistische Sprache kann man, da Frauen sie auch benutzen, nicht mit

Männersprache gleichsetzen. Aber Männersprache ist sexistisch, sowohl in ihrer öffentlichen Form als formelle Sprache der Institutionen, der Medien, der Politik, der Gesetze, der Bibel, der Lehrbücher, als auch in ihrer informellen Form, der Alltags- und Umgangssprache zwischen Frauen und Männern.

IV Die Sprache der Mächtigen

Die Mächtigen sind die Männer, und die Sprache der Mächtigen ist die öffentliche Sprache. Frauen haben im großen und ganzen wenig Anteil daran, wie da geredet wird. Mit dieser Sprache wird Politik gemacht, werden Gerichtsurteile gefällt, werden Zeitungsartikel geschrieben und Vorträge gehalten. Diese öffentliche Sprache hören wir ständig: im Radio, Fernsehen, Vorlesungssaal, von der Rednertribüne und der Kanzel. Wenn Frauen in öffentlichen Situationen reden wollen, müssen sie diese Sprache beherrschen. Dafür, daß es ihnen nicht so gut gelingt, gibt es einige Hinweise, z. B. zeigten amerikanische Wissenschaftlerinnen in professionellen Konferenzen während der Diskussionen nach Vorträgen ein anderes Gesprächsverhalten als ihre Kollegen, sie stellten nur eine anstatt der üblichen Doppelfragen, leiteten ihre Fragen nicht mit langen Diskursen ein, die bei Männern dem Zweck der Selbstdarstellung und dem Exhibitionismus dienen, formulierten ihre Fragen persönlicher. Dieses Redeverhalten benachteiligt sie im akademischen Leben. Auch skandinavische Politikerinnen stellten fest, daß ihnen ihr Gesprächsverhalten zum Nachteil gereicht – sie hatten schneller Lösungsvorschläge bereit als die Männer. Dazu kommt – und das ergibt wieder eine »doublebind«-Situation, diesmal für die Gruppe von Frauen, die in der Berufswelt der Männer einen Platz gefunden haben –, daß Frauen, auch wenn sie die Sprache der Männer beherrschen, immer noch wie Frauen behandelt werden, d. h. so, als ob sie nichts zu sagen hätten. Zum Beispiel werden Unterbrechungen, die von Frauen gemacht werden, von den Männern überhaupt nicht als Unterbrechung wahrgenommen und stellen keine Bedrohung für sie dar im Gegensatz zu Unterbrechungen, die von Männern initiiert werden. Also wenn Frauen die Männersprache nicht beherrschen, sind sie im Nachteil, und wenn sie sie beherrschen, wird es nicht registriert. Sie verlieren, was immer sie tun.

Die Sprache der Mächtigen wird von verschiedenen Richtungen her kritisiert. Mary DALY, die tiefste Denkerin über Feminismus und Sexismus, sagte schon in ihrem Buch *Beyond God the Father* (1973: S. 152):

>»Women are starting to know the defects of language because it is not ours.«
>(Frauen fangen jetzt an, die Defekte der Sprache zu bemerken, weil sie nicht unsere ist.)

Sie fing an, die Sprache zu innovieren bis zu den Sprachspielen in ihrem letzten Buch *Gyn/Ecology* (1978). Für die, die sie nicht kennen: Mary DALY ist Professorin für Theologie in Massachusetts, Philosophin, leidenschaftliche Kritikerin der Kirche wegen deren Frauenfeindlichkeit. *(The Church and the Second Sex*, 1975). Auch Herbert MARCUSE, Marxist und Philosoph, sprach von einer linguistischen Therapie, um die Sprache von der Verzerrung ihrer Bedeutungen durch das Establishment zu befreien; allerdings blieb es bei ihm beim philosophischen Gedanken. Dagegen wurde bei Jan FOUDRAINE, Psychiater und Psychoanalytiker, die sprachliche Reform, die er vorschlug, zur Wirklichkeit, zumindest für die Patientinnen seiner Station im Chestnut Lodge. Sie waren »Studentinnen in einer Lebensschule«, die von »Erzieherinnen und Erziehern« unterrichtet wurden, anstatt Patientinnen in einer Heilanstalt, die von Ärzten behandelt wurden. Es gab keinen Unterschied mehr zwischen Kranken und Gesunden. Die Konsequenzen dieser sprachpragmatischen Änderung waren erstaunlich (siehe FOUDRAINES Buch *Wer ist aus Holz? Neue Wege der Psychiatrie*, 1976).

Diese drei Denker, d. h. diese Denkerin und diese zwei Denker, übten Kritik an der Sprache, weil sie sahen, daß sie respektive die Sprache der Männer, des Establishments und der orthodoxen Medizin ist und nicht die Sprache der Frauen, der Arbeiterinnen und Arbeiter, der Geisteskranken. In Parenthese: Auch die deutsche Sprache braucht Korrektur, denn ich konnte im vorausgehenden Satz nicht sagen *diese drei Denkerinnen*, sondern mußte die Bezeichnung *diese drei Denker* wählen, in der schon wieder untergeht, daß *der* (!) bedeutendste von ihnen eine Frau ist. Wenn ich das nicht untergehen lassen will, muß ich die unschönere Formulierung *diese Denkerin und diese beiden Denker* wählen.

Sprache wurde kritisiert, weil sie die Sprache der Mächtigen ist, die die Wirklichkeit zu ihren Gunsten und auf Kosten von anderen definieren. Sprache ist ein politisches Instrument. Was weder MARCUSE noch FOUDRAINE thematisierten, ist, daß auch die Institutionen des Establishments und der orthodoxen Medizin typisch männliche Domänen sind, daß also auch ihre Kritik im Grunde eine Kritik an der Sprache der Männer ist. Auch BOSMAJIAN, der in *Language of Oppression* (1974) die Sprachen des Antisemitismus, des Rassismus und des Militarismus beschreibt und Parallelen zur Sprache des Sexismus zieht, übersieht, daß alle diese Sprachen der Unterdrückung von Männern entworfen sind und von Männern eingesetzt wurden und werden zur Benachteiligung, Unterdrückung und sogar Vernichtung von Menschen. Sprache läßt sich korrumpieren und mißbrauchen. Z. B. benutzte man während des Vietnamkrieges den Ausdruck *Pazifizierung,* d. h. Befriedung, für die gewaltsame und brutale Vernichtung von Dörfern, die Ausquartierung von Frauen und Kindern und die Verschleppung von Männern. Oder die Nazis sprachen vom *Judenproblem,* die Weißen vom *Negerproblem,* nachdem sie selbst diese »Probleme« durch Separation und Unterdrückung generiert hatten (in Amerika hört man inzwischen die korrektere Bezeichnung: *das weiße Problem*). Diese selbstgeschaffenen Probleme verlangen dann eine »Lösung«. *Endlösung* hieß die Vernichtung von Millionen von Juden.

BOSMAJIAN zeigt in seinem Buch, wie in diesen Sprachen der Unterdrückung immer zuerst Menschengruppen umdefiniert und ausgesondert werden, ob als Judenschweine, Ungeziefer, Nigger oder Rothäute. Mit diesen Definitionen verlieren diese Gruppen den Status des Menschseins, und ihrer Isolation in Konzentrationslagern, Ghettos oder Reservationen steht nichts mehr im Wege. Selbst ihre Ausrottung kann mit Hilfe geeigneter Definitionen noch gerechtfertigt werden.

Was viele nicht wahrhaben wollen, ist, daß es auch in der Sprache des Sexismus um ähnliche Phänomene geht: Aussonderung einer Gruppe von Menschen, diesmal auf Grund ihres Geschlechts, wofür man so wenig kann wie für die Pigmentierung der Haut, Zuschreibung negativer Eigenschaften wie geringere Körperkraft, schwächere Konstitution, geringere Intelligenz, mangelnde Kreativität, geringeres Durchhaltevermögen etc., Rechtfertigung der Ungleichbehandlung aufgrund der minderen Ausstattung, handfeste Benachteiligung und Unterdrückung durch Einschränkung der Ausbildungs- und Arbeitsmöglichkeiten, Festlegung auf sozial geringere Berufe folgen logisch Schritt auf Schritt. Auch hier ist die Basis der Unterdrückung eine politische: Es geht um die Macht und die Privilegien einer Gruppe, der Männer, auf Kosten einer anderen, der Frauen.

Männer haben die Macht in unserer Gesellschaft. Die Konsequenzen für uns sind einschneidend: Männer sitzen in den Machtpositionen, sie treffen Entscheidungen und verteilen das Geld. Sie haben die Fähigkeit der Mächtigen, uns zu nutzen oder zu schaden. Sie haben die Fähigkeit, uns zu definieren und damit unser Schicksal zu bestimmen. Wenn sie uns z. B. hauptsächlich als Ehefrauen und Mütter definieren, dann können sie uns das Recht auf Arbeit außerhalb des Hauses verweigern. Und bis vor kurzem noch bestimmte nach deutschem Gesetz in der Tat der Mann darüber, ob seine Frau einer Arbeit nachgehen durfte oder nicht. Vielen jungen Frauen wird aufgrund dieser Definition noch heute von ihren Vätern und leider auch Müttern das Studium nicht ermöglicht, die Fächerwahl eingeschränkt, die Studienzeit kurzgehalten. Sie werden in Berufe gedrängt, die sich vom zeitlichen und intellektuellen Aufwand her noch am ehesten mit der Definition als Frau und Mutter vereinbaren lassen. Kurzlehrgänge und Kurzzeitstudium, Halbtagsbeschäftigung, Dienstleistungsberufe, Diskriminierung von Frauen am Arbeitsplatz haben alle direkt mit der Definition von Frauen als nicht eigentlich der Berufswelt angehörig zu tun. Männer bestimmen, welchen Platz wir einnehmen dürfen, ob zu Hause beim Gespräch am Tisch oder in der Arbeit, wenn es um Beförderung geht, oder auch in der Kirche, in der Partei, im öffentlichen Leben, in der Politik.

Die Sprache des Sexismus ist inhuman, weil sie uns als Menschen unterdrückt, aber auch unsere Sprache, Frauensprache, ist nicht ideal, weil sie uns in unseren Möglichkeiten einschränkt, so daß wir unser menschliches Potential nicht voll nutzen. Es geht darum, neue Sprachen zu finden. Wir brauchen eine neue öffentliche Sprache, in der niemand unterdrückt wird. Vielleicht wird sie, wenn endlich Frauen sie mitentwerfen und mitbenutzen, wenn Frauen in ihr Politik machen oder Gesetze formulieren oder Bücher und Zeitungsartikel schreiben, ehrlicher, fairer, humaner: Sprache der Befreiung. Wir brauchen auch neue Sprachen für informelles Reden unter Frauen, unter Männern, für Frauen und Männer miteinander, denn unsere jetzigen Sprachen genügen, wie wir gesehen haben, nicht. Frauensprache und Männersprache sind zwei

Weisen zu sprechen, zwei Sprachstile, die beide anfällig sind für ihre eigenen Mängel und beide ausgestattet mit ihren eigenen Defiziten und deren schwerwiegenden Konsequenzen. Wir müssen sie beide ändern, so daß Frauen und Männer als Gleichwertige miteinander sprechen können.

Anmerkungen

1 LAKOFF (1975), S. 53–56.
2 GUENTHERODT (1979).
3 GUENTHERODT (1980).
4 LERNER (1976).

10 Frauen und Macht in der Sprache*

I Macht durch Definieren

Heutzutage ist eine antisemitische oder eine rassistische Einstellung verpönt. Niemand kann es sich leisten, öffentlich antisemitische oder rassistische Äußerungen zu machen. Wir erlauben es nicht mehr, daß Jüdinnen und Juden mit *Saujud* bezeichnet werden oder Schwarze mit *Nigger*. Wir haben aus unserer und der Geschichte anderer Völker gelernt.

Was war geschehen, daß es einmal in noch nicht lang vergangener Zeit möglich war, *Saujud* oder *fauler Nigger* zu sagen, ohne gesellschaftliche Stigmatisierung oder gerichtliche Maßnahmen auf sich zu ziehen? Die Wirklichkeit war von Gruppen von Männern, die gerade an der Macht waren, so definiert worden, daß Menschen unterschiedliche Werte hatten. Eine Gruppe von Menschen konnte mehr wert sein als eine andere. So hatten Arierinnen und Arier mehr Wert als Jüdinnen und Juden, »Reinrassige« mehr als Mischlinge, Weiße mehr als Schwarze, Deutsche mehr als Ausländerinnen und Ausländer. Die Mächtigen, die die Wirklichkeit definieren, d. h. bestimmen, was wirklich, wertvoll und wichtig ist, sonderten bestimmte Menschen, Jüdinnen und Juden oder Schwarze oder Indianerinnen und Indianer, aus und schrieben ihnen negative Eigenschaften zu. Sie wurden dadurch als minderwertige Menschen definiert, wenn sie überhaupt noch Menschen waren. Sie konnten daraufhin »mit Recht« von den »richtigen« Menschen getrennt, d. h. in Ghettos, Reservationen und Konzentrationslagern isoliert und anders, d. h. schlechter behandelt werden. Sie konnten dann mit gutem Gewissen wie Vieh zusammengetrieben, transportiert, gejagt oder verfolgt werden. Sie konnten sogar getötet werden.

Daß die negativen Definitionen sich durchsetzen konnten mit

* Vortrag vom 8. 11. 1980, Veranstaltung *Frau und Wissenschaft*, Universität Zürich.

allen Konsequenzen, die das hatte, setzt uns heute in Erstaunen, erschüttert uns noch oder bereitet uns Schuldgefühle. Heute gelten andere Definitionen. Wir haben uns sensibilisiert für das, was wir über Jüdinnen und Juden, über Negerinnen und Neger sagen und wie wir mit ihnen reden. Wir schreiben ihnen und uns die gleichen Eigenschaften zu.

Bei vielen von uns schließt diese Sensibilisierung auch Ausländerinnen und Ausländer, Gastarbeiterinnen und Gastarbeiter, psychisch Kranke, Prostituierte, Zigeunerinnen und Zigeuner, Lesben und Schwule ein. Aber wir Frauen sind immer noch ausgenommen (übrigens auch Kinder, für deren Unterdrückung noch kaum ein Bewußtsein besteht). Und trotzdem ist unsere Situation und unsere Behandlung durchaus mit der dieser Minoritäten vergleichbar. Beim Antisemitismus und Rassismus sind wir schon auf die Ungleichbehandlung aufmerksam geworden, bei den Frauen, dieser großen Gruppe von Menschen, wollen wir sie nicht sehen. Wir wehren uns sogar gegen den Vergleich: Wie? Frauen sollen so diskriminiert werden wie Schwarze oder gar wie Jüdinnen und Juden? Das ist ja eine maßlose Übertreibung. Das trifft doch überhaupt nicht zu.

Und doch werden wir Frauen auch von den Mächtigen, den Männern, definiert. Nach diesen Definitionen sind wir weniger wert als Männer. Diese Definitionen sind so, daß sie für die Mächtigen nützlich sind, genauso wie die Definitionen von Schwarzen und Jüdinnen und Juden den Weißen bzw. Nichtjüdinnen und Nichtjuden nützten.

Dienen lerne beizeiten das Weib,

hieß es früher; heute sagt MANN:

Mädchen sind nachgiebig, anspruchslos und gütig.

Diese Definition ist nützlich, wenn Männer Frauen brauchen, die sich ihnen unterordnen und sich für Mann und Kinder aufopfern. D. h., Frauen werden, unabhängig davon, was sie für Eigenschaften und Interessen haben, als Hausfrauen, Ehefrauen und Mütter definiert, also als nicht eigentlich der Berufswelt angehörig; dann kann man ihnen das Recht auf Arbeit außerhalb des Hauses verweigern, dann kann man ihnen das Recht auf gleiche Ausbildung, auf gleiche Studienmöglichkeiten, auf gleiche Arbeitsplätze, auf gleiche Bezahlung, auf gleiche Aufstiegsmöglichkeiten verweigern. Ihr Platz ist ja im Haus, ihre erste Pflicht, Mann und Kinder zu versorgen.

Wenn Frauen zuallererst als Ehefrau und Mutter definiert sind, kann man »mit Recht« ihre Entwicklungsmöglichkeiten außerhalb dieses Bereiches einschränken. Ohne schlechtes Gewissen kann man ihnen die Halbtagsstellen, die Kurzzeitstudiengänge, die unsicheren Arbeitsplätze, die unterbezahlten Stellen, die anspruchslosen Berufe zumuten. Mädchen brauchen dann nicht zu studieren oder andere gute Berufsausbildung zu erhalten, sie heiraten ja später doch, und wenn schon, dann sollen sie möglichst schnell fertig sein und einen Beruf ergreifen, der sich mit dem Ehefrau- und Muttersein möglichst gut verbinden läßt.

Wenn sich andere Definitionen der Frau durchgesetzt hätten, z. B.:

Frauen sind egoistisch, erfinderisch, hart im Nehmen

oder gar:

Frauen sind stark, kreativ, aktiv, intelligent,

dann müßten sie nicht zu Hause sitzen und ihre Fähigkeiten verkümmern lassen, dann wären die Frauen, die auch arbeiten und etwas leisten wollen, die Erfolg und Befriedigung aus ihrer Arbeit haben wollen, nicht unliebsame Ausnahmen.

Aber unsere Wirklichkeit ist immer noch so definiert, daß Mädchen weniger wert sind als Jungen, und zwar weil Frauen weniger wert sind als Männer. Diese Definitionen sind von Männern gemacht und nützen den Männern. Der Mann ist des Weibes Haupt (eine nützliche Definition der Frauen; sie nützt den Männern) gilt auch heute noch. Frauen gelten weniger als Männer, Frauen sind zweitrangig, Frauen zählen weniger als Männer, denn Männer machen die Geschichte – auch heute noch. Frauen als Gruppe werden deshalb ausgesondert aus den Menschen und anders behandelt, d. h. schlechter behandelt. Die »richtigen« Menschen sind die Männer:

Alle Menschen werden Brüder.

Denn ich bin ein Mensch gewesen und das heißt, ein Kämpfer sein.

Hier zählen, ohne daß wir es gemerkt haben, die Frauen nicht mehr zu den Menschen. Aber nicht nur Schiller hat den Frauen den Status des Menschseins abgesprochen:

Innerschweizer und Frauen benachteiligt

las ich vor kurzem im Tagesanzeiger. Hier gehören offenbar die Frauen nicht dazu, wenn von Schweizern die Rede ist.

Alle Schweizer sind vor dem Gesetz gleich schloß die Schweizerinnen aus, als es um das Frauenstimmrecht ging, und so gibt es die hübsche Bezeichnung *Schweizerfrau*, wenn es um die politische Gleichberechtigung geht; der analoge Terminus *Schweizermann* dürfte fehlen.

Oder wenn Frauen eher mit Kindern gruppiert werden als mit Männern, werden sie so definiert, daß sie nicht in vollem Maß erwachsen sind.[1] Wenn sie mit den Kranken und Gebrechlichen gruppiert werden, werden sie so definiert, daß sie von der Konstitution her nicht stark und gesund sind, dementsprechend haben sie dann geringere Ausdauer, geringeres Durchhalte- und Durchsetzungsvermögen. Sie können dann bestimmte interessante Berufe nicht ergreifen, denn

ein gebrechlich Wesen ist das Weib.

Diese Definitionen der Frauen sind nicht nur in alten Bibelsprüchen und Sprichwörtern, die niemand mehr kennt, versteinert, sondern sie sind in unsere Gesetze eingegangen und wirken dort fort. Die Unterdrückung ist eine politische: Es geht um die Macht und Privilegien einer Gruppe, der Männer, auf Kosten einer anderen, der Frauen. Die Unterdrückung ist massiv, was wir daran sehen, daß Frauen im öffentlichen Leben, in den wichtigen Berufen, die Prestige haben, oder in hohen Positionen, wo Entscheidungen gefällt werden, immer noch die Ausnahme sind. D. h., fast alle Frauen werden, was ihre Entwicklungsmöglichkeiten angeht, unterdrückt. Das Ausmaß der Unterdrückung, wo die Hälfte einer Gruppe benachteiligt wird, ist also größer, als es bei den Schwarzen Amerikas oder bei den Jüdinnen und Juden Europas der Fall war. Die Fähigkeiten und Begabungen der Hälfte der Menschheit liegen brach und verkümmern.

Kräfte und Energien der Hälfte der Menschheit werden eingeschränkt oder ganz abgetötet. Mädchen, die Künstlerinnen, Wissenschaftlerinnen, Komponistinnen, Nobelpreisträgerinnen werden könnten, müssen sich mit intellektuell und sozial geringen Berufen zufriedengeben, wenn sie überhaupt einen Beruf haben. Darin sehe ich die Parallele zur Judenverfolgung, die in Ausrottung endete: das Töten von Entwicklungsfähigem, das Abtöten von Kreativem, das Vernichten von Geistigem, die Ausrottung des eigentlich Lebendigen in Millionen und Milliarden von Frauen heute und durch unsere ganze Geschichte hindurch.

II Macht der Männer in der Sprache

Die negativen Definitionen von uns Frauen sind in unser Sprachsystem eingegangen, in unseren sprachlichen Texten zementiert und wirken in unserem sprachlichen Verhalten fort.

Innerhalb des Sprachsystems haben sich die negativen Definitionen von uns Frauen hauptsächlich im Lexikon niedergeschlagen. Es fängt damit an, daß alle Frauen über einen Leisten geschoren werden, indem Bezeichnungen, die für bestimmte Gruppen zutreffen, wie z. B. *Dame, Mädchen* oder auch *Fräulein*, auf alle Frauen angewendet werden. Die semantische Differenzierung nach Stand, Alter und Familienstand wird aufgehoben; alle Frauen sind dann – je nach Bedarf – Damen, Mädchen oder Fräulein, d. h. hübsche Anhängsel, schutzbedürftige Minderjährige oder statusniedrigere Männersuchende, jedenfalls keine gleichwertigen, ernsthaften Partnerinnen. Unterscheidung ist nicht nötig. Der linguistische Begriff für diesen Prozeß ist Homogenisierung. Darin liegt allein schon eine Abwertung: Frauen sind alle gleich. Dazu passen dann auch die anderen abwertenden Ausdrücke des Lexikons vom *schwachen Geschlecht* über die *alte Schachtel* bis zur *alten Jungfer* und den zahlreichen Beschreibungen des schwatzhaften Weibes, die genauso undifferenziert benutzt werden, von den weiblichen Tiernamen, die als Schimpfwörter für Frauen benutzt werden, ganz zu schweigen.

Umgekehrt ist auch die Definition des Mannes als der eigentliche Mensch in das Sprachsystem eingegangen. Hier finden wir einen anderen linguistischen Prozeß, nämlich den der Universalisierung: Die Bezeichnung für den Mann wird stellvertretend für das ganze Geschlecht, Frauen und Männer, verwendet: Wir haben dann

> den Lehrer
> den Studenten
> den Kandidaten
> den Antragsteller
> den Wissenschaftler
> den Professor
> den Gelehrten
> etc.

Die Bezeichnung für das Wichtige soll stellvertretend auch das weniger Wichtige einschließen. Wir halten das für sehr unwahrscheinlich, vor allem da im Deutschen die weiblichen Bezeichnungen zur Verfügung stehen:

die Gelehrte
die Professorin
die Wissenschaftlerin
die Kandidatin
die Studentin
die Lehrerin
die Antragstellerin

Eher ist es so, daß, weil Frauen als weniger wert als Männer definiert sind, man sie vergessen und ignorieren kann. Es ist nicht wichtig, sie zu nennen oder explizit anzusprechen, man kann ihre Gegenwart, z. B. an der Universität, und ihre Leistung, z. B. im wissenschaftlichen Bereich, vernachlässigen. Die Definition von uns Frauen als weniger wert, als zweitrangig, findet sich direkt wieder in den Standardgruppierungen von Nomina in unserer Sprache: Frauen werden immer an zweiter Stelle genannt, z. B.

Studenten und Studentinnen
Student oder Studentin gesucht
er und sie
Sohn und Tochter
Junge und Mädchen
»Mann und Frau sind gleichberechtigt« (hieß es in der Volksinitiative).

Die negativen Definitionen von uns Frauen sind sprachlicher Art, es sind sprachliche Formulierungen; sie werden reproduziert als sprachliche Äußerungen in den Konversationen unseres Alltags, sie werden dann in sprachlichen Produkten festgehalten, wie z. B. in Zeitungsartikeln, in Werbetexten, in Fernseh- und Radiotexten, und sie werden in Büchern, in Literatur und Schund, in Lehrbüchern und Wörterbüchern und in unseren Gesetzestexten zementiert. Sie schaden uns täglich. Die Definition von Frauen als minderwertig wird in unseren Schulen und Kirchen weitergegeben und durch unsere Gesetze bestätigt. Wenn es nicht so wäre, bräuchten wir keine Gleichbehandlungsgebote, keine Volksinitiativen für gleiche Rechte für Frau und Mann und keine Antidiskriminierungsgesetze. Diese Definitionen fügen uns Schaden zu.

In feministischen Analysen von Lehrbüchern, von Bibelübersetzungen, von Geschichtsbüchern, in Analysen der Sprache der Fernsehdiskussionen, der Sprache der Gerichte und der

Behörden wird aufgezeigt, wie weitgehend die negativen Definitionen von Frauen in alle möglichen wichtigen Lebensbereiche eingehen und immer weiter reproduziert werden. Diese Definitionen, die den Männern nützen, beschädigen uns und unser Leben.

Auch auf unser sprachliches Verhalten bleiben diese schädigenden Definitionen nicht ohne Einfluß. Die schlimmsten, folgenreichsten Definitionen, nämlich daß wir schweigen sollen und daß wir nichts zu sagen haben, haben wir sicher früh internalisiert:

Die Frau schweige in der Gemeinde

Das Weib schweige in der Kirche.

Aber dagegen:

Ein Mann – ein Wort.

Das ist gesprochen wie ein Mann.

Wir sollen nicht reden, unser Reden ist nicht zuverlässig wie ein Manneswort, wir reden nur Unsinn, wen wundert es da, daß wir dann auch nicht reden können. Die Definitionen vom Reden der Frauen nützen wieder den Männern: Sie müssen uns nicht zuhören, sie müssen uns nicht ernst nehmen, sie können uns auch in konkreten Kommunikationssituationen ignorieren oder abtun. Diese Definitionen von Frauen als Gesprächspartnerinnen, die nichts Wichtiges zu sagen haben, sind vernichtend, abtötend für uns. Sie schnüren uns oft die Kehle zu, bis wir ganz verstummen. Viele Frauen haben auch aufgehört zu reden, sie können weder mit anderen Frauen reden noch mit Männern, sie können nichts mehr über sich mitteilen, sie haben den Kontakt verloren: Sie reden nur noch triviales, wirres, oberflächliches Zeug, zu Hause, auf Partys, in der Sauna oder auch in den Landeskrankenhäusern. Sie haben die Sprache verloren, weil es keinen Unterschied machte, was sie in ihren Gesprächen sagten und ob sie überhaupt etwas sagten.

III Sprachliche Ohnmacht im universitären Diskurs

Daß uns das Reden verboten wurde und daß unser Reden trivialisiert und lächerlich gemacht wird, zeigt sich auch in unserer Unfähigkeit im öffentlichen Reden. Unsere Hemmungen sind groß, in einer gemischtgeschlechtlichen Gruppe oder gar in einer Männergruppe den Mund aufzutun. Wir haben das Redeverbot internalisiert. Dazu kommt ein massiver Druck von außen, nicht zu reden, denn das Redeverbot für Frauen gilt immer noch: Es gibt kaum Frauen, die in der Öffentlichkeit über Dinge, *die für Männer wichtig sind,* reden dürfen. Das gilt in der Politik, auf wissenschaftlichen Konferenzen, in Radio- und Fernsehdiskussionen, in Veranstaltungen der verschiedensten Art. Als Frau weiß ich das und spüre den starken Widerstand in den anderen, sollte ich reden. Wage ich es trotzdem, dann erfahre ich konkrete Einschränkungen meines Redens in der jeweiligen Situation. Durch diese Einschränkungen wird mir indirekt nahegelegt, doch das Reden einzustellen. Dies kann u. a. durch ständiges Unterbrechen oder durch Nichtzuhören geschehen. Sprachliche Ohnmacht ist die natürliche Folge solcher Unterdrückung.

Ich möchte dazu die Ergebnisse zweier Arbeiten über das Sprachverhalten an Hochschulen referieren. Sie sind zu verstehen vor dem Hintergrund einer Reihe von amerikanischen konversationsanalytischen Untersuchungen, die ganz besonders auf den Ablauf des sogenannten »turn-taking« ihr Augenmerk richten, also auf den Prozeß, wie die Abfolge von Redebeiträgen und der Wechsel der Rednerinnen organisiert ist. Das kann z. B. geschehen dadurch, daß eine Sprecherin die nächste auswählt, indem sie sie anspricht oder fragt, oder dadurch, daß ein Sprecher sich auf eigene Initiative an einem signalisierten Übergangspunkt einschaltet, oder dadurch, daß eine Sprecherin einfach unterbricht, das Rederecht an sich reißt. Neben der Frage, wer ergreift das Wort wann, wie lange und wie oft, wurde untersucht, wer führt Themen ein und setzt sie durch, wie reagieren die anderen Sprecherinnen und Sprecher, wie tragen sie dazu bei, daß eine Sprecherin ein Thema ausführen kann oder daß sie es einstellt.

Diese Untersuchungen beschäftigten sich hauptsächlich mit Alltagsunterhaltungen; auf gemischtgeschlechtliche Gruppen oder Paare angewendet ergaben sie immer wieder, daß Männer die Gespräche dominieren.

Das war ein besonders unerwartetes Ergebnis bei Paaren, die zusammenleben und bei denen beide Partner gleichen Bildungsstand haben und sich für emanzipiert halten, sowie bei Paaren, die sich gerade kennengelernt hatten, wo also Höflichkeit eine Rolle hätte spielen sollen. Im einzelnen wurden Frauen mehr von Männern unterbrochen, unterbrachen aber Männer kaum; Frauen hatten, nachdem sie unterbrochen worden waren, längere Schweigezeiten, bis sie wieder einsetzen konnten, Frauen wurden in gleichmäßigen Abständen unterbrochen. Diese Tatsachen weisen darauf hin, daß Frauen systematisch unterbrochen werden, d. h. nicht als gleichwertige Gesprächspartnerinnen behandelt werden. Ferner stellten Frauen mehr Fragen, und zwar nicht Informationsfragen, sondern Behauptungen in Frageform oder Fragen, um überhaupt eine Reaktion des Gesprächspartners zu bekommen (Meinst du nicht auch, daß...) oder um seine Erlaubnis zum Sprechen zu bekommen (Kannst du dir das vorstellen? Darf ich mal etwas sagen?). Frauen führen zwar Themen ein, bringen aber wenige ihrer Themen zu Ende, denn die Ausführung scheitert an den minimalen Reaktionen der Männer. Im Gegensatz dazu unterstützen Frauen die Themendurchführung der Männer, indem sie aktiv zuhören, interessierte Fragen stellen, akzeptierende und ermunternde Einwürfe machen und die Männer anregen, das Thema weiterzuentwickeln.

Soweit der Rahmen für diese Untersuchungen. Die beiden folgenden Untersuchungen befassen sich mit dem Sprachverhalten von Dozentinnen an amerikanischen Universitäten und bei Berufskonferenzen, also mit einem Kontext, dem akademischen, der als verhältnismäßig repressionsfrei gilt, und mit einer Gruppe von Leuten, Frauen und Männern, die die Universitätslaufbahn eingeschlagen haben und bei denen in Amerika eine hohe Sensibilisierung für die sprachliche und nichtsprachliche Ungleichbehandlung von Frauen vorausgesetzt werden kann.

In ihrer Arbeit über den Gesprächsablauf in Fakultätssitzungen untersuchten EAKINS/EAKINS (1979):

1. wie oft jedes Mitglied in jeder Sitzung redete;
2. wie lange jedes Mitglied redete;
3. wie oft jedes Mitglied unterbrach;
4. wie oft jedes Mitglied unterbrochen wurde.

Es zeigte sich, daß alle Männer mit zwei Ausnahmen im Durchschnitt öfter das Wort ergriffen als Frauen. Die beiden aktivsten Männer redeten 32mal pro Sitzung, die aktivste Frau 20mal. Der am wenigsten aktive Mann redete elfmal, die zwei am wenigsten aktiven Frauen fünfmal, also der Mann noch über zweimal so oft wie die beiden Frauen. Innerhalb der Frauen sowie der Männer sprachen die mit dem höchsten Status am häufigsten, die mit dem niedrigsten am wenigsten.

Länge der Redebeiträge: Alle Männer sprachen im Durchschnitt länger als die Frauen. Die längste Redelänge bei den

Frauen lag noch unter der geringsten Redelänge bei den Männern.

Unterbrechung: Die Männer haben pro Sitzung öfter unterbrochen als die Frauen. Die Frau mit dem höchsten Status hat genauso oft unterbrochen wie der Mann mit dem niedrigsten.

Die Redebeiträge von Männern wurden signifikant weniger unterbrochen als die von Frauen. Selbst die Frau mit dem höchsten Rang wurde mehr unterbrochen (jeder dritte Redebeitrag) als der Mann mit dem niedrigsten Rang! Bei den Frauen mit dem niedrigsten Status wurde mehr als jeder zweite ihrer Redebeiträge unterbrochen.

Das Muster von Unterbrechungen ist auffallend. EAKINS/ EAKINS schließen: Wenn Unterbrechungen Verletzungen des Rederechts darstellen, kann ständige und häufige Unterbrechung als Mißachtung der Person und dessen, was sie zu sagen hat, verstanden werden. Außerdem bringen EAKINS/EAKINS ihre Ergebnisse mit den Auffassungen von Nancy HENLEY in Verbindung, nach der es in der Kommunikation verbale und nichtverbale Indikatoren gibt, die Dominanzbeziehungen etablieren und verstärken. Zu diesen Indikatoren gehören die Beanspruchung des Rederechts und Unterbrechungen. Diese Dominanzgesten und Unterwerfungsgesten haben ein asymmetrisches Muster. In der Tendenz der Männer, mehr und länger zu reden als Frauen und Frauen mehr zu unterbrechen, manifestiere sich die Beziehung zwischen Mächtigen und Unterdrückten in der Kommunikation.[2]

Eine Untersuchung von Marjorie SWACKER[3] beschäftigt sich damit, wie Frauen und Männer bei Konferenzen, Tagungen und Kolloquien verbal auf professionelle Vorträge reagieren. Sie vergleicht die Anzahl von Fragen und Kommentaren, ihre Länge, wie sie eingeleitet werden und ihren Zweck. SWACKERS Hypothese ist, daß sich Frauen in diesem Kontext, wo es wichtig ist zu glänzen, nicht zu ihrem Vorteil verhalten, obwohl sie bei der Präsentation von Vorträgen schon in hohem Maße vertreten sind. Das erste Datum ist, daß, obwohl bei den drei untersuchten Konferenzen 40 Prozent der Vorträge von Frauen gehalten wurden und 42 Prozent der Zuhörerschaft Frauen waren, nur 27 Prozent der Kommentare von Frauen kamen. Auch das zweite Datum ist nicht erstaunlich, nämlich daß Frauen weniger als die Hälfte der Zeit für ihre Fragen brauchten als die Männer. Wir wissen ja schon aus genügend Untersuchungen, daß Männer mehr und länger reden als Frauen.

Interessant ist der Unterschied in der Form der Fragen. Da zeigt sich, daß Frauen ihre Fragen kaum einleiten und daß sie meistens Einzelfragen stellen. Einleitungen zu Fragen haben die Funktion, die Frage in einem bestimmten Wissens- und Verstehenskontext zu situieren, mit anderen Fragestellungen und wissenschaftlichen Arbeiten in Beziehung zu setzen und vor allem die Kenntnisse und Qualifikation der Fragenden darzustellen. Wir kennen den exhibitionistischen Charakter solcher »Frager«. Männer benutzten solche Einleitungen bei über 71 Prozent ihrer Fragen, Frauen nur bei 19 Prozent. Frauen formulierten ihre Fragen öfter persönlich und verwendeten Höflichkeitsformen, z. B.:

>»Ich würde gern die Frage stellen...«
>»Mein Eindruck ist...«
>»Ich überlege, ob...«
>»Es scheint mir, daß die Annahme sicher wäre...«
>»Könnte es nicht der Fall sein...«

bis hin zu überhöflicher und unterwürfiger Sprache. Frauen verwendeten »bitte« zweimal so oft wie Männer.

SWACKER schließt daraus, daß diese Unterschiede vielleicht Unterschiede im professionellen Verhalten von Frauen und Männern widerspiegeln und daß das Diskussionsverhalten von Frauen ihnen möglicherweise zum Nachteil in ihrer Karriere gereicht. Sie schlägt vor, daß Frauen sich eine zweite Garnitur von verbalen Strategien zulegen sollten, so daß sie sich professionell von ihrer besten Seite zeigen können.

Für mich liegt die Wichtigkeit dieser beiden Untersuchungen darin, daß sie demonstrieren, wie sehr die Regeln des dominanten Sprachverhaltens von Männern und des submissiven Verhaltens von Frauen selbst in einem relativ permissiven und lange nicht so explizit kompetitiven Kontext, wie z. B. in der Industrie, im Geschäftsleben, im juristischen Bereich, in der Politik, gelten und wie sehr diese Interaktionsmuster selbst bei einer Auswahl von Frauen mit höchsten Qualifikationen und einer Auswahl von Männern, die im allgemeinen der Gleichbehandlung von Frauen positiv gegenüberstehen oder sie sogar aktiv fördern, vorherrschen. Es folgt daraus die Einsicht, wie unendlich schwierig es für uns Frauen sein wird, das Dominanzverhalten der Männer zu durchbrechen, und wie unendlich schwierig für Männer, einen Teil ihrer Macht abzugeben.

IV Macht in unserer Sprache und in unserem Sprachverhalten

Männer verfügen über die Sprache, sie sprechen in der Öffentlichkeit, sie führen neue Wörter oder neuen Sprachgebrauch ein, sie beschreiben Sprache und zeichnen Sprache auf. Sie definieren und fixieren uns sprachlich.

Änderung der Sprache heißt, daß wir uns der Sprache, die doch den Männern gehört, bemächtigen, daß auch wir Wörter einführen und neuen Sprachgebrauch prägen, daß auch wir die Sprache für unsere Zwecke nützen. Gegen solche Praxis richtet sich der Widerstand, den wir spüren. Über die Sprache verfügen nur die Mächtigen.

Änderung der Sprache heißt, daß wir die Definitionen der Männer von uns nicht mehr akzeptieren. Uns selbst zu definieren und vielleicht gar noch die Männer, darin liegt Macht. Die Sprache zu ändern, bedeutet Macht. Wir sagen damit, die Sprache gehört uns, und wir machen sie uns zunutze. Dagegen wendet sich der Widerstand der Besitzenden, den wir spüren.

Wir wollen sowohl das Sprachsystem als auch unser Sprachverhalten ändern. Das Sprachsystem ändern, heißt Sprache ändern, wo sie sexistisch ist, nicht mehr sexistisch reden und Widerstand gegen sexistische Sprache leisten, indem wir sie korrigieren, wenn andere sexistisch sprechen oder schreiben.

Zu diesem Zweck habe ich mit drei Kolleginnen Richtlinien zur Vermeidung sexistischen Sprachgebrauchs formuliert, die jetzt erscheinen werden.[4] Wir definieren dort sexistische Sprache so:

Sprache ist sexistisch, wenn sie Frauen und ihre Leistung ignoriert, wenn sie Frauen nur in Abhängigkeit von und Unterordnung zu Männern beschreibt, wenn sie Frauen nur in stereotypen Rollen zeigt und ihnen so über das Stereotyp hinausgehende Interessen und Fähigkeiten abspricht und wenn sie Frauen durch herablassende Sprache demütigt und lächerlich macht.

Wir wollen durch die Richtlinien Hinweise geben, wo wir Sprache ändern sollen: Frauen sollen sichtbar sein, d. h. explizit genannt und angeredet werden, sie sollen an erster Stelle genannt werden, bis sie gleichrangig vorkommen, sie sollen in anderen Rollen als in dienenden, wie z. B. als Hausfrauen, Mütter, Krankenschwestern etc., vorkommen, sie sollen nicht mehr abgewertet werden.

Änderung unseres Sprachverhaltens bedeutet u. a.:

1. Wir sollten auf Unterbrechungen achten und uns nicht unterbrechen lassen:

Moment, ich war noch nicht fertig. Ich möchte das noch zu Ende bringen. Unterbrich mich bitte nicht.

2. Wir sollten auf Unterbrechungen aufmerksam machen, vor allem auf deren systematischen Charakter:

Jetzt unterbrichst du mich schon wieder; du hast mich laufend unterbrochen, und ich konnte deshalb gar nicht ausführen, was ich sagen wollte; du hast anscheinend kein Interesse an dem, was ich zu sagen habe.

3. Wir sollten anderen Frauen helfen, wenn sie unterbrochen werden.

4. Wir sollten andere Frauen auf keinen Fall unterbrechen.

5. Wir können ruhig mal einen Mann unterbrechen.

6. Wir sollten versuchen, weniger Fragen zu stellen, d. h. unsere Behauptungen auch als Behauptungen formulieren:

Das ist so und so.

Anstatt

Ist es nicht so, daß ...

Unsere Redebeiträge ohne einleitende Bitte, reden zu dürfen, beginnen:

Darf ich auch mal etwas sagen?

Weißt du, was ich gehört habe?

Wenn wir keine Reaktion bekommen, diese Tatsache thematisieren:

Ich habe etwas gesagt. Wieso antwortest du nicht?

Ich habe dich angesprochen.

7. Wir sollten unsere Themen aushandeln, verfolgen, was mit unseren Themen passiert, darauf bestehen, sie auszuführen, auf die Reaktionen der Gesprächspartner achten und sie thematisieren:

Du reagierst so, als würde dich langweilen, was ich sage.

8. Wir sollten anderen Frauen helfen, ihre Themen zu entwikkeln, durch aufmerksames Zuhören, interessiertes Fragen, Eingehen auf ihr Anliegen – Unterstützung, wie wir sie gewöhnlich Männern entgegenbringen.

Dies alles ist nicht einfach und fällt uns keineswegs in den Schoß. Unser Sprachverhalten ist von klein auf gelernt, automatisiert, läuft zum großen Teil außerhalb unseres Bewußtseins ab. Wir können es uns durch Sensibilisierung bewußter machen. Aber selbst dieses Bewußtsein genügt noch nicht zur automatischen Änderung der Praxis. Neues Verhalten will geübt sein. Wir wissen alle vom Fremdsprachenunterricht und von unseren Erfahrungen im Ausland, wie schwer es ist, eine neue Sprache zu sprechen. Die soeben definierte neue Sprache ist noch schwieriger zu lernen: denn sie zu lernen bedeutet, Änderungen innerhalb eines festen und festgefahrenen Sprach- und Kommunikationssystems vorzunehmen und sie gegenüber den anderen Sprechern und vielen Sprecherinnen durchzuset- zen. Bei einer Fremdsprache haben wir es nur mit unseren eigenen Widerständen zu tun; die anderen Sprecher sprechen die neue Sprache schon, und wir können uns an ihnen orientie- ren. Änderungen in unserer eigenen Sprache dagegen stoßen auf Widerstände der anderen Sprecher, für die diese Sprache bestens funktioniert.

Trotzdem müssen wir immer wieder versuchen, die Sprache zu ändern und sie zu unserer Sprache zu machen, bis wir die Widerstände überwinden.

Anmerkungen

1 An der Kasse eines deutschen Sportplatzes stand zu lesen:
  Erwachsene: 5 DM,
  Frauen und Kinder: frei.
2 EAKINS/EAKINS (1979), S. 60.
3 SWACKER (1979).
4 Erschienen in den *Linguistischen Berichten* 69 (1980) und 71 (1981).
  Sonderhefte über Sprache, Geschlecht und Macht. Braunschweig:
  Vieweg. Zu beziehen durch den Buchhandel.

11 Sprachen der Unterdrückung*

Sexismus, und wie er sich sprachlich manifestiert, wird seit einigen Jahren in der Wissenschaft thematisiert. Das gilt hauptsächlich für Amerika, kaum für Europa und am wenigsten für Deutschland. So stammen auch zwei einschlägige Werke über die Beziehung zwischen Sexismus und Sprache sowie über andere Formen von Unterdrückung, wie z. B. Rassismus und Antisemitismus und deren Sprache, aus dem amerikanischen Raum:

Alleen Pace NILSEN, Haig BOSMAJIAN, H. Lee GERSHUNY, Julia P. STANLEY, *Sexism and Language.* Urbana, Illinois: National Council of Teachers of English, 1977.

Haig BOSMAJIAN, *The Language of Oppression.* Washington, D. C.: Public Affairs Press, 1974.

BOSMAJIANS *The Language of Oppression* ist ein tiefes, engagiertes, humanes Buch, das uns erschüttert, weil wir als Linguistinnen und Linguisten so nahe an der Sprache sind und doch so weit entfernt von einer Analyse, die von Menschlichkeit geleitet ist und auf das Wohl von Menschen abzielt. BOSMAJIAN beschreibt Sprache als politisches Instrument, Sprache als Instrument der Mächtigen, die die Wirklichkeit zu ihren Gunsten und auf Kosten von anderen definieren, Sprache als Instrument der Unterdrückung. Wir sind erschüttert, wenn wir in einem Kapitel nach dem anderen – Sprache des Rassismus, Sprache des Militarismus, Sprache des Antisemitismus, Sprache des Sexismus – sehen, welch wesentliche Rolle der Sprache zukommt in dem Prozeß, Menschengruppen als minderwertig zu definieren, um sie dann in ihren Rechten einschränken, massiv benachteiligen, verfolgen und sogar ausrotten zu können. Wir sind erschüttert, weil sich im Vergleich zu BOSMAJIANS Kapitel »The Language of War« z. B. die meisten unserer linguistischen Analysen harmloser ausnehmen als Kinder-

---

* Zweiter Teil einer Doppelrezension, die unter dem Titel »Languages of Oppression« zuerst im *Journal of Pragmatics* 5.1 (1981), und dann in deutscher Übersetzung in *Linguistische Berichte* 71 (1981) erschien.

spiele, unernstes Geplänkel, Zeitvertreib, oft mit einem unberechtigten Anspruch, für menschliche Belange von Wichtigkeit zu sein.

Die Sprache des Krieges – um bei diesem Kapitel zu bleiben – ist hier die Sprache des Vietnamkrieges, die manchen von uns noch in den Ohren klingt, vor allem denen, die wie ich die 60er Jahre in Amerika verbrachten. BOSMAJIAN (Ph. D. Stanford University, Professor im Department of Speech der University of Washington, Seattle) zeigt anhand von Nachrichtentexten aus Rundfunk, Fernsehen und Zeitungen, wie bestimmte Schlüsselwörter plötzlich mit neuen Bedeutungen, oft konträr zu ihrer ursprünglichen Bedeutung, verwendet wurden. Dies wäre ein legitimer linguistischer Prozeß, der aus der historischen Linguistik bekannt ist: die Substitution einer Bedeutung für eine andere. Aber hier wird systematisch Mißbrauch getrieben: Das alte Verständnis dieser Wörter bei Hörerinnen und Hörern wird ausgenutzt; unter Vorgabe der konventionellen Bedeutungen spricht man über neue Zusammenhänge, und in der Not kann man sich auf die üblichen Bedeutungen, das Normalverständnis berufen. Das fing mit den »military advisers« (militärische Berater) an und endete mit »pacification« (Befriedung, sprich: Verwüstung und Vernichtung von Dörfern, Ausweisung von Frauen und kleinen Kindern, Abtransport von Männern und Jungen) und »soft ordnance« (sanfte Geschütze, sprich: Napalm). Der Vergleich der Standardbedeutung dieser Wörter mit den tatsächlichen Gegebenheiten, auf die sie referierten, legt die Vermutung eines unglaublichen Zynismus und einer unglaublichen Brutalität der Sprachbenutzer in Regierung und Militär nahe. Aber vielleicht mußten diese die Greuel des Krieges nicht nur vor den gewöhnlichen Amerikanern, sondern auch vor sich selbst verheimlichen und rechtfertigen. Sprache gibt auch dafür das Werkzeug ab:

»Language is, among other things, a device men use for suppressing and distorting the truth«

(Sprache ist unter anderem ein Mittel, das Menschen benutzen, um die Wahrheit zu unterdrücken und zu entstellen),

sagt Huxley [zitiert nach BOSMAJIAN (1974: S. 121)]. Ich werde noch darauf zurückkommen, daß es – unbemerkt von Huxley, obwohl er explizit *men* sagt, und selbst von BOSMAJIAN – Männer sind, die die Wahrheit unterdrücken und verzerren.

Diese Art von Umdefinition ist ein Mißbrauch der Sprache, für dessen Aufdeckung im öffentlichen Leben NCTE (amerikanische Berufsorganisation der Englischlehrenden) übrigens ein Komitee »Public Doublespeak« gegründet hat. Interessant ist, daß bei Hitler Kriegsverbrechen und Verluste in verherrlichte Heldentaten umdefiniert wurden, von den Amerikanern hingegen in entpersonalisierte, sterile, sogar friedvolle Operationen ohne Menschen und ohne Menschenopfer. So bedeutete z. B. »sanitizing« (Sanierung) bewohntes Land dem Erdboden gleichmachen, »routine limited duration protective reactions« (routinemäßige kurzzeitige Schutzreaktionen) waren massive Luftangriffe, »resources control program« stand für die Vernichtung von Wäldern etc. Glorifizierung der Untaten hier und Euphemismus dort. Nach einer Quelle in BOSMAJIAN entstand in Pressemeldungen und Pressekonferenzen nie der Eindruck, nicht einmal implizit, daß Menschen umgebracht und Wohnstätten zerstört wurden und daß Tausende von Flüchtlingen fliehen mußten. Also selbst das Töten wurde gänzlich unpersönlich dargestellt und ausgeführt. Die Bomberpiloten hatten keinen Kontakt mit ihren menschlichen Opfern, nicht einmal in Gedanken. Sie konnten sagen: »Im Grunde bin ich Nicht-Kriegsteilnehmer« oder »Südvietnam von einer B-52 aus zu bombardieren, war wie Post austragen«. Die Sprache, mit der das Töten beschrieben wurde, war distanziert und unbeteiligt; die Wirklichkeit des Krieges wurde nicht erfaßt. Bei einem Bombenangriff auf Einrichtungen der Zivilbevölkerung waren die Menschen, die darin umkamen, »bedauernswerte Nebenprodukte«. »Metaphern werden dazu benutzt, zu verheimlichen, daß Menschen andere Menschen töten«, schreibt BOSMAJIAN (1974: S. 129).

In einem waren sich die Propagandasprachen der Nazis und der Amerikaner einig: im Gebrauch des Ausdrucks »den Krieg gewinnen«, denn sowohl die Nazis als die Amerikaner haben jahrelang den Krieg gewonnen. Beide verteufelten auch die Kriegsgegner in den eigenen Reihen als Verräter, Saboteure, Homos und Degenerierte. Was die Nazis skrupellos in die Tat umsetzen, bereitete Agnew[1] immerhin verbal vor: ihre Trennung von der übrigen Gesellschaft »mit genausowenig Bedauern, wie wir beim Wegwerfen von faulen Äpfeln empfinden würden« (»with no more regret than we should feel over discarding rotten apples«) [BOSMAJIAN (1974: S. 7)].

BOSMAJIAN beschäftigt sich auch in den weiteren Kapiteln seines Buches mit den Bedingungen der Möglichkeit der Isolierung und Unterdrückung bestimmter Menschengruppen. Einer der ersten Schritte, so stellt er fest, ist die Etikettierung der jeweiligen Gruppe als Untermenschen, ihre Umdefinierung als Feinde der Gesellschaft oder des Volkes. Der erste Schritt hat also mit Benennung, Namengebung, Definition zu tun. Carmichael[2] stellte fest, wie wichtig diese Definitionen sind: »people who can define are masters« (die Menschen, die definieren können, sind die Herren) und »for white people to be allowed to define us by calling us Negroes, which means apathetic, lazy, stupid and all those other things, it is for us to accept those definitions. We must define what we are and move from our definitions and tell them to recognize what we are«. (Wenn wir zulassen, daß die Weißen uns als Neger definieren, d. h. als apathisch, faul, dumm etc., dann bleibt uns nichts anderes übrig, als die Definitionen zu akzeptieren. WIR müssen definieren, was wir sind, und uns von unseren Definitionen aus weiterentwickeln und IHNEN sagen, daß sie anerkennen müssen, was wir sind.) [BOSMAJIAN (1977: S. 45)]

Nur die Mächtigen können andere definieren, können ihre Definitionen durchsetzen. Dadurch, daß ihre Definitionen akzeptiert werden, kommt ihnen erneut Macht zu. Je nachdem welche Definitionen sie geben, können sie anderen nutzen oder schaden. In den Worten BOSMAJIANS (1974: S. 5):

> »Our identities, who and what we are, how others see us, are greatly affected by the names we are called and the words with which we are labelled. The names, labels and phrases employed to identify a people may in the end determine their survival.«

(Unsere Identität, wer und was wir sind, wie andere uns sehen, wird zu einem großen Teil davon bestimmt, welche Namen man uns gibt und mit welchen Wörtern wir bezeichnet werden. Die Namen, Bezeichnungen und Ausdrücke, die man verwendet, um Menschen zu »identifizieren«, können am Ende ihr Überleben bestimmen.)

Diese Definitionen sind dann am erfolgreichsten, wenn sie auch von den Betroffenen akzeptiert werden. Das ist weniger in Kriegssituationen zwischen zwei Völkern der Fall und eher, wenn es sich um Gruppen innerhalb einer Gesellschaft auf gleichem Lebensraum handelt. Hier können für die Mehrheit verbindliche Definitionen auf die Dauer ihre Wirkung auf die Definierten nicht verfehlen, denn man kann nur mit größter Anstrengung ein Bild von sich selbst aufrechterhalten, das mit dem der Umgebung nicht übereinstimmt. Das Selbstbild muß von außen bestätigt werden. Die Selbstwahrnehmung und Selbstbewertung paßt sich allmählich der Identität an, die uns von außen aufgezwungen wird. Das trifft vor allem für die schwarzen Sklaven und für Frauen zu, weniger für Indianerinnen und Indianer, Jüdinnen und Juden.

Wie sehen nun diese Definitionen bei den einzelnen Gruppen aus? Die Indianer wurden offiziell, d. h. von staatlichen Institutionen, hauptsächlich den Gerichten und von der Kirche, als »Barbaren, Tiere, Wilde, Eingeborene, Heiden« definiert. Der New Mexico Supreme Court sprach 1869 von »umherziehenden Wilden, von Mord, Raub, Diebstahl und den Beeren der Berge lebend, ... nicht willig, zivilisierten Menschen nachzueifern« und von »einer Handvoll wilder, halbnackter, stehlender, plündernder, mordender Barbaren«. In der Alltagssprache kamen noch die Etikettierungen »blöde Indianer, betrunkene Indianer, Rothäute« dazu, auch feststehende Ausdrücke wie »der einzige gute Indianer ist ein toter Indianer« etc. Der zweite Schritt ist die Rechtfertigung bestimmter Maßnahmen gegen diese Gruppen aufgrund der negativen Definitionen. Wenn eine Gruppe als genügend abweichend von der Norm und den normalen Menschen unähnlich definiert wurde, folgt daraus ohne weiteres die Rechtfertigung für ihre »Sonderbehandlung«. So gab die Definition der Indianer als unzivilisierte Heiden, deren Zivilisierung und Christianisierung unmöglich war, Staat und Kirche ohne weiteres das Recht, die Indianer von ihrem Land zu vertreiben, sie zu berauben und auszurotten. Sie waren für die Regierung im Gegensatz zu den Schwarzen, die noch zu drei Fünftel als Person zählten, nicht existent als Menschen, »non-entities«, sie gehörten nicht dazu, wenn von »mankind« die Rede war, und hatten deshalb keine Menschenrechte. Sie konnten konsequenterweise unterworfen und getötet werden. Welche Tragik, daß sich die Definitionen von Franklin und Jefferson nicht durchsetzten, die beide Indianer und Weiße als ebenbürtig betrachteten.

Die Definitionen als Parasiten, Ungeziefer, Bazillen, Krankheit, Gift, Dämonen waren für die Juden ähnlich brutal, aber während die Indianer unzivilisierte Wilde waren, mehr Tiere als Menschen, hatten die Juden laut der Definitionen der Nazis die Kraft von Dämonen, die die ganze Weltbevölkerung durch »Blutvergiftung« oder »jüdische Bastardisierung« verseuchen konnten. BOSMAJIAN fragt: »Wie konnten 0,3 Prozent der

163

Weltbevölkerung so viel Macht über die restlichen 99,7 Prozent haben?«, und antwortet (1974: S. 24): »If the Jews had been portrayed and defined as human beings with human characteristics, human strengths and weaknesses, it would have been obvious that they could have had little power over so great a number of non-Jews.« (Wenn man Juden als menschliche Wesen mit menschlichen Eigenschaften, menschlichen Stärken und Schwächen dargestellt und definiert hätte, wäre es offensichtlich gewesen, daß sie nur wenig Macht über eine so große Zahl von Nicht-Juden hätten haben können). Juden waren keine konkreten Menschen mehr; auch ihr Leiden war, ähnlich wie das der Vietnamesen, in weiter Entfernung und deshalb unwirklich. Der zweite Schritt lag auch bei ihnen nahe. Die logische Fortsetzung der Sprache der Unterdrückung – so sieht es BOSMAJIAN – war ihre Erniedrigung und Ausrottung.

Auch die Schwarzen Amerikas wurden als unzivilisierte Wilde und Heiden definiert, zudem als Affen, tierisch, mit animalischer Sexualität. Da sie Tiere waren, konnte man sie wie Tiere abtransportieren; ihre Sklaverei war verdient. Auch die Schwarzen waren »non-persons« (Unpersonen) nach dem Gesetz, sie hatten keine Rechte, sie waren keine Bürger des Landes. Das Volk der Vereinigten Staaten schloß weder Indianer noch Neger ein. Sie waren nicht gemeint in »All men are created equal« (Alle Menschen sind gleich), ebensowenig wie Frauen gemeint waren.

Der zweite Schritt bei den Schwarzen, obwohl Lynchjustiz zahlreich genug vorkam, ist die Beschränkung der Entwicklungsmöglichkeiten. Wie die Einschränkung der Rechte folgt auch diese aus der Definition der Schwarzen als minderwertig und zweitrangig. Auch hier werden Frauen ähnlich definiert und ähnlich eingeschränkt. Konsequenterweise haben wir auch eine Reihe von Parallelen in der Sprache des Rassismus und in der Sprache des Sexismus: Für beide, Schwarze und Frauen, gibt es einen stark negativen Stereotyp, eine Sammlung von Eigenschaften, die von vornherein festlegen, was andere zu erwarten haben. Einige dieser Eigenschaften stimmen bei Frauen und Schwarzen überein: Sie haben weniger Intelligenz, leisten weniger, sind passiv; sie sind weniger selbständig und erwachsen. Beide stellen eine Abweichung vom Standard dar; dieser Standard ist der weiße Mann. Es folgt, daß sie spezifiziert werden müssen als »non-white« oder »female«; daß ihre positive Leistung markiert wird: female writer, Black historian;

daß sie in erwachsenem Zustand als *girls* und *boys* bezeichnet werden; daß man herablassend mit ihnen spricht (talking down to them).

Die Schwarzen haben sich erfolgreich gegen diese sprachliche Unterdrückung gewehrt. Carmichael und andere haben die zentrale Rolle, die der Sprache hier zukommt, verstanden und sich »Blacks« genannt (anstatt der von Weißen entworfenen Benennungen »Colored People« und »Negros«), sie führten den Terminus »Black Power« ein und den Slogan »Black is Beautiful« und setzten diese Definitionen durch. Carmichael sagte: »The need of a free people is to be able to define their own terms and have those terms recognized by their oppressors.« (Es ist ein Bedürfnis für ein freies Volk, seine eigenen Begriffe definieren zu können und diese Begriffe von seinen Unterdrückern anerkannt zu bekommen.) [BOSMAJIAN (1974: S. 45).]

Die ähnlichen Definitionen für diese Gruppen und die ähnliche Behandlung sind verblüffend: Bei Indianern, Juden, Negern und Frauen wurde und wird die Selbstwahrnehmung und Identität kontrolliert, z. B. mußten sich alle einer Namensgebung unterziehen: Indianern wurden, wenn sie amerikanische Bürger werden wollten, in einem Ritual weiße Namen gegeben; Juden wurden bestimmte Vor- und Mittelnamen vorgeschrieben; Neger übernahmen, wenn sie Sklaven wurden, den Namen ihres Herrn; und Frauen übernehmen bis heute bei der Heirat den Namen ihres Mannes.

Alle vier Gruppen erfuhren eine Beschränkung ihrer Rechte als Bürgerinnen und Bürger: Wahlrecht, Prozeßrecht, Vertragsrecht, Recht auf Eigentum, Recht auf Zugang zu Schulen und Universitäten, Recht auf freie Berufswahl etc.

Alle vier Gruppen hatten ähnlich wie Kasten einen unveränderlichen Status: Zivilisierte Indianer blieben Indianer, Neger und Juden mit noch so viel weißem bzw. arischem Blut waren immer noch Neger bzw. Juden (falls die Identifizierung nicht funktionierte, wurde sie bei den Juden durch den Stern mit der Aufschrift »Jude« gesichert; bei den Schwarzen mußte man diejenigen hinnehmen, die sich erfolgreich als Weiße ausgaben); Mischehen waren verboten. Auch die Isolierung wurde immer gewährleistet, ob in Reservaten, Ghettos, Konzentrationslagern oder wie heute noch in den Reservaten Südafrikas, die charakteristischerweise »homelands« heißen. Die Motivation für diese Definitionen ist ähnlich: Land wird gebraucht oder Arbeitskräfte, das ist sicher der wichtigste Grund der Unterdrückung; sekundäre Motivationen sind: Ein Sündenbock wird gebraucht (z. B. als Ablenkung von anderen politischen Aktionen) und/oder das Prestige eines Sieges über den Feind. Man gewinnt das Gefühl der eigenen Überlegenheit über andere, und dieses Gefühl gibt wiederum die Motivation dafür ab, andere zu unterdrücken.

Es ist interessant, daß Kritiker der Sprache wie HUXLEY, BOSMAJIAN, MARCUSE, FOUDRAINE nicht thematisieren, daß die Sprache, die sie als respektive wahrheitsverzerrend, korrumpiert, undemokratisch, fortschrittverhindernd darstellen, von Männern entworfen ist. Krieg, Gesetze, Politik, Establishment, orthodoxe Medizin sind männliche Domänen. Frauen sprechen hier nicht mit und sind an der Ausformung dieser Sprache nicht beteiligt. Die Kritik, die diese Männer üben, ist, auch wenn sie es nicht sehen, eine Kritik an der Sprache der Männer. Die Mächtigen sind Männer. Die öffentliche Sprache, die Sprache der Institutionen, der Politik, der Medien, der Gesetze, der Bibel, der Lehrbücher ist die Sprache der Männer. Obwohl es verständlich ist, daß das nicht zum Thema wird, muß man wie DALY einen Schritt weitergehen und sehen, daß Sexismus das Grundübel ist. In ihrer Marcuse-Kritik sagt DALY (1974: S. 175):

> »Marcuse's perception is acute, and he rightly calls for ›linguistic therapy‹ which would free words from almost total distortion of their meanings by ›the Establishment‹. Yet I must point out that the therapy will never be radical enough if the basic obscenity is perceived as capitalism rather than sexism.« (Marcuses Wahrnehmung ist scharf, und er fordert mit Recht eine »sprachliche Therapie«, die die Wörter befreien würde von der fast vollständigen Verdrehung ihrer Bedeutung durch das »Establishment«. Aber ich muß darauf aufmerksam machen, daß die Therapie nicht radikal genug ist, solange der Kapitalismus als die zugrunde liegende Obszönität angesehen wird und nicht der Sexismus.)

BOSMAJIANS Kritik muß einen Schritt weitergeführt werden: Die Sprache der Unterdrückung ist die Sprache der Männer.

Ich stimme auch nicht mit BOSMAJIAN überein, daß die Sprache des Sexismus, weil subtiler und durchgängiger, nicht so leicht zu identifizieren sei wie die Sprache rassischer und ethnischer Unterdrückung. Es gibt zahlreiche Phänomene in der Sprache des Sexismus, die nichts anderes als eklatant sind, nur sind sie den meisten Leuten in ihrer Tragweite und ihren Konsequenzen einfach noch nicht bewußt geworden. Warum sollte auch ähnliche Behandlung in der Sprache bei Schwarzen eklatant sein und bei Frauen nicht, oder warum sollten ähnliche Einschränkungen der Rechte durch stereotype Festlegung der Fähigkeiten bei Schwarzen leichter zu identifizieren sein als bei Frauen? Nur die Bereitschaft, die Ähnlichkeit zu sehen und sich damit auseinanderzusetzen, fehlt uns noch. Was hindert uns? Schopenhauer sagte, daß wir das Nächstliegende oft nicht als Problem sehen können, weil es so selbstverständlich ist, daß wir es nicht bemerken: die Durchgängigkeit des Sexismus also. Aber wichtiger ist, daß die Konsequenzen, wenn Sexismus zum Problem erhoben würde, für die meisten von uns unbequem wären: Für so manche Frau hieße es, Selbständigkeit und Verantwortung zu übernehmen, und für die meisten Männer, einen Teil ihrer unverdienten Macht und selbstverliehenen Überlegenheit abzugeben. Beides stellt zunächst eine enorme psychische Bedrohung dar. Wie Harriet E. LERNER sagt, sind es nicht nur unsere kulturellen Erwartungen, die uns an sexistischer Sprache festhalten lassen, sondern auch starke intrapsychische Bedürfnisse (1976: S. 297):

>»Of importance is the fact that the fear of women is a powerful, if not universal, dynamic in both sexes – so much so that the basic feminine tactics of ›letting the man win‹, of ›pretending he's boss‹, and of de-skilling oneself in so-called masculine pursuits are all in the interest of ›protecting a man's masculinity‹, i. e., minimizing one's own castrating and fantasied destructive potential. It is especially those women who have difficulty successfully integrating and modulating aggressive impulses who frequently have a need to see themselves as the ›weaker sex‹ and to maintain a self-experience of being ›ladies‹ or ›girls‹ well after they are mothers themselves.«

(Wichtig ist die Tatsache, daß die Angst vor Frauen ein starkes, wenn nicht universelles Gefühl bei beiden Geschlechtern ist, und zwar so stark, daß die weiblichen Taktiken, »den Mann gewinnen zu lassen«, »so zu tun, als sei er der Chef«, und sich selbst die Eignung zu sogenannten männlichen Betätigungen abzusprechen, alle das eine Ziel haben, »die Maskulinität eines Mannes zu beschützen«, d. h. das eigene kastrierende und phantasierte destruktive Potential zu verkleinern. Besonders die Frauen, die Schwierig-

keiten haben, mit ihren aggressiven Impulsen umzugehen, haben oft das Bedürfnis, sich als das »schwache Geschlecht« zu sehen und sich als »Damen« oder »Mädchen«
zu erfahren, noch lange, nachdem sie selbst schon Mütter
sind.)

Was aber die Ebene des Bewußtseins angeht, stimme ich
BOSMAJIAN zu, daß es darum geht, die Sprache der Unterdrük-
kung, in welcher Form immer sie auftritt, zu bekämpfen, vor
allem, wenn man zu denen gehört, die definiert werden (1974:
S. 9):

»It is my hope that an examination of the language of
oppression will result in a conscious effort by the reader to
help cure this decadence in our language, especially that
language which leads to dehumanization of the human being.
One way for us to curtail the use of the language of
oppression is for those who find themselves being defined
into subjugation to rebel against such linguistic suppression.
It isn't strange that those persons who insist on defining
themselves, who insist on this elemental privilege of self-
naming, self-definition, and self-identity encounter vigorous
resistance. Predictably, the resistance usually comes from the
oppressor or would-be oppressor and is a result of the fact
that he or she does not want to relinquish the power which
comes from the ability to define others.«

(Ich hoffe, daß eine Untersuchung der Sprache der Unter-
drückung eine bewußte Anstrengung der Leserinnen und
Leser zur Folge haben wird, mitzuhelfen, daß diese Deka-
denz in unserer Sprache abgeschafft wird, besonders jener
Sprache, die zur Entmenschlichung von Menschen führt.
Eine Möglichkeit für uns, den Gebrauch der Sprache der
Unterdrückung einzudämmen, ist, daß diejenigen, die in die
Unterwerfung definiert werden, sich auflehnen gegen diese
sprachliche Unterdrückung. Es ist nicht so seltsam, daß
diejenigen, die darauf bestehen, sich selbst zu definieren, die
auf dem elementaren Privileg des Selbst-Benennens, Selbst-
Definierens und der Selbst-Identität bestehen, heftigem
Widerstand begegnen. Wie leicht vorauszusagen ist, kommt
dieser Widerstand normalerweise vom Unterdrücker oder
Möchtegern-Unterdrücker und rührt daher, daß er diese
Macht, die ihm durch die Fähigkeit, andere zu definieren,
zukommt, nicht aufgeben möchte.)

Das Anliegen dieses Buches sollte unser aller Anliegen sein,

vor allem, wenn wir uns wissenschaftlich mit Sprache beschäftigen. Ich empfehle es allen, insbesondere Linguistinnen und
Linguisten.

Anmerkungen

1 Spiro Theodore Agnew, Vizepräsident der USA von 1969–1973.
2 Stokely Carmichael, Vorsitzender des Student Non-Violent Coordi-
  nating Committee (1966–1977).

12 »Sind Sie angemessen zu Wort gekommen?«: Zur Konstruktion von Status in Gesprächen*

Ich hatte einige Schwierigkeiten mit meiner Entscheidung für ein Thema für diese Tagung.

Ich hatte zunächst vor, medizinischen Diskurs auf Sexismus hin zu untersuchen. Die Amerikanerinnen haben schon Sexismus in den verschiedensten Diskursen nachgewiesen. Für das Deutsche steht diese Arbeit weitgehend noch aus: Wir brauchen dringend Analysen der politischen, literarischen, journalistischen, juristischen, theologischen, wissenschaftlichen Diskurse, um uns nicht immer nur auf die amerikanischen Ergebnisse berufen zu müssen. In Deutschland hat sich GUENTHERODT[1] mit zwei wichtigen Diskursen: dem juristischen und dem Diskurs der Berufsbezeichnungen befaßt; HELLINGER[2] und ZUMBÜHL[3] haben exemplarische Analysen eines Teils des pädagogischen Diskurses vorgelegt, nämlich der Sprache von englischen Sprachlehrbüchern, die hier in Deutschland und in der Schweiz benutzt werden. Wir brauchen unbedingt Untersuchungen von Deutsch-, Geschichts- und Sozialkundelehrbüchern, aber auch von Texten und Lehrbüchern, die an der Universität benutzt werden. Hier halte ich gerade die Medizin für sehr wichtig, weil sie einmal eine besonders lange patriarchalische Tradition hat (auch jetzt gehen noch immer alle Arztbriefe an den lieben Herrn Kollegen) und weil die Gespräche mit größtenteils doch männlichen Medizinern für uns Frauen nicht vermeidbar sind. Also es ist notwendig, daß sexistische Sprache sowohl in den Lehr- und Standardwerken der Medizin aufgedeckt und bewußt gemacht wird wie auch in der Praxis des medizinischen Beratungsgesprächs.

Mein zweites Thema war: Sprechhandlungen. Ich hatte die Idee, daß sich der unterschiedliche Sprechstil von Frauen und Männern auch an der Wahl und dem Auftreten von Sprechhandlungen aufzeigen ließe, also z. B., daß Frauen mehr bitten,

---

* Vortrag, gehalten am 10. 3. 1981, Universität Regensburg, 3. Jahrestagung der Deutschen Gesellschaft für Sprachwissenschaft.

betteln, beten oder sich mehr entschuldigen, rechtfertigen, verteidigen oder mehr einlenken, Kompromisse anbieten, sich versöhnen als Männer. Hier wollte ich auch Sprechakte im Hinblick auf Indirektheit analysieren, und zwar sowohl die Mittel, mit denen indirekte Bedeutungen hergestellt werden, als auch den unterschiedlichen Gebrauch dieser Mittel bei Frauen und Männern, um am Ende vielleicht etwas über die Hypothese sagen zu können, daß Frauen indirekter, höflicher, einschränkender, vager sprechen als Männer.

Mein drittes Thema sollte dann die Analyse von hostilen Reaktionen auf verschiedene feministische Vorschläge zur Änderung der Sprache und des Sprachgebrauchs sein. Hier ist ja zunächst einfach nicht verständlich, warum Männer und auch einige Frauen so negativ und mit solcher Vehemenz auf so lächerliche kleine Forderungen reagieren sollten wie, daß sie nicht mehr *Mädchen* für ausgewachsene Frauen sagen sollen oder daß sie *Koordinatorinnen* schreiben sollen, wenn es sich tatsächlich um Frauen handelt.[4] Die eigentliche Reaktion ist darauf, daß sich eine unterdrückte Gruppe, und zwar eine, mit der MAN ständig in Kontakt ist – also nicht die Schwarzen in Amerika oder die Unterschichtkinder in England oder sogar die ausländischen Arbeitnehmer/innen in Deutschland –, über die MAN mit immer noch ziemlich großem inneren Abstand Forschungsprojekte machen kann, zu Wort meldet. Die eigentliche Reaktion ist darauf, daß eine unterdrückte Gruppe, mit deren Angehörigen MAN unter einem Dach wohnt, auf ihre Unterdrückung aufmerksam macht. Es ist sehr unangenehm, wenn MAN plötzlich an der Universität, als Herausgeber einer wissenschaftlichen Zeitschrift, als Vorsitzender eines Vereins wie der DGfS, wo MAN sich sicher wähnte, zu den Unterdrückern gehört, als Unterdrücker identifiziert wird. Wie schwer es ist, Unterdrückung aufzugeben, d. h. eigene Macht aufzugeben, darüber machen wir uns heute noch kaum eine richtige Vorstellung. Die meisten von uns haben immer noch die Idee, daß es mit gutem Willen auf seiten der Männer und einigem Insistieren bei uns schon noch gelingen würde, den Bann zu brechen. Das ist ziemlich unberechtigter Optimismus, wenn nicht Naivität. Jede Frau, die einmal versucht hat, ob in der Linguistik, in den Medien, in einem Verlag, in einer Partei, in einer Kirche feministische Themen durchzusetzen, hat das erfahren. Dem großen Widerstand nachzuspüren, ist auch unsere Aufgabe als Wissenschaftlerinnen. Dabei kommt uns sogar ungewollte Unterstützung von einem Linguisten, ROSS[5], zu, der die Struktur des menschlichen Begriffsraumes untersucht und universelle Gesetzmäßigkeiten finden will dafür, warum die männliche Bezeichnung in unzähligen Sprachen vor der weiblichen steht oder warum die abgeleitete Form weniger wichtig ist als die Grundform. Seine Schlußfolgerung ist: Es ist nicht arbiträr, in welcher Reihenfolge Termini erscheinen, und es ist nicht arbiträr, welches die markierte und welches die unmarkierte Form ist. Es ist deshalb auch nicht gleichgültig. Je mehr wir über solche tiefen Gesetzmäßigkeiten herausfinden, desto mehr Grund haben wir, auf bestimmten Änderungen, wie z. B. dem Vorschlag von PUSCH[6], Abschaffung der -in-Form bei Beibehaltung des weiblichen Artikels (z. B. die Student), zu bestehen. Desto mehr können wir auch feindselige Reaktionen und Widerstand verstehen. Über die Bearbeitung dieser Themen durch eine oder viele von euch würde ich mich freuen. Es sind alles sehr hautnahe Themen. Hautnah ist auch mein jetziges Thema: Es geht um politischen Diskurs, einen wichtigen öffentlichen Diskurs, es geht um das Reden von Frauen und Männern vor der größtmöglichen Öffentlichkeit, dem Fernsehen, es geht um verschiedene Sprachstile und verschiedene Reaktionen, je nachdem, ob Frauen oder Männer reden. Die Tatsache, daß die Diskussion, die ich analysiere, eine Fernsehdiskussion ist, hat große Bedeutung für das Verhalten der Teilnehmenden. Sie müssen ja nicht nur fernsehgerecht aussehen, sie müssen auch fernsehgerecht reden, d. h. so, wie es den gängigen Rollenvorstellungen der großen Mehrheit entspricht. Sie dürfen nicht aus der Rolle fallen. Und wo es im privaten Kreis noch möglich ist, mal als Frau oder Mann aus der Rolle zu fallen, z. B. als Mann ein Zugeständnis zu machen, eine frauenfreundliche Geste, so ist das vor einem so großen Publikum kaum mehr möglich.

Was ich heute behandeln werde, ist Teil einer größeren Untersuchung von drei Fernsehdiskussionen am Schweizer Fernsehen.

Die erste Diskussion fand am 14. Juli 1980 statt und hatte den Titel: *Opernhauskrawalle: Haben die Massenmedien versagt? Ein Gespräch zwischen Politikern und Publizisten.*

Die Teilnehmer waren: zwei Moderatoren, zwei Politiker, zwei Vertreter der Zürcher Zeitungen *Tagesanzeiger* und *Neue Zürcher Zeitung*, ein Vertreter des Radios und ein Vertreter des Fernsehens. Die Teilnehmerinnen waren: eine Vertreterin des Fernsehens. Also acht Männer und eine Frau. Diese Frau verhielt sich, wie es von einer Frau erwartet wird. Darunter verstehe ich: Sie stellte die größeren Rechte der Männer in Konversationen nicht in Frage, sie leistete konversationelle Ehrerbietung und Unterstützung, sie verhielt sich entgegenkommend, insofern arbeitete sie mit, die männliche Überlegenheit herzustellen. Und sie wurde behandelt, wie Frauen, die sich relativ angepaßt verhalten, behandelt werden. Sie wurde in dieser Diskussion massiv benachteiligt, unterdrückt und diskreditiert – auch von ihren eigenen Kollegen. Das ist die normale Situation, wenn eine Frau in der Öffentlichkeit über etwas redet, was für Männer wichtig ist. Diese Situation möchte ich in meinem Vortrag etwas genauer ansehen. Anschließend können wir dann vielleicht zusammen überlegen, was frau in einer solchen Situation anders machen könnte, wenn wir überhaupt noch Lust und Mut haben und in einer solchen Situation reden wollen oder wenn wir keine Wahl haben und in einer ähnlichen Situation reden müssen.

Die zweite Fernsehdiskussion fand am 16. 7. 1980 im *CH-Magazin* statt und hat den inoffiziellen Titel: *Die Müllers am Fernsehen.*

Die Teilnehmerinnen waren: eine Vertreterin der Jugendbewegung, eine Politikerin (Stadträtin). Die Teilnehmer waren: ein Vertreter der Jugendbewegung, ein Vertreter der SP (Sozialistische Partei), ein Vertreter der Polizei, ein Politiker (Stadtrat), ein Moderator. Die eine Frau hier, die Vertreterin der Jugendbewegung, verhielt sich, wie es nicht mit den landläufigen Erwartungen für das Redeverhalten einer Frau übereinstimmt. Sie unterbrach, sie machte Einwürfe und Zwischenrufe, sie kritisierte die Wortvergabe des Moderators, sie berührte den Moderator, sie lächelte nie, sie paßte sich nicht an. D. h., sie entzog ihre Unterstützung, die ja gebraucht wird, um männliche Dominanz herzustellen und aufrechtzuerhalten. Sie unterlief das ganze vorgeschriebene Diskussionsverhalten, erregte Anstoß, kam aber auch dazu, etwas zu sagen, etwas Eigenes zu bringen, nämlich die totale Veräppelung der Position der Etablierten. Damit gab sie auch indirekt ihre Einschätzung der Möglichkeit als Frau und als Vertreterin der machtlosen Jugendlichen, im Gespräch mit den Mächtigen etwas zu erreichen. Da die beiden Angehörigen der Jugendbewegung von vornherein wußten, daß sie nicht ernsthaft gesehen und behandelt würden, haben sie sich konsequenterweise darauf beschränkt, die Position der Etablierten bis ins Absurde zu übertreiben.

Dies ist *eine* Alternative, die wir Frauen haben, die radikal feministische, die auf dem Axiom basiert: Wir können mit den Männern nicht reden, wenn es um für sie wichtige Dinge geht, wir werden sowieso nicht gehört, und wir erreichen sowieso nichts.

Die dritte Fernsehdiskussion fand im Januar 1981 statt zum Thema *Feministische Theologie*.

Teilnehmerinnen: eine Moderatorin, eine Theologieprofessorin, eine Historikerin, eine Psychologin, ein Mann.

Die Proportion 4 Frauen / 1 Mann kann nur vorkommen, wenn das Thema für Männer nicht interessant ist. Hier verhielten sich die Frauen so, als wären sie unter sich. Die Redebeiträge waren gleich verteilt, es gab keine Unterbrechungen und nur einmal eine Verletzung des Rederechts, die interessanterweise von dem Mann kam. Die Gesprächsteilnehmerinnen wählten sich größtenteils selbst als nachfolgende Rednerinnen, und bei den Übergängen gab es keine gleichzeitigen Einsätze, Überlappungen, keinen Kampf ums Wort.

Diese Diskussion zeigt noch eine Alternative, die wir haben, nämlich nur noch mit Frauen zu reden.

Zunächst ein paar Fakten zur ersten Diskussion.

Die Gesamtredezeit der Männer ist 60 Minuten, 21 Sekunden, die durchschnittliche Redezeit pro Mann ist 7 Minuten, 30 Sekunden. Die Frau redet 3 Minuten, 56 Sekunden. Die Männer reden also im Durchschnitt zweimal so lang wie die Frau. Einzelne Redebeiträge der Männer sind länger, einer doppelt so lang wie die Gesamtredezeit der Frau. Drei Männer haben ähnliche Redezeiten wie die Frau, die übrigen beträchtlich längere. Die längste Redezeit ist 24 Minuten bei einer Diskussionsdauer von knapp über einer Stunde. Der Sprecher, der Mächtigste in der Runde, wird dann auch am Ende gefragt, ob er angemessen zu Wort gekommen sei.

Im ganzen wurden 65 Redebeiträge[7] gemacht, die Männer hatten 60, auf jeden Mann entfielen dann im Durchschnitt 7,5 Beiträge; die Frau hatte 5 Beiträge, d. h., die Männer kamen anderthalbmal so oft zu Wort.

Die Männer haben sich häufig selbst das Wort genommen:

Sprecher I: bei 18 Beiträgen 8mal
Sprecher III: bei 7 Beiträgen 6mal
Sprecher VI: bei 3 Beiträgen 2mal

Sprecher IV: bei 6 Beiträgen 5mal
Die Frau, Sprecherin V, nahm sich bei 5 Beiträgen nur einmal
selbst das Wort.

Aber es gab auch zwei Sprecher, die praktisch nur durch den
Moderator zu Wort kamen: II wurde viermal vom Moderator
angesprochen, nur einmal nahm er sich selbst das Wort. VII
wurde bei seinem einzigen Beitrag auch das Wort vom Moderator erteilt.

Die Männer beendeten ihre Beiträge überwiegend selbst, d. h.
bestimmten, wieviel sie wie lang sagen wollten und wann sie
fertig waren. Drei beendeten alle Beiträge selbst. I beendete 13
seiner 18 Beiträge selbst, allerdings vier nach einem Unterbrechungsversuch. Die Frau beendete einen ihrer fünf Beiträge
selbst, d. h., die übrigen endeten durch Eingriff anderer Sprecher, sie bestimmten, wann die Frau fertig war.

Die Überlappungen und Unterbrechungen, die in der ganzen
Diskussion vorkamen, sind noch nicht ausgezählt. Aber jedenfalls, da der Frau keine einzige Überlappung oder Unterbrechung gelang, kamen alle gelungenen Unterbrechungen in
dieser Diskussion von den Männern. Diese Muster für Länge
und Anzahl der Redebeiträge und Unterbrechungen entsprechen amerikanischen Ergebnissen und bestätigen sie zum ersten Mal für *einen* deutschen Kontext.

Ich wende mich nun dem Vergleich der Frau mit ihrem
statusniedrigsten Kollegen zu. Es wird oft behauptet, daß
unterschiedliche Rederechte und unterschiedliches Gesprächsverhalten eher Statusunterschiede zwischen Frauen und Männern reflektieren als Geschlechtsunterschiede. Es wird argumentiert, daß auch Männer einer oder einem Statushöheren
gegenüber höflichere Formen, respektvolle Anrede, Umgehungen etc. benutzen. In der Tat ist zu erwarten, da Frauen
überwiegend zu den gesellschaftlich Machtlosen gehören, daß
wir Ähnlichkeiten im Sprachverhalten von Frauen und anderen
unterprivilegierten Gruppen feststellen werden[8]. Ebenso sollten wir dann, wenn Status der ausschlaggebende Faktor ist,
ähnliches Verhalten bei statusgleichen Frauen und Männern
und ähnliche Behandlung durch andere Sprecherinnen und
Sprecher erwarten. Dieser Frage bin ich hier nachgegangen,
indem ich die beiden Diskussionsmitglieder, Pletscher (V) und
Tabacznik (IV), verglichen habe. Sie sind etwa gleich alt,
wahrscheinlich ist der Mann sogar jünger als die Frau. Sie sind
Redakteurin beim Fernsehen bzw. Redakteur beim Radio, also

wenn das Fernsehen mehr Status hat als der Rundfunk, käme der Frau auch hier ein etwas höherer Status zu. Zudem hat Pletscher ein Buch veröffentlicht, ist also dadurch und eventuell durch ihre Fernseharbeit bekannter als Tabacznik. Trotzdem nehme ich an, daß die beiden gleichen Status haben. Relativ zu der Diskussionsgruppe haben sie beide den niedrigsten Status, obwohl sie natürlich aufgrund ihres Berufs durchaus nicht zu den Machtlosen gehören.

Um das Resultat gleich vorwegzunehmen: In zahlreichen Aspekten verhalten sich diese Frau und dieser Mann nicht ähnlich, und bei tatsächlich ähnlichem Verhalten werden sie nicht gleich behandelt. Das entspricht unseren Erfahrungen als Frauen, daß es uns, ob als Studentinnen oder Lehrende, ob als Pressefrauen oder Parteimitglieder, ob im Ghetto, in der Politik oder in der Fabrik im Vergleich zu unseren statusgleichen männlichen Kollegen immer noch schlechter geht. Wenn sie unterdrückt sind, werden wir noch mehr unterdrückt, nicht zuletzt von ihnen. Das gibt einen Hinweis darauf, daß es gleichen Status von Frauen und Männern eigentlich nicht gibt.

Ich möchte anhand einer speziellen Situation zeigen, wie diese Unterdrückung produziert wird, wie ein Unterschied im Status zwischen »Statusgleichen« entsteht, und zwar auf Grund von Geschlecht, und wie er sofort verstärkt wird und daß dabei Frauen selbstverständlich mit dem niedrigeren Status bedacht werden.

Wie ist das zu erklären? Der Mann verhält sich nicht wie der Statusniedrigste in einer Gruppe. Er unterbricht z. B. den Mächtigsten, oder er unterbricht den Moderator; er fühlt sich also dem Statushöchsten gegenüber nicht machtlos, noch fühlt er sich den impliziten Regeln für den Verlauf einer Diskussion gegenüber streng verpflichtet. Er gewinnt auch, wenn er gleichzeitig mit der Frau einsetzt, das Wort, d. h., er fühlt sich auch mächtiger als sie. Zudem bekommt er positivere Behandlung, z. B. wird er weniger unterbrochen als die Frau. D. h., sein kompetenteres Gesprächsverhalten und die positive Reaktion der anderen, die dieses Verhalten zulassen und damit bestätigen, erhöhen seinen Status in der Gruppe. Anders bei der Frau, die sich größtenteils wie die Statusniedrigste verhält und auch – und das ist entscheidend –, wo sie es nicht tut, so behandelt wird. Sie fühlt sich also nicht nur weniger mächtig, sondern bekommt auch durch die Reaktion der anderen immer wieder zu spüren, daß sie weniger mächtig ist. Bei ihr wird ihre Machtlosigkeit, ihr niedriger Status in der Gruppe verstärkt. So fallen der Status der Frau und der des Mannes, potentiell gleich, in der Interaktion auseinander. Hier sehen wir das ganze Dilemma: Obwohl Frau und Mann von ihren nichtsprachlichen Eigenschaften her vergleichbaren gesellschaftlichen, professionellen, ökonomischen Status haben, wird im Verlauf der Diskussion ein unterschiedlicher Status für beide produziert: Der Mann bekommt einen höheren (der sich mehr an den seiner Kollegen anpaßt), die Frau einen niedrigeren (der sich mehr an den der meisten Frauen anpaßt). Es muß also eine implizite Regel geben, nach der dieser Unterschied so und nicht anders produziert wird. Ich schlage vor, da wir diese Regel aus anderen sprachlichen Bereichen schon kennen, es ist die Regel:

Männer sind mehr wert als Frauen.

Im Einvernehmen mit dieser Regel verhalten sich sowohl die Frau als auch der Mann, d. h., sie tragen beide zur Definition ihres Status bei, und – wahrscheinlich wichtiger – im Einvernehmen mit dieser Regel handeln die anderen, wenn sie die Aktivitäten von Frau und Mann akzeptieren und ratifizieren oder auch hindern und nicht ratifizieren. Die Mächtigen definieren die Situation, produzieren den Statusunterschied, indem sie bestimmen, welches Verhalten Erfolg hat. Das aktive, autonome Verhalten der Frau hatte weniger Erfolg, weil es nicht akzeptiert wurde, wohingegen sogar aggressives Verhalten beim Mann ratifiziert und damit als erfolgreich bestätigt wurde.

In der Redezeit und in der Anzahl der Redebeiträge zeigen sich keine gravierenden Unterschiede zwischen Frau und Mann. Ihre Redezeiten sind vergleichbar mit denen von zwei anderen Teilnehmern, die Anzahl ihrer Beiträge ist höher als die einiger statushöherer Teilnehmer. Von daher könnte man bei beiden auf hohe Initiative, Aktivität und Profilierungswünsche schließen.

1. Der erste gravierende Unterschied zeigt sich beim Vergleich, wie Frau und Mann zu Wort kommen. Um fast gleich oft zu Wort zu kommen – es gelang ihr fünfmal, dem Mann sechsmal –, mußte die Frau sehr viel mehr Arbeitsaufwand leisten. Sie machte elf Versuche, zu Wort zu kommen, der Mann sieben bzw., unter einer anderen Analyse, nur fünf. Der Arbeitsaufwand war aber bei der Frau größtenteils vergeblich, denn nur einer ihrer elf Versuche hatte anschließend Erfolg, während

beim Mann vier von sieben bzw. vier von fünf Versuchen zum Erfolg führten. Ich unterscheide die Kategorie *Versuch, zu Wort zu kommen* von der Kategorie *(erfolgreiche) Wortübernahme*. Die Versuche, zu Wort zu kommen, führen selbst per definitionem nicht zum Wort, sie können aber im nachhinein, z. B. durch eine erfolgreiche Eigenübernahme, von Erfolg gekrönt sein. Ein Versuch, zu Wort zu kommen, ist dann z. B. ein Handsignal an den Moderator oder die Äußerung:

Darauf würde ich gern erwidern.

Diese Versuche können übersehen bzw. überhört werden und die Sprecherin oder der Sprecher in der Folge nicht das Wort ergreifen. Sie können aber auch zum Erfolg führen, wenn bei der nächsten Gelegenheit das Wort vom Moderator an die Sprecherin vergeben wird oder sie selbst das Wort an einer Übergangsstelle übernimmt oder durch Unterbrechung an sich reißt.

Eine genauere Analyse dieser Versuche ergibt, daß sie bei der Frau und beim Mann von ganz unterschiedlicher Art sind. Man kann sagen, daß die beiden unterschiedliche Techniken benutzen, um zu Wort zu kommen.

Sechs von sieben Versuchen, zu Wort zu kommen, sind beim Mann vollständige Äußerungen, so daß sie unter einer rein formalen Analyse als eigenständige Redebeiträge angesehen werden könnten anstatt als Einschübe in andere Beiträge. Bei einer solchen Analyse wäre dann die Arbeit, die der Mann leisten muß, um zu Wort zu kommen, noch geringer, die Anzahl seiner »turns« doppelt so hoch. Ich bleibe aber bei der inhaltlich orientierten Analyse. Die sechs Versuche des Mannes, zu Wort zu kommen, sind von ihrer Funktion her Einwürfe in Form von Einwänden oder Fragen. Z. B. kommt der Einwand:

Den (= der, von dem Sie sprechen) haben wir nicht mehr,

während der ranghöchste Politiker I spricht, und provoziert ihn zu der Frage:

Ja, wen habt ihr denn jetzt?

Dies gibt dem Mann die Möglichkeit, dem Mächtigsten Information zu geben und damit für kurze Zeit die Übermacht zu haben. Darauf reagiert der Politiker mit einer an sich unmotivierten Attacke, die aber unter dem Aspekt Information und Macht verständlich ist, und wird kurz darauf von IV unterbrochen, der einfach das Wort an sich reißt, um sich zu verteidigen. Das wird sein sechster Beitrag (B6). Ähnlich verfährt er bei

179

seinem fünften Beitrag: Er unterbricht den zweiten Politiker III
zweimal mit Zwischenfragen:

Das müssen Sie jetzt schon ein bißchen (e bizeli) präzisie-
ren, was Sie da als komisch empfinden.

und:

Meinen Sie das Sendungssignet oder was?,

und zwingt ihn so, seine Ausführungen semantisch zu verdeutli-
chen; darauf nimmt er alsbald eine Gelegenheit wahr, um ihn
gänzlich zu unterbrechen und selbst eine längere Ausführung
zu machen. Diese Einwürfe verfehlen anscheinend ihre Wirkung auf die Sprecher nicht: Sie deuten an, daß inhaltlich oder
sprachlich kein Einverständnis mehr vorausgesetzt werden
kann und eventuell der Initiator der Einwürfe eine weiterge-
hende Korrektur des Gesagten vornehmen möchte, d. h., daß er
zu Wort kommen will. Psychologisch sind es Störmanöver, die
jedenfalls die jeweiligen Sprecher verunsichern und auf diese
Weise dazu beitragen, daß sie ihr Rederecht bereitwilliger
aufgeben.
Wenn wir diese Einwürfe als Paare sehen, die zusammen
angewendet zum Erfolg führen, dann hätte IV eine recht gute
Technik, zu Wort zu kommen:

Zwei Einwände oder Zwischenfragen knapp hintereinander und dann bei erster Gelegenheit unterbrechen.

Wir könnten dann jeweils ein Paar solcher Äußerungen als
einen Versuch, zu Wort zu kommen, sehen, und IV hätte bei nur
fünf Versuchen (anstatt sieben, wo wir die Äußerungen einzeln
zählten) viermal Erfolg gehabt. Nur ein Versuch mißlingt. Er
bringt wieder einen Einwand:

Nun widersprechen Sie sich aber selber,

aber I fährt fort.
Während die Einwürfe des Mannes schon als Streitigmachen
des Rederechts interpretierbar sind, vor allem, da später das
Rederecht in der Tat durch Unterbrechung weggenommen
wird, benutzt die Frau nur legitime Techniken, um zu Wort zu
kommen. Fünf ihrer elf Versuche sind Einsätze an Übergangsstellen, drei sind Versuche, das Rederecht nach einer Unterbrechung zurückzugewinnen, zwei sind averbale Signale, wahrscheinlich an den Moderator gerichtet, und einmal versucht sie,
das Rederecht an sich zu reißen, nachdem ihr vom Moderator
schon die Redeerlaubnis erteilt war, der andere Sprecher, der
Politiker I, aber nicht aufhörte. Hier bekam sie, als dieser
seinen Satz zu Ende geführt hatte, das Wort[9]. Alle anderen

Versuche gelangen nicht. Warum? Bei den Einsätzen an Übergangsstellen setzte gleichzeitig mit ihr ein Mann ein, der sich jedesmal durchsetzte: ihr statusgleicher Kollege IV, der Politiker I, der Journalist VI, der seinen ersten Beitrag macht. Sie kam nur dazu,

ich möchte

oder

ja, ich möchte vielleicht

zu sagen, aber die anderen redeten weiter, und sie hörte auf. Diese drei Versuche machte sie schnell hintereinander unmittelbar nach ihrem ersten Redebeitrag, der durch Unterbrechung zu Ende gekommen war; sie versuchte also immer wieder, ins Gespräch zu kommen. Es half nichts, das Wort wurde nicht nur immer von den Männern genommen, sondern auch neunmal von den Moderatoren an andere verteilt, bis sie, und zwar durch Eigeninitiative, wieder zu Wort kam. Ihre lange Stille nach diesen Versuchen ist vielleicht eine Reaktion auf den Mißerfolg, aber auch auf die Unterbrechung und die ausbleibende Unterstützung der Moderatoren.

Die beiden anderen Versuche, an Übergangsstellen einzusetzen, waren vor ihrem dritten Beitrag. Hier will sie auf einen direkt an sie gerichteten Vorwurf des zweiten Politikers III antworten und setzt ein mit:

Nein, nein.

Sie wird sofort nach dem ersten Nein vom Moderator M2 unterbrochen, der ihr offiziell das Wort erteilen will:

Marianne Pletscher, ich hör a kli den Vorwurf raus, Sie hätten die Jugendliche a kli bevorteilt, so darf man das schon verstehn, Herr Kaufmann.

Diese Unterbrechung kann man nur so verstehen, daß der Moderator der Frau nicht erlaubt, was die Männer dürfen, nämlich sich selbst das Wort zu nehmen. Auch inhaltlich ist diese Worterteilung nicht neutral: Der Vorwurf wird noch einmal und noch stärker formuliert. Um »korrektes Verstehen« zu sichern, stellt M2 eine Pro-forma-Rückfrage an III, dieser nimmt aber sofort die Gelegenheit wahr, interpretiert die Rückfrage als erneute Worterteilung und redet. Pletscher versucht nun, das Rederecht, das ja doch an sie vergeben war, zurückzugewinnen, aber es gelingt ihr nicht. III redet weiter. An der nächsten Übergangsstelle versucht sie noch mal einzusetzen:

Nein, Herr Kaufmann, natürlich isch es,

und es gelingt ihr offensichtlich, das Rederecht von III zu übernehmen, aber da unterbricht sie wieder der Moderator M2, der ihr jetzt noch seine Frage stellen will:

Jetzt darf ich Ihnen a Frag stellen, Marianne Pletscher?

Und wenn zwei sich streiten, redet III zu Ende.

Auch hier haben wir wieder eine effektive Behinderung ihrer Eigeninitiative. Die Regel, nach der hier gehandelt wird, ist offensichtlich, daß die Frau nur durch den Moderator zu Wort kommen darf.

Nun formuliert der Moderator endlich seine übrigens sehr aggressive Frage, und sie darf antworten (B3). Auch dieser Beitrag wird unterbrochen (von III), und sie macht zwei Versuche, das Rederecht zurückzugewinnen, ohne Erfolg. Sie bekommt auch keine Unterstützung von dem Moderator, dessen Frage sie beantworten will. Auch während ihrer stockenden Bitte:

Nein, ich möcht jetzt, ich möcht jetzt bitte Antwort – Antwort – fertig – fertig Antwort geben,

redet III ungeniert weiter.

Da die drei Einsätze an Übergangsstellen nach ihrem ersten Beitrag auch nach einer Unterbrechung waren, können auch sie als Versuche, das Rederecht zurückzugewinnen, gesehen werden. Die Frau hätte dann im ganzen sechs solcher Versuche vorzuweisen, und daß keiner gelingt, verlangt nach einer Erklärung.

Wenn wir kurz vorausgreifen und feststellen, daß drei der Redebeiträge der Frau durch Unterbrechung enden und daß sie während ihrer fünf Beiträge zwölfmal durch Unterbrechungsversuche gestört wird, d. h., da ihre Beiträge ja sehr kurz sind, fortlaufend:

im 1. Beitrag von 32 Sek. 2mal,
im 3. Beitrag von 27 Sek. 3mal,
im 4. Beitrag von 52 Sek. 4mal,
im 5. Beitrag von 50 Sek. 3mal,

so ist klar, daß ihr eigentlich kein Rederecht zugestanden wird. Nur unter der Voraussetzung, daß sie eigentlich überhaupt nicht reden soll, kein Rederecht beanspruchen kann, wird erklärbar, daß Unterbrechung ihrer Beiträge als normaler Rednerwechsel angesehen wird und nicht als Verletzung von Rechten. Ihre Versuche, das Rederecht zurückzugewinnen, sind dann nichts anderes als Unterbrechungsversuche der gegenwärtigen Redner. Kein Wunder, daß sie nicht gelingen. Sie werden nicht geduldet. Die Männer reden einfach weiter, als wäre nichts geschehen. Zusammenfassend: Wir haben gesehen, daß es für die Frau wesentlich schwieriger ist, zu Wort zu kommen, als für den Mann und ganz unmöglich, nachdem sie unterbrochen wurde, das Wort zurückzubekommen.

2. Diese Schwierigkeit zeigt sich noch mal, wenn wir nun anschauen, auf welche Weise sie tatsächlich bei ihren fünf Beiträgen zu Wort kam. Nur ein Beitrag, der zweite, kam durch eine Eigenübernahme des Rederechts an einer möglichen Stelle für Rednerinnenwechsel zustande. Bei den anderen Beiträgen hatte sie die Unterstützung des Moderators. Selbst mit dieser Hilfe, also nachdem das Wort an sie gegeben worden war, mußte sie noch warten, bis andere Sprecher zu Ende waren, oder sie wurde selbst noch vom Moderator unterbrochen. Die Regel, daß sie überhaupt nicht reden sollte, würde auch erklären, warum es ihr selbst nach ausdrücklicher Wortvergabe an sie kaum möglich war zu reden. Daß es ihr durch Unterbrechung oder Überlappung gelingen würde, das Wort an sich zu reißen, wird von daher schon sehr unwahrscheinlich. Sie hat auch kein einziges Mal durch Unterbrechung das Rederecht gewonnen. Anders ihr statusgleicher Kollege: Er gewann drei seiner sechs Beiträge durch Unterbrechung, zwei durch Einsatz an einer Übergangsstelle, und nur einmal wurde ihm vom Moderator Hilfe zuteil, aber auch hier hatte er vorher selbst angekündigt, daß er antworten wollte. Dieser Vergleich

Frau   vier Beiträge mit Hilfe des Moderators
       ein Beitrag selbständig
Mann ein Beitrag mit Moderator
       fünf Beiträge selbständig

könnte uns dazu verleiten, die Frau schlicht für weniger kompetent zu halten. Aber, wie wir schon gesehen haben, wird sie auch daran gehindert, kompetent zu sein. Um erfolgreich zu reden, braucht jede und jeder das Einverständnis der Gesprächspartnerinnen und Gesprächspartner, auch diese müssen zeitweise die Rolle von Zuhörerinnen und Zuhörern übernehmen. Die Frau in dieser Diskussionsrunde hat oft genug versucht, das Wort zu bekommen, aber ihre Gesprächspartner wollten sie nicht reden lassen, wollten ihr nicht zuhören müssen. Auch der Moderator M2 hinderte sie daran, kompetent zu sein, indem er so reagierte, als wäre sie inkompetent und bräuchte seine Unterstützung. Er unterbricht sie, nachdem sie sich schon das Wort genommen hat, um es ihr zu erteilen, und er unterbricht sie, nachdem sie schon angefangen hat zu argumentieren, um ihr eine Frage zu stellen. Wo sie aber wirklich Hilfe gebrauchen könnte, z. B. wenn sie unterbrochen wird, kommt ihr keine Hilfe zu, also auch hier ein Produzieren ihrer Inkompetenz.

Ein Beispiel für die unterschiedliche Behandlung von Frau und Mann durch die Moderatoren:

Vor ihrem fünften Beitrag setzt die Frau an einer Übergangsstelle ein mit:

> Ja, dürft ich vielleicht auch noch schnell?

Diese Äußerung wird mit Frageintonation gesprochen und von einer Pause gefolgt. V richtet ihre Augen auf den Moderator M2, der gerade gesprochen hatte. Dieser antwortet:

> Ja, no a Schlußwort,

und V fährt fort:

> Weil es ist vorher ein schwerwiegender Vorwurf gemacht worde. Sie haben gesagt...

Nun kann man zwar die Bitte von V als Bitte um Redeerlaubnis hören, vor allem weil sie die Indikatoren *dürfte, vielleicht, auch, schnell* plus Frageintonation enthält, aber man, d. h. der Moderator, braucht nicht unbedingt so zu reagieren, als müßte er tatsächlich eine Erlaubnis geben.

Er könnte die Frage auch einfach als höfliche Formel interpretieren, mit der eine Anerkennung seiner Position als Gesprächsleiter ausgesprochen wird, mit der aber auch schon die Wortergreifung und der Anfang des Redebeitrags geleistet ist. Es ist ja in der Diskussion oft genug passiert, daß die Männer, ohne um Erlaubnis zu fragen, einfach einsetzten. Auch die Fortsetzung des Beitrags von V weist darauf hin, daß sie selber begründet, warum sie das Wort ergreifen will, also eigentlich keine Erlaubnis braucht.

Aber der Moderator antwortet sehr flink auf ihre erste Äußerung:

> Ja, noch ein Schlußwort

und definiert damit, gleich wie sie intendiert war, ihre Äußerung als explizite Bitte um Worterteilung.

Wenn sie überhaupt nicht reden soll, kann sie auf keinen Fall sich selbst das Wort nehmen.

Ganz anders gehen da die Moderatoren mit den Einleitungen der Redebeiträge des Mannes um. Auch er stellt solche Fragen, aber mit einer kleinen Variation. Er fährt jeweils ohne Pause fort:

Ja, wenn i da auch grad dürft igrife vielleicht – ich weiß nöt, wie ...

Die Stimme geht hoch bei *eingreifen* und definiert das Ende der Frage, aber die Äußerung geht ohne Pause weiter bis nach *vielleicht*. Auch hier haben wir praktisch identische Indikatoren wie *dürfte, auch, gerade, vielleicht,* die die Äußerung als Bitte um Redeerlaubnis ausweisen, aber IV läßt keine Möglichkeit für den Moderator, verbal zu antworten. Auch bei einem anderen Redebeitrag verfährt er so. Er unterbricht M1 mitten im Satz mit:

Darf i da schnell mal unterbreche? Es isch jetzt ...

Auch hier Frageintonation und Kontraktion mit dem nächsten Satz ohne Pause. Das ist formal eine Bitte um die Erlaubnis zu unterbrechen. Er wartet aber keine Erlaubnis ab, sondern fährt ohne Pause fort. Die Frage, obwohl durch Intonation und Satzstellung als solche gekennzeichnet, hat nicht die Funktion einer Frage, sie ist nur eine Pro-forma-Frage, mit der formell eine Entschuldigung für Unterbrechung oder Wortergreifung ausgesprochen wird, die aber schon den Rednerwechsel und den Anfang des neuen Redebeitrags etabliert.

Hier greifen die Moderatoren nicht ein, um in aller Form das Wort zu erteilen, obwohl es ihnen sicher möglich wäre. Sie hören anscheinend ganz ähnliche Fragen von Frauen und Männern anders. Frauen müssen ums Wort bitten, wenn sie überhaupt reden wollen, deshalb werden ihre Fragen als echte Bitte um Redeerlaubnis gehört; Männer nehmen sich das Wort, deshalb werden ihre Fragen als Höflichkeitsfloskeln gehört.[10] Damit wird natürlich die Situation unabhängig vom aktuellen Verhalten der Leute in bestimmter Weise definiert. Hier wird die Frau als ums Wort Bittende definiert, sie wird behandelt, als hätte sie eingeschränktes Rederecht, und sie wird damit als statusniedriger als die Männer definiert. Nicht nur ist ihr dadurch die Wortergreifung durch Eigenübernahme nicht gelungen, sondern sie wurde umdefiniert als Bitte um Wortvergabe. Eine doppelte Inkompetenz wurde konstruiert. Wir haben also bei vier von fünf Beiträgen der Frau die »Unterstützung« der Moderatoren. Der eine gelungene Beitrag erscheint in diesem Licht wie eine unwahrscheinliche Ausnahme. Er zeigt sicher die Leistung der Frau, ihre grundsätzliche Kompetenz. Aber er ist wahrscheinlich nur gelungen, weil die Moderatoren von ihrem Einsatz überrascht waren oder weil wirklich gerade niemand anderer etwas sagen wollte. Vielleicht hatte alle gerade nach den ersten temperamentvollen Attacken ein generelles Tief befallen. Die Tatsache, daß dieser Beitrag nicht unterbrochen wurde und durch ihre eigene Beendigung zu Ende kam, läßt mich das vermuten.[11]

3. Vergleich von Unterbrechungsversuchen während der Beiträge von V und IV:

Die beiden statusniedrigsten Mitglieder der Diskussion werden häufig unterbrochen, die Frau im ganzen zwölfmal, der Mann im ganzen neunmal. Beide haben nur je einen Beitrag, der ohne Unterbrechungsversuch gelingt. Beide haben je zwei sehr kurze Beiträge von rund 30 Sekunden, wo sie zunächst ein- oder zweimal durch Unterbrechungsversuche gestört werden, diese abwehren können, ihnen dann aber endgültig das Wort genommen wird. Die Frau wird in einem Beitrag von 27 Sekunden dreimal unterbrochen und verliert dann das Wort.

Der Mann wird einmal nach acht Sekunden endgültig unterbrochen und hat damit den kürzesten Redebeitrag (seinen sechsten). Anscheinend hat er an diesem Punkt genug geredet, denn auch durch einen Unterbrechungsversuch von seiner Seite unmittelbar darauf kommt er nicht mehr zu Wort. Aber auch hier, bei ungefähr gleicher Behandlung, finden wir Unterschiede darin, wie Frau und Mann mit den Unterbrechungsversuchen umgehen. Der Mann redet entweder nach einem Einwurf mit Nachdruck weiter, läßt sich auch durch höhnisches Lachen nicht aus der Ruhe bringen und endet sogar noch mit einem Angriff (sein Beitrag vier). Oder er geht kurz auf Einwürfe ein, macht sogar nach wiederholtem Einwand ein Zugeständnis mit:

Ja, gut,

läßt sich aber das Wort nicht nehmen, als der andere – nun ermutigt – einsetzt. Er hält einfach die Überlappung aus und redet weiter (sein Beitrag zwei). Seine Auseinandersetzung ist übrigens hier jedes Mal mit dem stärksten Opponenten, Politiker I, und er setzt sich gegen ihn durch. Beide Beiträge beendet er durch eigene Entscheidung. Dazu kommt sein gelungener Beitrag drei, so daß wir sagen können, daß von sechs Beiträgen drei gelingen. Aber auch bei zwei von den mißlungenen Beiträgen beendet er selbst, allerdings nach Unterbrechungsversuchen (B1, B5), d. h. eventuell früher, als er es normalerweise getan hätte. Nur der sechste Beitrag endet abrupt durch Unterbrechung.

Die Frau hält bei Unterbrechungen sofort an (Beitrag vier und fünf) oder hört bei Überlappungen schnell auf (Beitrag eins). In ihrem dritten Beitrag gelingt es ihr nicht, gegen Politiker III anzukommen, obwohl sie sagt, daß sie seine Frage nicht diskutieren will, und obwohl sie sagt, daß sie auf die Frage des Moderators antworten will. Sie läßt ihn nach ganz kurzer Überlappung zu Wort kommen, fühlt sich dann gezwungen, auf seine Frage einzugehen, und bringt es dann nicht mehr fertig, seiner Überlappung standzuhalten.

So enden drei ihrer fünf Beiträge durch Überlappung, also vorzeitiges Einsetzen eines anderen Sprechers an einer möglichen Übergangsstelle und Weiterreden.

Die schwerwiegendste Infraktion kommt in ihrem vierten Beitrag, wo sie nach sechs Sekunden wieder von III unterbrochen wird. Auch hier hört sie sofort auf zu reden. Der Moderator schaltet sich ein mit der sehr höflichen Frage:

M2: Könnten Sie nicht d' Frau Pletscher einen Moment ausreden lassen, bitte?

III antwortet: Ja, ich bin so schaurig gespannt.

M2: Ja, das ist gut, es soll also weitergehen, nur damit sie kann fertigmachen.

Also nach sechs Sekunden bekommt sie vom Moderator noch »einen Moment«, um »fertigzumachen«. (Das ganze Zwischenspiel dauerte neuneinhalb Sekunden.) Diese indirekte Anweisung, sich kurz zu fassen, damit die eigentliche Sache weitergehen kann, zeigt, daß auch hier das Ende durch die Unterstützung eines anderen Sprechers zustande kommt. Nur einen Beitrag (ihren zweiten) beendet sie von sich aus. Es entsteht also folgendes Bild: Trotz vieler Unterbrechungsversuche kann der Mann häufig das Wort behalten und seine Beiträge selber zu Ende führen. Dagegen scheint die Frau durch Unterbrechungsversuche mehr verunsichert, so daß sie die anderen schließlich übernehmen läßt und so ihre Beiträge auch nicht zu Ende führen kann. Sie hat nur einen Beitrag selber angefangen und selber beendet, alle anderen durch die Entscheidung oder mit Unterstützung von anderen Sprechern. Dagegen hat der Mann fünf Beiträge selbst initiiert, nur bei einem wurde ihm das Wort erteilt, und er hat fünf Beiträge selbst beendet, nur bei einem wurde ihm das Wort genommen. Man könnte also durchaus die Leistung beim Mann sehen, der sich gegen die Unterbrechungsversuche durchsetzt, keine Hilfe braucht, selbst unterbricht und damit erfolgreich zum Reden kommt, obwohl seine Gesamtredezeit nicht länger ist als die der Frau. Bei der Frau fällt uns mehr auf, daß sie durch die zahlreichen Unterbrechungsversuche nicht dazu kommt, Gedanken zu entwickeln, daß sie Hilfe braucht, um ausreden zu können, daß sie ihr Rederecht zu schnell aufgibt, also ihre Redebeiträge nicht erfolgreich enden. Dadurch wird sie dann zu einer weniger ernsthaften Gesprächspartnerin, und ihr Status in der Interaktion sinkt. Es ist sehr wichtig, daß wir hier nicht in die Falle unserer eigenen unterschiedlichen Bewertungen gehen, nicht selber der Maxime folgen:

Frauen sind weniger wert als Männer,

so daß wir auch dann noch mal in unserer Analyse das, was die Frau sagt und tut, weniger hoch bewerten als das, was der Mann macht, bei ihm die Leistung sehen und bei ihr die Inkompetenz.

Es ist sehr wichtig, daß wir die Interpretationsunterschiede, die in der Situation gelten, nicht in die Analyse übernehmen. Wir haben an Beispielen gesehen, daß, wo Frau und Mann die gleiche Äußerung benutzten, sie verschiedene Behandlung durch den Moderator erfuhren. Solche Vorkommnisse gibt es noch öfter in dieser Diskussion. Z. B. wurde bei den Männern ein mißglückter Versuch, zu Wort zu kommen, häufig nachträglich durch Wortvergabe durch den Moderator honoriert. Damit wurde ein mißglückter Versuch, das Wort zu ergreifen, umdefiniert als Signal, das sofort wahrgenommen wird und zum Erfolg führt. So etwas passierte bei der Frau nicht, so daß bei ihr der nicht gelungene Versuch, die Inkompetenz zurückbleibt. Sie tat das Gleiche wie der Mann, aber da ihren Versuchen nicht zum Erfolg verholfen wurde, wirkt ihr Verhalten auf uns als Unsicherheit. Oder z. B. der verzweifelte Versuch der Frau, das Rederecht zurückzugewinnen mit:

Nein, ich möchte jetzt, ich möchte jetzt bitte Antwort – Antwort fertig – fertig Antwort geben,

wirkt auf uns als überhöflich in der Situation, hilflos, zögernd, unsicher, zu mild, aber man kann es auch einfach als Bitte sehen, fertigreden zu dürfen, die ständig überlappt wird durch das Reden von Politiker III. D. h., er will ihre Bitte nicht hören, und er gewährt sie natürlich nicht, sondern redet weiter. Damit definiert er sie als schwache Frau, die bitten muß und deren Bitten MAN ohne Sanktionen abschlagen kann, und auch als Frau, die warten muß. Ganz anders gehen die Männer mit den Bitten von Männern um: Sie werden immer gewährt, und damit werden die Männer so definiert, daß sie nicht bitten müssen und auch nicht zu warten brauchen. Durch diese unterschiedliche

Behandlung – und es gibt weitere Beispiele – wird der Erfolg der Männer im Gespräch und der Mißerfolg der Frau konstruiert.

Ein anderer Interpretationsunterschied, der in der Situation galt, war folgender: Ein Mann wurde von Moderator M1 als Fernsehverantwortlicher, die Frau als Fernsehschaffende bezeichnet. Was die Frau tut, ist etwas anderes als der Mann, wird hiermit gesagt, obwohl ein Verantwortlicher ja noch mehr schafft, nämlich die Definition der Wirklichkeit, und eine Schaffende auch Verantwortung hat. Aber darüber hinaus wird mit dieser Unterscheidung gesagt, daß die beiden nicht auf dem gleichen Gebiet arbeiten, daß Politik Eigentum der Männer ist und die Frau eigentlich hier gar nicht mitreden kann.

Ich habe hier noch nichts zur inhaltlichen Struktur der Diskussion gesagt. Auch hier lassen sich unterschiedliches Verhalten bei Frau und Mann und unterschiedliche Behandlung nachweisen. Ganz grob: Die Frau ist in allen Beiträgen damit beschäftigt, Vorwürfe zurückzuweisen, und es wird ihre Objektivität, Professionalität und Wahrhaftigkeit angezweifelt. Kein Mann ist ausschließlich damit beschäftigt, sich und andere zu verteidigen, kein Mann wird auf so persönliche Weise angegriffen.

Diese Fernsehdiskussion ist nicht vergleichbar mit universitärem Diskurs, wo die meisten – alle deutschen – Untersuchungen liegen und wo wir es mit einer verhältnismäßig angstfreien Atmosphäre und geringem Konkurrenzdruck zu tun haben. Diese Diskussion zeigt politischen Diskurs, wo es um Macht und Herrschaft geht. Für die Teilnehmenden an der Diskussion lautet die Frage, um die es geht, wer das wahre, objektive Bild der Jugendkrawalle darstellt, die Journalisten oder die Politiker. Die Politiker waren mit der Darstellung der Journalisten unzufrieden, in ihren Worten: Die Massenmedien haben versagt, die Journalisten mußten ihre Sicht verteidigen. D. h., es ging genau darum, wer die Definition der Wirklichkeit geben kann. Es war ein Kampf der Mächtigen unter sich, deshalb waren auch die Jugendlichen und Alternativmedien nicht vertreten. Frauen sind genauso wie die Jugendlichen in einem solchen Zusammenhang nur Randfiguren. Dieses Verständnis wird auch in dieser Diskussion noch mal bestätigt und verstärkt: Die Frau wird zur Randfigur gemacht. Was mich interessierte, war, wie dieses Verständnis, daß Frauen hier nichts zu bestimmen haben, nicht mitreden können, in der Diskussion selbst produziert wird. Zu diesem Zweck habe ich das Verhalten und die Behandlung der Frau mit ihrem statusgleichen Kollegen verglichen. Ich habe an diesem Gespräch gezeigt, daß bei vergleichbarem professionellem Status ein ungleicher Status für beide produziert wird. D. h., Frauen und Männer mit gleichem Status sind nicht gleich. Der ungleiche Status, der sich in jeder Interaktion herausarbeitet, hat natürlich Einfluß auf den sogenannten objektiven Status. Wenn z. B. eine Journalistin in jeder Fernsehdiskussion weniger Erfolg hat als ihr »statusgleicher« Kollege, dann wird sie bald nicht mehr an Fernsehdiskussionen teilnehmen können, und ihre berufliche Laufbahn wird anders verlaufen als die ihres erfolgreichen Kollegen. Eine Frau, die gleichen Interaktionsstatus mit einem Mann hat, muß einen höheren »objektiven« Status haben. Dies ist vielleicht auch der Grund, warum Frauen die Formen wählen, die höheres Prestige und höhere gesellschaftliche Schicht anzeigen: weil ständig im Gespräch ein niedrigerer Status für sie produziert wird. Diesen Prozeß korrigieren sie mit Hyperkorrektur (»hyper correction« bei Variablen, die gesellschaftlichen Status und Formalitätsebene indizieren). Sie streben also einen höheren Status an, damit sie wenigstens mit *dem* Status aus einer Interaktion herauskommen, der ihnen zusteht.

TRUDGILL (1972) gibt folgende Erklärung für Hyperkorrektur: Frauen bekommen im Gegensatz zu Männern ihren Status dadurch, wie sie erscheinen, und nicht dadurch, wie sie sind. Ich akzeptiere diese patriarchalische Erklärung nicht: Einmal basiert sie auf der Annahme, daß Frauen nichts sind (der patriarchalische Teil), und 2. erklärt sie nicht, warum Frauen als mehr erscheinen wollen, als was sie sind. Warum müssen sie überkorrigieren? Was müssen sie korrigieren, wenn alles fair ist? Status bekommt man nicht, indem man ihn sich selbst zuschreibt; er muß von anderen ratifiziert werden. Frauen können so schön erscheinen, wie sie wollen, es kommt darauf an, wie sie behandelt werden. Wenn in jeder Interaktion ein niedrigerer Status für sie produziert wird, dann ist es erklärlich, daß sie diese Konstruktion beeinflussen wollen, daß sie ihr zuvorkommen wollen. Die Männer dagegen haben ihren Status, er kann höchstens noch höher werden, sie können sich leisten, Formen mit weniger Prestige zu benutzen.

Es ist eine interessante Frage, ob Frauen und Männer überhaupt statusgleich sein können. Denn es ergibt sich folgendes Paradoxon: Wenn eine Frau und ein Mann gleichen Status haben, dann hat die Frau einen niedrigeren, d. h., sie haben ungleichen Status, wenn sie aber ungleichen Status haben, genauer: die Frau einen höheren hat, dann haben sie vielleicht den gleichen Status.

Anmerkungen

1 GUENTHERODT (1980), (1979),
2 HELLINGER (1980).
3 ZUMBÜHL (1980), (1981).
4 Im Bulletin der DGfS (Deutsche Gesellschaft für Sprachwissenschaft), Nr. 5 vom Nov. 1980 fand sich die Formulierung: *Koordinator, Koordinatorin, Koordinatoren, Koordinatorinnen oder wie oder was* (!), durch die der Verfasser, immerhin ein Linguist, zu verstehen gibt, daß er sich durch die Forderung nach sprachlicher Gleichbehandlung hoffnungslos überfordert fühlt.
5 ROSS (1980).
6 PUSCH (1980).
7 Ein Redebeitrag ist, grob gesagt, das, was eine Sprecherin oder ein Sprecher sagt, während sie das Wort haben; er ist die Rede einer Sprecherin, die durch Schweigen oder die Rede eines anderen Sprechers begrenzt ist.
8 Alle soziologischen Arbeiten, die sich mit Statusunterschieden befaßten und die Variablen Augenkontakt, Lächeln, Körperhaltung, Berührung, Raum, Zeit etc. untersuchten, zeigten, daß die Verhaltensweisen von statusniederen Personen gegenüber statushöheren vergleichbar sind mit denen von Frauen gegenüber Männern. Zudem fallen diese Verhaltensweisen oft mit Indikatoren für Feminität zusammen. D. h., wenn eine Frau sich feminin verhalten will, verhält sie sich automatisch wie eine Untergebene. Verhält sie sich nicht wie statusniedere zu statushöheren Personen, so muß sie in Kauf nehmen, daß ihr Verhalten als unfeminin wahrgenommen wird.
9 Es ist unwahrscheinlich, daß I hier auf ihren Einsatz hin aufgehört hat, denn er läßt sich auch sonst nicht verunsichern und redet immer zu Ende. Wahrscheinlich ist, daß er hier mit dem, was er sagen wollte, schlicht zu Ende war. Insofern hätte auch dieser Versuch nicht durch die Leistung der Frau zum Erfolg geführt.
10 Die Technik übrigens, mit solchen Pro-forma-Fragen und Kontraktionen einen Redebeitrag anzufangen, habe ich noch einige Male in der Diskussion bei anderen Sprechern beobachtet:
III: Dürft ich da vielleicht etwas sage, weil – (Pause)
II: Darf ich da auch was sage, auch Politik ist personalisiert – (Pause)
Die Kontraktion zeigt an, daß keine Antwort erwartet wird, und sie wird auch schwierig gemacht. Diese Pro-forma-Fragen sind trotz

Frageintonation Einleitungen zu Behauptungen und keine echten Fragen.

11 Interessant ist auch die Länge dieses Beitrags, der nicht gestört wurde (1 : 15). Das ist ein Hinweis auf die vermutliche Länge von Redebeiträgen, die die Frau unter normalen Bedingungen, d. h. ohne das Dominanzverhalten der Männer, leisten würde.

Es gibt noch einen inhaltlichen Grund, warum dieser Beitrag gelingt. Die Frau beschäftigt sich hier mit einem an all ihre Kolleginnen und Kollegen gerichteten allgemeinen Vorwurf, den Konflikt noch angeheizt zu haben, was sie im Namen aller zurückweist. Sie tut hier also etwas, was getan werden muß, was die Männer aber ihr überlassen, vielleicht weil Verteidigung und Rechtfertigung einen in eine schwache Position bringen und sie lieber mit Gegenangriff und Gegenvorwurf arbeiten.

Es ist eine interessante Idee, die von Helga KOTTHOFF stammt, daß Frauen in solchen Situationen an zwei Fronten kämpfen: daß sie auch ihren eigenen Kollegen gegenüber noch mal rechtfertigen müssen, daß sie überhaupt reden. Also, wenn sie schon reden, tun sie etwas, was die Männer nicht tun wollen. Pamela FISHMAN spricht von »conversational shitwork« (zu deutsch: konversationelle Scheißarbeit) – Unterstützungsarbeit, die geschehen muß, damit ein Gespräch in Gang bleibt, also z. B. bestätigende Einwürfe, interessierte Fragen, zustimmendes Kopfnicken, ermunternde Signale etc. Was meines Wissens noch nicht gezeigt wurde, ist, daß Frauen auch inhaltliche Scheißarbeit leisten.

Tabellenanhang zur Fernsehdiskussion:
Opernhauskrawalle

Tabelle 0: Teilnehmer und Teilnehmerin

M1	Moderator: Ueli Heiniger
M2	Moderator: André Picard
I	Politiker: Dr. Sigmund Widmer, Stadtpräsident
II	Journalist: Uli Pfister, Leiter der Abteilung »Politik und Wirtschaft«, Fernsehen DRS
III	Politiker: Dr. Jurg Kaufmann, Stadtrat
IV	Journalist: Stefan Tabacznik, Redakteur Radio DRS
V	Journalistin: Marianne Pletscher, Redakteurin, Fernsehen DRS
VI	Journalist: Peter Maier, Chefredaktion des »Zürcher Tagesanzeiger«
VII	Journalist: Roger Friedrich, Redakteur der »Neuen Zürcher Zeitung«

Tabelle 1: Redezeiten (Min.:Sek.)

	Gesamtlänge	Länge des 1. Beitrags
M1	5:9	2:25
M2	6:10	2:55
I	24:00	7:40
II	6:5	2:25
III	3:35	0:35
IV	3:49	0:35
V	3:56	0:30
VI	7:40	4:00
VII	3:55	3:55
	64:05	

Redezeit Männer 60:21; pro Mann 7:30

Tabelle 2: Anzahl der Redebeiträge

M1	6	65 Beiträge
M2	14	60 Männer
I	18	
II	5	7,5 pro Mann
III	7	5 Frau
IV	6	
V	5	Männer 1½ mal so oft
VI	3	
VII	1	

Tabelle 3: Wortvergabe

	M1	M2	I	II	III	IV	V	VI	VII
durch Moderator	–	–	10	4	1	1	2	1	1
durch Eigenübernahme an Übergangsstelle			4	1	4	2	1	2	
durch Eigenübernahme, durch Unterbrechung oder Überlappung			4		2	3	–		
Zusätzliche Kategorien:									
a) durch Moderator nach Bitte um Redeerlaubnis							1		
b) verspätete Antwort auf Moderator							1		

Tabelle 4: Beendigung des Redebeitrags

	M1	M2	I	II	III	IV	V	VI	VII
durch eigene Entscheidung			9	3	7	3	1	3	1
durch Aufhören nach Unterbrechungsversuch			4	1		2			
durch Überlappung							2		
durch Unterbrechung			5	1		1	1		
Zusätzliche Kategorie: nach Aufforderung des Moderators, sich kurz zu fassen							1		

Tabelle 5: Vergleich statusniedrigster Mann IV und Frau V

	IV	V
Zahl der Beiträge	6	5
Länge der Beiträge:	3 Min. 40 Sek.	3 Min. 56 Sek.
B1	0:35	0:32
B2	0:45	1:15
B3	0:45	0:27
B4	0:53	0:52
B5	0:30	0:50
B6	0:08	–
Wortvergabe durch Moderator	B4	B1, B3
durch Eigenübernahme an Übergangsstelle	B1, B2	B2

	IV	V
durch Unterbrechung	B3, B5, B6	
Zusätzliche Kategorie: durch Moderator nach Bitte um Redeerlaubnis		B5
durch Wiederaufnahme nach Unterbrechung		B4
Beendigung des Beitrags		
durch eigene Entscheidung	B2, B3, B4	B2
durch Aufhören nach Unterbrechungsversuch	B1, B5	
durch Überlappung		B1, B5
durch Unterbrechung	B6	B3
Zusätzliche Kategorie: durch Aufforderung des Moderators		B4
Unterbrechungsversuche anderer *Sprecher während der Beiträge*		
B1	1	2
B2	4	–
B3	–	3
B4	2	4
B5	2	3
B6	–	–
Versuche, zu Wort zu kommen (E = im nachhinein erfolgreich)	7/davon 5E	11/davon 1E
durch Signale		
a) verbal	1 E (vor B2)	
b) averbal		2 (vor B1)
durch Einwürfe		
a) Einwand	1 (vor B6), 1 (nach B6)	
b) Erklärung	1 E (vor B6)	
c) Zwischenfragen an Sprecher	2 E (vor B5)	
d) Frage an Moderator	1 E (vor B4)	
durch Einsetzen an Übergangs- stelle		3 (vor B2), 2 (vor B3)
Versuch, Rederecht nach Unter- brechung zurückzugewinnen		2 (nach B3), 1 (vor B3)
Versuch, Rederecht nach Wort- erteilung an sich zu reißen		1 E (vor B1)

13   Anders reden: aber wie?

Ursa Krattiger im Gespräch mit Senta Trömel-Plötz*

KRATTIGER: Heute morgen habe ich in der Tram zwei jungen Frauen zugehört, die sich offenbar nach langer Zeit wieder einmal begegnet sind, und ich habe gehört, wie sie sich erzählen von ihrer Arbeit und von ihren privaten Verhältnissen. Da mußte die eine aussteigen und sagte zur anderen: »Du, ruf mich doch mal an, ich arbeite dort und dort, Telefon so und so, du kannst mich intern verlangen«, und bei der anderen trat eine kurze Pause ein, und dann hat sie ihrer Bekannten nachgerufen: »Du, ich weiß ja überhaupt nicht, wie du jetzt heißt, ich kenn deinen verheirateten Namen nicht«, und die andere hat schon auf der Treppe der Straßenbahn dann zurückgerufen und gesagt: »Du kannst mich unter meinem ledigen Namen verlangen.« Und ich hab' eigentlich in dieser Art von Gespräch, in diesem kurzen Tramgespräch, gemerkt, wie typisch diese Art von Unterhaltung für Frauen ist, denn nur Frauen verlieren ja bei der Heirat ihren eigenen Familiennamen, werden neu benamt, müssen den Familiennamen des Mannes annehmen, und da hab' ich gemerkt: Die Ungleichbehandlung von Frauen und Männern, die wir in der Gesellschaft feststellen können – in diesem Fall im Recht –, schlägt sich auch nieder in unserem Reden.
Senta Trömel-Plötz, Professorin an der Universität Konstanz im Fachbereich Sprachwissenschaft, wir haben jetzt zwei Sendungen zusammen gemacht über Frauen, Männer und Sprache und versuchen, uns jetzt in der dritten Sendung Gedanken darüber zu machen, wie können wir anders reden, anders reden: aber wie?
In der Geschichte, die ich heute morgen erlebt habe, würde Andersreden voraussetzen, daß das Eherecht revidiert wird, in der Hinsicht beispielsweise, daß auch Männer die Namen ihrer Frauen annehmen können oder beide Ehegatten bei

---

* Dritte Sendung der Reihe *Frauen, Männer und Sprache* am 8. 4. 1981, Radio DRS 2, Ressort Familie, Studio Basel.

ihrem Namen bleiben. Wenn wir anders reden wollen, heißt das also, daß wir uns auf eine komplizierte vielschichtige Sache einlassen. Bevor wir uns nun aber weiter Gedanken machen über unser Thema: Anders reden: aber wie?, möchte ich doch noch einmal die Frage aufwerfen, die dem allen ja zugrunde liegt: Warum denn überhaupt anders reden, warum, wozu ist das nötig?

TRÖMEL-PLÖTZ: Ja, ich denke, daß man dazu sagen kann, daß die Sprache nicht neutral ist, sie ist ja gewachsen über sehr lange Zeit und zeigt etwas von unseren Einstellungen. Wenn wir z. B. in unserer Sprache sehr viele Ausdrücke für Italienerinnen und Italiener haben, negative Ausdrücke, Schimpfwörter, dann sagt es etwas über unsere Einstellung zu Italienerinnen und Italienern, sagt, daß sie abweichend sind, sagt, daß die Norm die Schweizer sind, Schweizerinnen und Schweizer. Und ähnlich schaut es aus, wenn wir die Sprache ansehen im Hinblick darauf, was sie über unsere Einstellung zu Frauen aussagt. Auch da können wir sehen, daß die Sprache nicht neutral ist, unfair ist, diskriminierend ist, und wir haben in der ersten Sendung über solche Asymmetrien in der Sprache gesprochen. Unsere Sprache hat z. B. folgende Einteilung für Frauen, d. h. weibliche Wesen, es gibt Mädchen, es gibt die Hausfrau und Mutter, und es gibt die berufstätige Frau, dann gibt es eventuell noch die alten Frauen.

KRATTIGER: Die alleinstehenden Frauen.

TRÖMEL-PLÖTZ: Die alleinstehenden Frauen. Wenn wir uns diese Ausdrücke einmal ansehen, dann sehen wir, daß es zu manchen gar keine Parallelen, symmetrische Ausdrücke für Männer gibt, z. B. sprechen wir eben nicht vom Hausmann und Vater, ein Mann wird nicht primär als Hausmann und Vater definiert, wir sprechen auch nicht vom berufstätigen Mann, es gibt nur die berufstätige Frau, das ist der feststehende Ausdruck. Eine solche Definition oder Einteilung der weiblichen Wesen in der Sprache hat schwerwiegende Konsequenzen für Frauen im Berufsleben. Wenn dieser Terminus berufstätige Frau vorgegeben ist in unserer Sprache, dann heißt es, daß es etwas Besonderes ist für eine Frau, berufstätig zu sein, ihre primäre Rolle ist eben, Hausfrau und Mutter zu sein. Daraus ergibt sich dann, daß sie im Berufsleben anders behandelt werden kann, weniger gut behandelt werden kann, z. B. daß sie nur Halbtagsarbeit bekommt, daß sie nicht studieren darf oder nur kürzere Zeit studieren darf als die Jungen, daß sie im Berufsleben nicht so gute Aufstiegschancen hat, daß ihr Männer vorgezogen werden, wenn es männliche Bewerber gibt, weil eigentlich der Beruf nicht ihre Aufgabe ist, ihre erste Verpflichtung, sondern ihre erste Verpflichtung ist eben, zu Hause zu sein, Hausfrau und Mutter zu sein. Das gibt ein ganz bestimmtes Bild der Wirklichkeit, das uns dann wieder verpflichtet, dem wir uns dann z. T. wieder anpassen müssen; also, wenn die Sprache bestimmte Unterscheidungen zur Verfügung stellt, dann konstruiert sie damit auch Wirklichkeit bzw. wir konstruieren dann unsere Wirklichkeit nach diesen vorgegebenen Kategorien.

KRATTIGER: Ist es nicht auch so, daß wir dadurch, wie Frauen und Männer beschrieben werden, auch unsere Erwartungen an die Gesellschaft und an das Verhalten von Frauen und Männern prägen, also wir übernehmen aus der Sprache die Bilder, wie es eigentlich sein soll und sein müßte, und verhalten uns dann teilweise nach diesen Erwartungen?

TRÖMEL-PLÖTZ: Ja, das ist ganz wichtig, daß durch diese Begriffe eben auch Erwartungen vorgezeichnet werden: wenn ich z. B. nur davon spreche, daß ich zum Arzt gehe oder zum Rechtsanwalt, nur von Ärzten spreche, von Wissenschaftlern und Dozenten, dann konstruiere ich ein Bild der Medizin und der Wissenschaft, in dem Frauen nicht vorkommen oder in dem Frauen, wenn sie vorkommen, Ausnahmen sind, in dem Leistung von Frauen dann nicht so wichtig ist, nicht so relevant, nicht so sehr zählt, und damit lenke ich dann auch die Aufmerksamkeit auf die Männer, auf die Leistung der Männer, auf ihre Kompetenz.

KRATTIGER: Und das erinnert mich jetzt an eine Studie über amerikanische Kinderbücher, wo einmal – als Gegensatz zu den normalen Kinderbüchern, wo, wie bei uns, Frauen sehr oft nur als Frauen und Mütter oder ausschließlich als Hausfrauen und Mütter vorkommen – eine Frau gezeigt wurde, die Berufsreiterin war, eine andere, die Berufsfeuerwehrfrau war, eine andere, die Rabbinerin war, um zu zeigen, das gibt es, Kinder, es ist nicht so, wie eben diese z. T. überkommene Kinderbuchwelt es euch zeigen will, es gibt nicht nur die Frau am Herd, es gibt beispielsweise Frauen und Mütter, die geschieden sind, die berufstätig sind; die Wirklichkeit von Frauen ist schon viel vielfältiger, als die Sprache andeutet.

TRÖMEL-PLÖTZ: Unsere Sprache ist ein bißchen konservativ...

KRATTIGER: konservativer als die Realität?

TRÖMEL-PLÖTZ: ist ein bißchen konservativer als die Realität. Z. B. hat sich gezeigt bei ganz neuen Untersuchungen über Lehrbücher in der DDR, daß, obwohl gesellschaftlich schon sehr viele Änderungen, was das Berufsleben anbelangt, eingesetzt haben und die Frauen in den verschiedensten Berufen auftreten, die Schulbücher, die Lehrbücher die Frauen immer noch in den alten, stereotypen Rollen bringen, also gar nicht die ganze Vielfalt der konkreten Wirklichkeit in der DDR zeigen.

KRATTIGER: Wir haben in der Sprache also eigentlich ein seltsames Nebeneinander, wir haben eine Realität, die gemischt ist, neue Rollen von Frauen, neues Verhalten von Frauen und alte Sprachwendungen. Auch wenn ich in die Zeitung schaue, dann sehe ich dieses Nebeneinander. Ich habe beispielsweise in der Zeitung in den letzten Tagen gefunden, daß da ein Stelleninserat ist für junge Bankkaufleute, und ich habe ein anderes gefunden, wo die Rede war, daß ein Reisebüro einen Fachmann oder eine Fachfrau sucht. Mich interessiert: Ist es nicht für Frauen unheimlich wichtig, daß sie erleben: Sie sind angesprochen, sie sind gemeint, sie sind aufgefordert, sie sind ausdrücklich angesprochen, sich beispielsweise auf ein solches Stelleninserat zu bewerben. Ich erinnere mich auch an eine Situation im Freundeskreis, wo unter lauter Buben der Vater seiner Tochter Pippi Langstrumpf vorlas und das Mädchen mir dann plötzlich ganz stolz erzählt hat: Du, Pippi Langstrumpf, das ist der stärkste Mensch. Also da hat sie sich plötzlich identifizieren können: Ein Mädchen ist der stärkste Mensch. Brauchen Frauen das denn, dieses Gemeintsein?

TRÖMEL-PLÖTZ: Ja, das brauchen wir sehr, denn wir haben das Problem bei den normalen Pluralbezeichnungen und auch Berufsbezeichnungen, daß wir immer aus dem Kontext heraus entscheiden müssen, ob wir denn gemeint sind oder nicht. Wenn also z. B. von den Bürgern die Rede ist oder von den Lehrern, Arbeitern, Schweizern, Studenten, dann müssen Frauen jedenfalls aus dem Kontext heraus entscheiden, ob sie auch mitgemeint sind. Bei Anzeigen in der Zeitung wird es nun besonders akut, dieses Problem. Sehr oft stellt sich heraus, daß, wenn Frauen sich auf bestimmte Stellen

200

bewerben, weil sie angenommen haben, daß sie mitgemeint waren, daß sie's gar nicht sind: Ihre Bewerbung ist nicht erwünscht. Und ich glaube, daß wir deshalb in den Stellenanzeigen mehr und mehr ein expliziteres Nennen von Frauen sehen werden, daß in dem Fall, wo Frauen wirklich gewünscht sind, wir die entsprechende weibliche Form finden.

KRATTIGER: Es ist mir aufgefallen, daß beispielsweise in holländischen Zeitungen das gang und gäbe ist, etwas völlig Alltägliches und Normales ist, während es beispielsweise in Schweizer Zeitungen noch eher die Ausnahme ist, und ich kenne auch aus Diskussionen das Argument, daß es eigentlich schrecklich lächerlich ist, wenn Frauen auf solchen Dingen beharren; es sei doch schließlich nicht wichtig, die Hauptsache sei, daß Frauen beispielsweise konkret dieselben Rechte hätten wie die Männer. Was ist von diesem Argument zu halten?

TRÖMEL-PLÖTZ: Also das ist einfach ein Argument, das den patriarchalen Rahmen anzeigt, in dem heute eben die Männer bestimmen, was wichtig ist, in dem die Männer definieren und nicht die Frauen. In einem solchen Rahmen ist dann natürlich, was Frauen wollen, auch wenn sehr viele Frauen das wollen, leicht lächerlich oder trivial zu nennen. Wir wollen solche Definitionen nicht mehr einfach hinnehmen, Definitionen, die uns vorschreiben, was wir wichtig zu nehmen haben, was für uns wichtig ist. Nun kommt aber dazu, daß Frauen eben die Erfahrung gemacht haben, daß sie sehr oft nicht angesprochen waren, und das ist ein zweites Argument, warum es überhaupt nicht lächerlich ist, darauf zu bestehen, daß man explizit genannt wird, daß frau explizit genannt wird. Unsere Erfahrung ist eben in sehr vielen Kontexten die, daß, wenn wir hinsehen, wer nun gemeint ist unter den Schweizern oder bei den Bürgern, daß es dann eben nur männliche Schweizer und männliche Bürger sind.

KRATTIGER: Ich möchte dazu gerne ein Beispiel bringen aus der neuesten Schweizer Geschichte, das mich selber unglaublich erstaunt hat, und zwar im Zusammenhang mit dem Frauenstimmrecht, das wir jetzt zehn Jahre haben. Bis 1971 galt nämlich in der Schweizerischen Eidgenossenschaft: »Stimmberechtigt bei Wahlen und Abstimmung ist jeder Schweizer, der ...«, und dann kommen die Alterslimite. Frauen haben zeitweilig versucht, das Frauenstimmrecht einzuführen durch eine Neuinterpretation dieses Satzes, indem sie sagten, unter diesem *jeder Schweizer* sind heute doch einfach Frau und Mann gemeint, und diese Argumentation wurde dann in den 50er Jahren von führenden Juristen bestritten, die sagten, Frauen können nur dann in diesem Verfassungstext mitgemeint sein, wenn sie ausdrücklich genannt werden; und vor zehn Jahren wurde dann das Frauenstimmrecht eingeführt durch Zustimmung zu einer Verfassungsbestimmung, die sagt: »Bei eidgenössischen Abstimmungen und Wahlen haben Schweizer und Schweizerinnen die gleichen politischen Rechte und Pflichten; stimm- und wahlberechtigt bei solchen Abstimmungen sind alle Schweizer und Schweizerinnen, die...« Und das Interessanteste ist, daß jetzt im Entwurf für eine neue Bundesverfassung, wo man sagt: Frauenstimmrecht ist so selbstverständlich, Frauen sind natürlich mitgemeint, eine sprachliche Wendung vorgeschlagen wird, wo es wieder nur *alle Schweizer* heißt.

Also, da haben wir den ganzen Wandel: Frauen sind nicht gemeint in der männlichen Pluralform, sie müssen ausdrücklich genannt werden. Wenn das einmal akzeptiert ist, dann soll wieder die männliche Form genügen.

TRÖMEL-PLÖTZ: Ja, es ist akzeptabel, wenn das wirklich unser Verständnis ist. Es zeigt sehr schön, dieses Beispiel, daß eben die Realität unseres täglichen Lebens zum großen Teil eine sprachliche Realität ist, nicht? Daß durch die Sprache die Realität gemacht wird. Gerade hier bei den Gesetzestexten ist es ja sehr, sehr wichtig. Die Sprache ist ein Instrument, um Realität zu konstruieren, z.B. hier die Realität, welche Schweizer, weiblichen oder männlichen Geschlechts, dürfen nun zur Wahlurne gehen.

KRATTIGER: Dann haben wir es doch zu tun mit einer doppelten Funktion der Sprache: Einmal spiegelt sie bestehende Verhältnisse, Machtverhältnisse, soziale Verhältnisse, spiegelt sie und hält sie aufrecht, zum zweiten kann sie dazu beitragen, daß wir uns andere Vorstellungen, andere Bilder machen und von daher auch die Realität verändern. Also anders reden würde heißen: Wir tragen dazu bei, daß sich die Realität mindestens ein Stück weit verändert, stimmt das?

TRÖMEL-PLÖTZ: Ja, Sprache hat durchaus diese beiden Funktionen: Wir arbeiten immer mit einem Sprachsystem, wir werden sozusagen hineingeboren und hineingetaucht in dieses System, aber wir können dieses System auch ändern, wir benutzen es ja, wir können es deshalb auch unseren Bedürfnissen und Wünschen entsprechend ändern, d. h. bis zu einem bestimmten Grad; und Sprache ändert sich ständig; ob wir's wollen oder nicht, ändert sie sich. Also Sprache ist sowohl konservativ als auch flexibel, anpassungsfähig auf Änderungen hin.

KRATTIGER: Und es ist eigentlich unsere Sache, was wir damit tun.

TRÖMEL-PLÖTZ: Ja, natürlich ist es unsere Sache, wie wir sie benutzen. Z. B. die Werbefachleute benutzen die Sprache als kreatives Instrument. Sie entwerfen neue Termini für neue Waren. Sie sind kreativ.

KRATTIGER: Es fällt mir gerade in diesem Zusammenhang eine Bankwerbung ein, wo eine Bankfrau offenbar anderen Frauen ein Bankkonto schmackhaft machen will, und da wird dann gesagt: »Jedermann« hat heute ein Konto, aber *jedermann* steht in Anführungszeichen. Also da wird gespielt mit dem Wort, und vielleicht weil Werbeleute so flexibel sind, machen sie eigentlich den Begriff *jedermann* da lächerlich und sagen: Natürlich hat heute auch »jedefrau« ein Konto. Also, bitte, Frauen, macht das!

TRÖMEL-PLÖTZ: Ja, das ist ein sehr gutes Beispiel, denn es zeigt gerade, daß *jedermann* nicht mehr so aufgefaßt wird, also jetzt schon eine andere Bedeutung angenommen hat als die Bedeutung, die es gemeinhin haben sollte, nicht? Also, daß es alle betrifft. Wenn das jetzt schon ironisiert wird, dann zeigt es, daß es schon spezifisch auf Männer hin verstanden wurde – also schon eine Veränderung, und das ist ganz interessant. Daß zunächst die Veränderungen schon da sind in unserer Gesellschaft, also: Frauen haben andere Bedürfnisse, neue Wünsche, die Frauenbewegung zeigt das, Frauenliteratur zeigt das. Es gibt viele Anzeichen in unserer Gesellschaft, daß sich schon sehr vieles geändert hat, und die Sprache, unsere sprachlichen Änderungen, sind eine Reaktion darauf.

KRATTIGER: Umgekehrt ist die Frage, können wir – und da erinnere ich mich, daß auch im Zusammenhang mit unseren Sendungen dieser Vorwurf gemacht worden ist –, können wir denn wirklich glauben: Wenn wir die Sprache ändern, tun wir etwas, das beispielsweise die sozialen, rechtlichen, wirtschaftlichen Veränderungen beschleunigt? Hat es wirklich einen Sinn zu sagen: Wir müssen anders reden, und wir tragen damit effektiv, wirksam, etwas dazu bei, daß sich die gesellschaftlichen Realitäten verändern?

TRÖMEL-PLÖTZ: Ja, und zwar, weil die Sprache so ein wichtiges Instrument ist, eigentlich die Basis für unser gesellschaftliches Zusammenleben, und unsere Beziehungen, unser ganzes individuelles Leben daran hängen, durch die Sprache hergestellt werden. Wie gut oder wie schlecht eine Beziehung ist z. B., ist sehr oft eine Sache der verbalen Kommunikation – auch der nichtverbalen –, aber der Kommunikation zwischen den betreffenden Individuen. Also die Sprache ist ein ganz wichtiges Instrument in unserer Gesellschaft, sie gehört mit zu den gesellschaftlichen Bedingungen, unter denen wir leben. Deshalb ist, die Sprache zu verändern, natürlich zur gleichen Zeit eine ganz wichtige gesellschaftliche Veränderung. Denn Sprechen ist eben nicht nur irgendwelche Gedanken wiedergeben oder Informationsaustausch, es wird dadurch nicht nur etwas widergespiegelt, sondern es wird in einem ganz wichtigen Sinn gehandelt: Ich tu' etwas, indem ich zu dir du sage oder indem ich zu dir Sie sage. Es ist etwas anderes, eine andere Handlung, ich definiere unsere Beziehung anders, ja? Es wird etwas getan, wenn irgendeine Frau, die man überhaupt nicht kennt, die ein Mann überhaupt nicht kennt, mit Fräulein angeredet wird. Es ist eine Handlung, es ist eine beleidigende Handlung, eine diskriminierende Handlung, die zunächst sagt: Du bist für mich ein Fräulein, ein Objekt, jemand, den ich nicht ernst nehmen muß, jemand, die ich nicht ernst nehmen muß, du bist für mich unerwachsen, du bist für mich keine reife Frau, ich trau' dir auch nicht zu, daß du verheiratet bist und Kinder hast und etwas Vernünftiges und Ernsthaftes machst in deinem Leben. All das kommt mit herein, wenn ich nur jemanden mit Fräulein begrüße, ohne weiter irgendwelche Information zu haben. Und ich würde sagen, daß es eben einen Unterschied macht, ob ich jemandem mit einem Gruß Mißachtung oder Achtung gebe, z. B. einem Mann, zu dem ich *grüezi* sage, wenn ich nichts über ihn als Person weiß. Meine Beziehung zu ihm, wie ich ihn einschätze, ist also neutral; wenn ich *grüezi* sage, zeige ich ihm Achtung oder Neutralität. Aber der Frau, zu der gesagt wird, *grüezi Fräulein*, wird alles mögliche andere gegeben, nur nicht Achtung.

KRATTIGER: Und das Andersreden wäre in diesem Fall vielleicht eben das, daß wir dasselbe tun wie beim Mann, daß wir dann einfach nichts sagen, daß wir dann einfach *grüezi* sagen.

TRÖMEL-PLÖTZ: Ja, es geht ja prima, warum braucht man bei Frauen das *Fräulein*? Übrigens, die Unterscheidung *Fräulein – Frau* macht unsere Sprache verfügbar. Es muß nicht so sein; also ich könnte mir gut eine Sprache vorstellen – und wir schaffen das ja auch ab, diese Unterscheidung –, in der diese Unterscheidung überhaupt nicht gegeben ist.

KRATTIGER: Ja, du hast mal in einem Artikel geschrieben: Das Äquivalent zum Vorstellen *Fräulein Maier* wäre *Herr Maier, er ist nicht verheiratet*, und das Äquivalent zu *Frau Maier: Herr Maier, er ist verheiratet*. Ja, dann wüßten wir gleichviel über die beiden Leute, nicht?

TRÖMEL-PLÖTZ: Aber bei Frauen geben wir zusätzlich die Information *verheiratet* oder *nicht verheiratet* mit. Wenn wir uns mal fragen, für wen wir das eigentlich mitgeben, dann ist es sehr lustig, nicht? Die Information wird mitgegeben für die Männer, sicher nicht für die Frauen...

KRATTIGER: damit die wissen, woran sie sind.

TRÖMEL-PLÖTZ: Ja, also, um noch mal zu zeigen, wie wichtig Sprache ist und deshalb auch die Änderung der Sprache: In der Sprache wird ja sozialisiert, Kinder werden sozialisiert mit Hilfe der Sprache...

KRATTIGER: großgezogen...

TRÖMEL-PLÖTZ: es wird erzogen in der Sprache, die Lehrbücher, das Erziehen in der Schule, das geht alles über das Instrument Sprache. Also da wird in der Schule dann oder zu Hause in der Familie eine bestimmte Wirklichkeit hergestellt, nicht? Es ist deshalb ganz wichtig, was für eine Wirklichkeit hergestellt wird, also nicht eine mit dem Status quo, mit der wir uns nicht identifizieren wollen, sondern eine Wirklichkeit, die auch unsere ist. Also dieses Wirklichkeit-Herstellen ist wichtig, weil wir etwas sehr Wesentliches ändern, wenn wir die Sprache ändern, nämlich wie die nächste Generation reden wird, das ändern wir damit, wenn wir heute unsere Schulbücher ändern.

KRATTIGER: Ich möchte in diesem Zusammenhang auch ein ganz, ganz kleines Beispiel erwähnen: Ich habe das dieser Tage in einer Buchhandlung gefunden und habe mich davon sehr angesprochen gefühlt als Patin von einem Mädchen und auch von einem Jungen, daß ich beispielsweise eben auch Kinderbücher schenken kann, die sprachlich andere Vorstellungen und andere Bilder mit sich bringen. Da geht es z. B. in einem ganz kleinen Bilderbuch *Sichelmond und Sterne* von Marie Marcks darum, daß zwei Buben in einem Zelt übernachten wollen, und die kleine Schwester möchte mitmachen, und sie bettelt, laßt mich doch bitte, bitte mitmachen, und die Brüder sagen, das fehlt ja noch, ein Mädchen in unserem schönen Zelt, du machst ja vor Angst ins Bett, kaum daß es dunkel ist, sagt der Bruder, und der andere Bruder sagt, ins Bett, das ging ja noch, aber ins Zelt, nein, ausgeschlossen, nein, Weiber können wir nicht gebrauchen. Und das Mädchen macht dann auf Befehl der Brüder Nachtwache vor dem Zelt, und sie denken, daß sie vor Angst wegläuft, aber das tut sie eben überhaupt nicht, sie hält Nachtwache, hat zunächst furchtbar Angst, natürlich, dann überwindet sie ihre Angst und freut sich an der schönen Nacht und weckt am Morgen ganz tapfer und glücklich ihre Brüder, die sich kaum erholen können vor Staunen über ihre Schwester. Ich glaube, so ein Kinderbüchlein, das nicht einfach die Dinge umdreht, aber ein tapferes Mädchen zeigt, das ist ein Stück, wirklich ein Stück Bewußtseinsveränderung. Dieses Kinderbüchlein ist jetzt vielleicht ein gutes Beispiel für die Frage: Wenn wir etwas anderes machen wollen, wie können wir es dann anders machen? Denn hier wird gezeigt: Ein Mädchen widerspricht dem klassischen Klischee, wie Mädchen sein sollen.

TRÖMEL-PLÖTZ: Frauen sichtbar machen ist sicher eine Art und Weise, nicht wahr? Hier wird ja auch ein Mädchen sichtbar gemacht in ihrer Tapferkeit, nicht? Frauen in bestimmten Berufen, in denen sie schon sind, in denen sie etwas leisten, sichtbar zu machen, das ist sehr wichtig. Und zwar nicht nur in Lehrbüchern, sondern überall. In den Zeitungen, in Bildmaterial, wo immer: Frauen explizit zu nennen. Immer, wenn es Frauen in einem bestimmten Beruf gibt, sie auch zu nennen...

KRATTIGER: darzustellen, zu zeigen, sie in Formularen aufzunehmen, also ich denke da an die vielen vorgedruckten Papiere...

TRÖMEL-PLÖTZ: ja, jetzt kam gerade wieder die Steuererklärung. Da kam ich wieder überhaupt nicht vor in der Schweizer Steuererklärung, auch in der Unterschrift nicht, die Unterschrift war nur vom Ehemann, oder wie immer das heißt, vom Steuerzahlenden...

KRATTIGER: vom Unterzeichneten...

TRÖMEL-PLÖTZ: verlangt, und obwohl ich auch Steuer bezahle, konnte ich gar nicht unterschreiben auf dem Formular, es war nicht vorgesehen, nicht? Also Frauen sichtbar machen, zeigen, daß sie auch arbeiten, daß sie auch Steuer zahlen, daß sie auch Leistung erbringen, das ist ganz wichtig. Sie explizit zu nennen, wenn es wirklich um Frauen geht. Es gibt die Pluralverwendung als eine Möglichkeit; also es ist weniger beleidigend und weniger ignorierend, als eben nur von *der Mensch* zu reden, *der Bürger*, wenn man von *Menschen* und *Bürgern* redet, das ist ein Zwischenschritt, um zu den Bürgerinnen und Bürgern zu kommen...

KRATTIGER: die Menschen, die, und der Mensch, der...

TRÖMEL-PLÖTZ: Das Problem ist *der Mensch, der*, und man spricht dann weiter, *er* macht dies und jenes und *seine* Entfaltung und *seine* Leistung, und dabei denkt man dann schon immer nur wieder an Männer, nicht? Alle Menschen werden Brüder. Also: *der Mensch, seine* Leistung, *seine* Entwicklung, *er, der*. Das ist sehr verführerisch in unserer Sprache, daß wir eben wirklich nur an Männer dabei denken und nicht mehr an Frauen.

KRATTIGER: In Gesprächen über Sprache habe ich sehr oft von Frauen und Männern, die diesen Gedanken durchaus wohlwollend gegenüberstehen, den Vorwurf gehört, aber ihr seid ja verrückt, wenn ihr solche Sachen machen wollt, das ist alles häßlich, schwerfällig, umständlich, wie soll ich das denn im Alltag durchhalten? Der Druck der Gewohnheit beim *man* sagen, beim *e Bier, Fräulein!* das ist alles so stark! Was ist gegen dieses Argument zu sagen: Es ist umständlich, es ist schwerfällig, es ist mühsam?

TRÖMEL-PLÖTZ: Ja, es ist sicher mühsam, alles Neue ist mühsam, und wir lernen da in einem bestimmten Sinn eine neue Sprache, und unsere alte ist einfacher, weil die schon automatisch geworden ist, die können wir, und die haben wir schon jahrelang benutzt. Das ist einfach, weniger kompliziert. Es kommt uns auch dann so vor, daß Dinge, die sogar einfacher und ökonomischer sind, schwieriger ausschauen. Es ist auf jeden Fall ökonomischer, das *Fräulein* wegzulassen und nur die Bezeichnung *Frau* zu verwenden, parallel zu *Herr* in der Anrede, das ist ökonomischer. Also, etwas, das einfacher ist und ökonomischer, fällt uns deshalb noch nicht leichter. Was uns leicht fällt, ist das, was wir automatisch tun und immer schon getan haben und wo wir keinen Gedanken mehr darauf verschwenden müssen. Aber es ist kürzer, *Thatcher* zu sagen als *Frau Thatcher*, und es ist auch fairer, und wenn es eben fairer ist, bestimmte Formulierungen zu benutzen, die auch etwas länger sind, dann benutzt man sie eben, wenn man fair sein will.

KRATTIGER: Wir haben uns bis jetzt eigentlich ausschließlich darüber unterhalten, wie Andersreden im Hinblick auf Wortwahl, Redewendungen aussehen könnte, und ich möchte doch noch gern die Frage ansprechen, wie ist es, wenn Frauen und Männer untereinander reden (was wir in der zweiten Sendung besprochen haben), wie lassen sich da Veränderungen durchführen? Wir haben in dieser Sendung gesehen, Männer reden im Schnitt häufiger und länger als Frauen, trotz des Klischees von der geschwätzigen Frau, Frauen werden häufig von Männern unterbrochen, Frauen selber unterbrechen Männer selten, Frauen haben Mühe, zu Wort zu kommen und ihr Rederecht zu behalten, wenn sie es einmal haben, und Männer haben mehr Chancen, den Ablauf, die Themen eines Gesprächs zu bestimmen, während Frauen die Gesprächsarbeit leisten, den Gesprächsablauf unterstützen. Was können Frauen denn anders machen, damit sie in Gesprächen nicht diese Mühe haben, sich durchzusetzen?

TRÖMEL-PLÖTZ: Also hier wird's sehr viel schwieriger, nicht? Sehr, sehr viel schwieriger. Frauen haben nicht die gleichen Rechte in Unterhaltungen und Gesprächen, in Diskussionen, in Fernsehdiskussionen z. B., sie haben nicht die gleichen Rechte wie Männer. Und das Wichtigste ist zu sehen, überhaupt zu merken, was abläuft, z. B. in einem Gespräch oder in einer Diskussion, aber auch in anderen Gesprächen, in privaten Gesprächen, muß ich zunächst einmal merken, daß ich anders behandelt werde als ein Mann, also daß ich z. B. nicht zu Wort komme, daß ich sehr viel häufiger unterbrochen werde, daß ich das Thema nicht bestimmen kann, daß mein Thema unter den Tisch fällt, mein Vorschlag unter den Tisch fällt, niemand ihn diskutiert. Dann kann ich sehen, was für Möglichkeiten ich habe in der Situation, etwas zu unternehmen, wie ich z. B. versuchen kann, zu Wort zu kommen, besser in einer Diskussion zu Wort zu kommen. Wenn ich gleichzeitig mit einem Mann einsetze, dann ist es normalerweise so, daß der Mann einfach diese Überlappung, die sich dann ergibt – zwei Leute sprechen zur gleichen Zeit –, länger men dieselben Duellverhaltensweisen auch bei Frauen vor?

TRÖMEL-PLÖTZ: Ja, es ist verständlich, daß Frauen sich zusammentun und miteinander reden wollen. Das Reden von Frauen untereinander in Frauengruppen z. B. oder in Frauenzentren ist wirklich etwas anderes, wo sozusagen die positiven Qualitäten des Redestils von Frauen genutzt werden können, z. B. das Zuhörenkönnen. Daß die Frauen nicht nur Unterstützungsarbeit leisten müssen für den Mann, damit er sein Thema schön entwickeln kann, sondern daß sie eigene Themen bringen können, ja? Und andere Frauen hören zu, d. h., sie können jetzt sozusagen vom Verhalten von Frauen profitieren, sie können in den Genuß ihrer Fähigkeiten kommen, ihnen wird gut zugehört, man läßt sie ein Thema entwickeln ...

KRATTIGER: man fragt nach, Frauen fragen nach ...

TRÖMEL-PLÖTZ: man unterstützt, vor allem, es wird zugehört, mit Verständnis zugehört, und der ganze Stil ist eben kooperativer, Frauen beziehen sich mehr auf ihre Vorrednerinnen, während Männer sich eben gar nicht so sehr beziehen auf vorhergehende Redebeiträge, nicht?

KRATTIGER: Und zwar sowohl von Männern wie auch von Frauen.

TRÖMEL-PLÖTZ: Ja, also frau kann sich mehr verstanden fühlen, frau kann sich mehr gehört fühlen in einer Frauengruppe.

KRATTIGER: Würde das nicht für die Verbesserung der Gespräche heißen, daß Frauen ein Stück mehr Selbstbehauptung lernen und üben und an den Tag legen müßten, daß aber umgekehrt Männer sich ein Stück vom weiblichen Verhalten abschneiden müßten?

TRÖMEL-PLÖTZ: Ja, ich finde, auf jeden Fall sind wir darauf angewiesen, daß Männer uns unterstützen, weil Sprechen ja kein einseitiges Tun ist. Es kommt nicht nur darauf an, wie wir uns selber einschätzen und was wir selber sagen und tun, sondern auch darauf, ob wir in unserem neuen Handeln und Sprechen von den Männern akzeptiert werden. Sprechen ist ein gegenseitiges Tun.

Bibliographie

Adamsky, Cathryn (1976): »Changes in Pronominal Usage among College Students as a Function of Instructor Use of ›She‹ as the Generic-Singular Pronoun.« Vortrag, 1976, Tagung der American Psychological Association.

Behrens, Brigitte et al. (1978): »Die Sprache ausländischer Frauen.« Unveröffentlichtes Manuskript, Universität Konstanz.

Berger, Peter/Luckmann, Thomas (1967): *The Social Construction of Reality.* New York: Anchor Books.

Bodine, Ann (1975 a): »Sex Differentiation in Language.« In: Thorne/Henley (1975).

– (1975b): »Androcentrism in Prescriptive Grammar: Singular ›They‹, Sexindefinite ›He‹, and ›He or She‹.« *Language in Society* 4: 129 bis 146.

Bornstein, Diane (1978): »As Meek as a Maid: A Historical Perspective on Language for Women in Courtesy Books from the Middle Ages to Seventeen Magazine.« In: Butturff/Epstein (1978).

Bosmajian, Haig (1974): *The Language of Oppression.* Washington, D. C.: Public Affairs Press.

Brend, Ruth M. (1972): »Male-Female Intonation Patterns in American English.« In: *Proceedings of the Seventh International Congress of Phonetic Sciences*, 1971. The Hague: Mouton. 866–870. Nachgedruckt in: Thorne/Henley (1975).

Brown, Phil (Hrsg.), (1973): *Radical Psychology.* New York: Harper and Row Publishers.

Butturff, Douglas/Epstein, Edmund L., (Hrsg.), (1978): *Women's Language and Style.* Studies in Contemporary Language. No. 1. Akron, Ohio: University of Akron.

Carroll, Lewis (1871): *Through the Looking-Glass.* London: Macmillan.

Cassler, Margaret (1958): *The Woman Executive.* New York: Harcourt, Brace & World.

Condry, John/Condry, Sandra (1976): »Sex Differences: A Study of the Eye of the Beholder.« *Child Development* 47: 812–819.

Crosby, Faye/Nyquist, Linda (1977): »The Female Register: An Empirical Study of Lakoff's Hypotheses.« *Language in Society* 6: 313–322.

213

Daly, Mary (1968, 1975): *The Church and the Second Sex*. New York: Harper and Row Publishers.
− (1973): *Beyond God the Father: Toward a Philosophy of Women's Liberation*. Boston: Beacon Press.
− (1978): *Gyn/Ecology: The Metaethics of Radical Feminism*. Boston: Beacon Press.
Dubois, Betty Lou/Crouch, Isabel, (Hrsg.), (1979): *The Sociology of the Languages of American Women*. San Antonio, Texas: Trinity University.

Eakins, Barbara/Eakins, Gene (1979): »Verbal Turn-Taking and Exchanges in Faculty Dialogue.« In: Dubois/Crouch (1979).
Ehrich, Veronika/Finke, Peter, (Hrsg.), (1975): *Beiträge zur Grammatik und Pragmatik*. Kronberg/Ts.: Skriptor Verlag.

Farb, Peter (1973): *Word Play*. New York: Bantam Books Inc.
Fischer, John L. (1958): »Social Influences on the Choice of a Linguistic Variant.« *Word* 14: 47–56. Nachgedruckt in: Hymes (1964).
Fishman, Pamela M. (1978 a): »Interaction: The Work Women Do.« *Social Problems* 25: 397–406.
− (1978 b): »What Do Couples Talk About When They're Alone?« In: Butturff/Epstein (1978).
Foudraine, Jan (1976): *Wer ist aus Holz? Neue Wege der Psychiatrie*. München: Deutscher Taschenbuchverlag.
Franck, Dorothea (1975): »Zur Analyse indirekter Sprechakte.« In: Ehrich/Finke (1975).
Frauen und Wissenschaft: Beiträge zur Berliner Sommeruniversität für Frauen, Juli 1976. Herausgegeben von der Gruppe Berliner Dozentinnen. Berlin: Courage-Verlag, 1977.
Freud, Sigmund (1904, 1972): *Zur Psychopathologie des Alltagslebens*. Frankfurt: Fischer.

Garai, Josef E./Scheinfeld, Amram (1968): »Sex Differences in Mental and Behavioral Traits.« *Genetic Psychology Monographs* 77.2: 169 bis 299.
Goffman, Ervin (1956): »The Nature of Deference and Demeanor.« *American Anthropologist* 58: 473–502. Nachgedruckt in: Goffman (1967).
− (1967): *Interaction Ritual*. New York: Anchor Books.
Goldberg, Philip (1972): »Are Women Prejudiced Against Women?« In: Safilios-Rothschild (1972).
Guentherodt, Ingrid (1975): »Frauen in Lehre und Forschung.« *DAB-Mitteilungsblatt* 47: 25–29.
− (1979): »Berufsbezeichnungen für Frauen: Problematik der deutschen Sprache im Vergleich mit Beispielen aus dem Englischen und Französischen.« *Osnabrücker Beiträge zur Sprachtheorie*. Beiheft 3: 120–132.
− (1979): »*Berufsbezeichnungen für Frauen.*« Erscheint in: Trömel-Plötz (Hrsg.).

- (1980): »Behördliche Sprachregelungen gegen und für eine sprachliche Gleichbehandlung von Frauen und Männern.« *Linguistische Berichte* 69: 22–36.
- /Hellinger, Marlis/Pusch, Luise F./Trömel-Plötz, Senta (1980): »Richtlinien zur Vermeidung sexistischen Sprachgebrauchs.« *Linguistische Berichte* 69: 15–21.
Guidelines: *Guidelines for Nonsexist Use of Language in NCTE Publications.* Erhältlich von NCTE, 1111 Kenyon Road, Urbana, Illinois 61801.
Guidelines for Equal Treatment of the Sexes. New York: Mc Graw-Hill Book Company, 1972. Erhältlich vom Verlag, 1221 Avenue of the Americas, New York 10020. Nachgedruckt in *Elementary English* 52 (May 1975): 725–733.
Guidelines for Improving the Image of Women in Textbooks. Glenview, Ill.: Scott, Foresman and Company, 1972. Erhältlich vom Verlag, 1900 East Lake Avenue, Glenview, Illinois 60025.
Guidelines for Nonsexist Use of Language. Vorbereitet von American Psychological Association Task Force on Issues of Sexual Bias in Graduate Education. Nachgedruckt in *American Psychologist* (June 1975): 682–684.

Hall, Edward T. (1959): *The Silent Language.* New York: Fawcett Publications, Inc.
Hellinger, Marlis (1980): »›For Men Must Work, and Women Must Weep‹: Sexism in English Language Textbooks Used in German Schools.« *Women's Studies International Quarterly* 3. 2/3: 267–275.
Henley, Nancy M. (1970): »The Politics of Touch.« In: Brown (1973).
- (1976): »Nonverbal Communication and the Social Control of Women.« *Science for the People* 8.4: 16–19.
- (1977): *Body Politics: Power, Sex and Non-verbal Communication.* New York: Prentice-Hall.
- (1978): »Changing the Body Power Structure.« *Women* 6.1: 34–38.
Henneke, Ben Graf/Dumit, Edward S. (1959): *The Announcer's Handbook.* New York: Holt, Rinehart and Winston.
Hiatt, Mary P. (1976): »The Sexology of Style.« *Language and Style* 9.2: 98–107.
Hopper, Paul J. (Hrsg.), (1977): *Studies in Descriptive and Historical Linguistics.* Amsterdam: John Benjamins B.V.
Hymes, Dell (Hrsg.), (1964): *Language in Culture and Society.* New York: Harper and Row Publishers.

Jespersen, Otto (1922): *Language: Its Nature, Development and Origin.* London: Allen and Unwin.
- (1924): *The Philosophy of Grammar.* London: Allen and Unwin.

Key, Mary Ritchie (1975): *Male/Female Language, With a Comprehensive Bibliography.* Metuchen, N. J.: The Scarecrow Press, Inc.
Klann, Gisela (1978): »Weibliche Sprache – Identität, Sprache und

Kommunikation von Frauen.« *Osnabrücker Beiträge zur Sprachtheorie* 8: 9–62.

Klöckner, Beate (1977): »Unter lauter Männern.« *Kursbuch* 47: 27–42.

Kramer, Cheris (1974): »Women's Speech: Separate But Unequal?« *Quarterly Journal of Speech* 60: 14–24. Nachgedruckt in: Thorne/Henley (1975).

Labov, William (1972): *Sociolinguistic Patterns.* Philadelphia: University of Pennsylvania Press.

– (1966): *The Social Stratification of English in New York City.* Washington, D.C.: Center of Applied Linguistics.

Lakoff, Robin (1975): *Language and Woman's Place.* New York: Harper Colophon Books.

Lerner, Harriet (1976): »Girls, Ladies, or Women? The Unconscious Dynamics of Language Choice.« *Comprehensive Psychiatry* 17.2: 295–299.

Lockheed, Marlaine E./Hall, Katherine Patterson (1976): »Conceptualizing Sex as a Status Characteristic: Applications to Leadership Training Strategies.« *Journal of Social Issues* 32.3: 111–124.

Macaulay, Ronald K.S. (1978): »The Myth of Female Superiority in Language.« *Journal of Child Language* 5.2: 353–363.

Markel, Norman N./Prebor, Layne D./Brandt, John F. (1972): »Biosocial Factors in Dyadic Communication: Sex and Speaking Intensity«. *Journal of Personality and Social Psychology* 23: 11–13.

Martyna, Wendy (1978): »What Does ›He‹ Mean?: Use of the Generic Masculine«. *Journal of Communication* 28.1: 131–138.

– (1977): »Comprehension of the Generic Masculine: Inferring ›She‹ from ›He‹.« Vortrag, 1977, Tagung der American Psychological Association.

– (undatiert): »The ›He-Man‹ Approach to Language.« *Aurora*, A Women's Newspaper for the Stanford Community. P.O. Box A-G. Stanford, Cal. 94305.

Moulton, Jane/Robinson, George M./Elias, Christina (1978): »Sex Bias in Language Use: ›Neutral‹ Pronouns that Aren't.« *American Psychologist* 33.11: 1032–1036.

Nilsen, Alleen Pace/Bosmajian, Haig/Gershuny, H. Lee/Stanley, Julia P. (1977): *Sexism and Language.* Urbana, Illinois: National Council of Teachers of English.

Peisert, Hansgert (1975): *Student in Konstanz: Standort, Einzugsbereich und Motive für das Studium an einer neuen Universität.* Konstanz: Universitätsverlag GmbH.

Plötz, Senta (1972): *Simple Copula Structures in English.* Ph. D. Dissertation, University of Pennsylvania, 1969. Frankfurt: Athenäum Verlag.

Pusch, Luise F. (1980): »Das Deutsche als Männersprache – Diagnose und Therapievorschläge.« *Linguistische Berichte* 69: 59–74.

Rader, Margaret (1977): »Women Talking: Research in Sex Differences in Speech.« An Annotated Bibliography. Unveröffentlichtes Manuskript, Stanford University.

Römer, Ruth (1973): »Grammatiken, fast lustig zu lesen.« *Linguistische Berichte* 28: 71–79.

Rosenthal, Robert (1966): *Experimenter Effects in Behavioral Research.* New York: Appleton-Century-Crofts.

– /Fode, Kathy L. (1960): »The Effect of Experimenter Bias on the Performance of the Albino Rat.« Unveröffentlichtes Manuskript, Harvard University.

– /Jacobson, Leah (1968): *Pygmalion in the Classroom: Teacher Expectation and Pupil's Intellectual Development.* New York: Holt, Rinehart & Winston.

– /Lawson, Rose (1961): »A Longitudinal Study of the Effects of Experimenter Bias on the Operant Learning of Laboratory Rats.« Unveröffentlichtes Manuskript, Harvard University.

Ross, John R. (1980): »Ikonismus in der Phraseologie: der Ton macht die Bedeutung.« *Semiotik* 2: 39–56.

Rūke-Dravina, Velta (1952): »Einige Beobachtungen über die Frauensprache in Lettland.« *Orbis* 1: 55–73.

Sachs, Jacqueline (1975): »Cues to the Identification of Sex in Children's Speech.« In: Thorne/Henley (1975).

– /Liebermann, Philip/Erickson, Donna (1973): »Anatomical and Cultural Determinants of Male and Female Speech.« In: Shuy/Fasold (1973).

Safilios-Rothschild, Constantina (Hrsg.), (1972): *Toward a Sociology of Women.* Lexington, Mass.: Zerox College Publishing.

Saporta, Sol (1974): »Language in a Sexist Society.« Vortrag, 1974, Tagung der Modern Language Association. In: *Publications of the Modern Language Association.* Dec. 1974, New York. Nachgedruckt in: Hopper (1977).

Sauter-Bailliet, Theresia (1978): »Die Verwandlung von Schweigen in Sprache und Aktion.« *Frauenoffensive, Journal* Nr. 11.

Schleich, Barbara (1978): »Journalistensprache – Sprache der Herrschenden.« *Vorgänge* 32: 108–110.

Schneider, Joseph W./Hacker, Sally L. (1973): »Sex Role Imagery and the Use of the Generic ›Man‹ in Introductory Texts.« *American Sociologist* 8.8: 12–18.

Schneider, Wilhelm (1959): *Stilistische deutsche Grammatik.* Freiburg: Herder.

Schwartz, Mary F. (1968): »Identification of Speaker Sex from Isolated, Voiceless Fricatives.« *Journal of the Acoustical Society of America* 43: 1178–1179.

– Rine, Helen (1968): »Identification of Speaker Sex from Isolated,

Whispered Vowels.« *Journal of the Acoustical Society of America* 44: 1736–1737.

Shores, David L./Hines, Carole P. (Hrsg.), (1977): *Papers on Language Variation*. Birmingham, Ala.: University of Alabama Press.

Shuy, Roger W. (1969): »Sex as Factor in Sociolinguistic Research.« Vortrag, 1969, Tagung der Anthropological Society of Washington.

– /Fasold, Ralph W. (Hrsg.), (1973): *Language Attitudes: Current Trends and Prospects*. Washington, D.C.: Georgetown University Press.

– /Wolfram, Walter A./Riley, William K. (1967): »Linguistic Correlates of Social Stratification in Detroit Speech.« Final Report, Project 6–1347. Washington, D.C.: U.S. Office of Education.

Stanley, Julia P. (1977): »Paradigmatic Woman: The Prostitute.« In: Shores/Hines (1977).

Swacker, Marjorie (1979): »Women's Verbal Behavior at Learned and Professional Conferences.« In: Dubois/Crouch (1979).

– (1975): »The Sex of Speakers as a Sociolinguistic Variable.« In: Thorne/Henley (1975).

Thorne, Barrie/Henley, Nancy (Hrsg.), (1975): *Language and Sex: Difference and Dominance*. Rowley, Mass.: Newbury House.

– /Henley, Nancy (1975): »Sex Differences in Language, Speech, and Non-verbal Communication: An Annotated Bibliography.« In: Thorne/Henley (1975).

Tonhey, Jacqueline C. (1974): »Effects of Additional Women Professionals on Ratings of Occupational Prestige and Desirability.« *Journal of Personality and Social Psychology* 29: 86–89.

Trömel-Plötz, Senta (Hrsg.): *Frauen und Sprache: Arbeiten zum geschlechtsspezifischen Sprachverhalten*. (In Vorbereitung).

– (1978): »Die Rolle von Adverbien und Partikeln bei der Indirektheit von Äußerungen.« Habilitationsvortrag. Universität Konstanz.

– (1980): »Sprache, Geschlecht und Macht.« *Linguistische Berichte* 69: 1–14.

– (1980): »Sexismus in der englischen Sprache.« *Englisch-Amerikanische Studien* 2: 189–204.

– (1981): »Languages of Oppression.« *Journal of Pragmatics* 5: 67 bis 80. Übersetzt und nachgedruckt in *Linguistische Berichte* 71: 60–73.

– /Guentherodt, Ingrid/Hellinger, Marlis/Pusch, Luise F. (1981): »Richtlinien zur Vermeidung sexistischen Sprachgebrauchs.« *Linguistische Berichte* 71: 1–7.

Trudgill, Peter (1972): »Sex, Covert Prestige, and Linguistic Change in the Urban British English of Norwich.« *Language in Society* 1: 179 bis 195.

Veach, Sharon R./Tiedt, Pat (Hrsg.): *Women and Language News*. Linguistics Department, Stanford University, Stanford, Cal. 94305.

Vendler, Zeno (1967): *Linguistics in Philosophy*. Ithaca, N.Y.: Cornell University Press.

Weisstein, Naomi (1973): »Psychology Constructs the Female: or, the Fantasy Life of the Male Psychologist.« In: Brown (1973).

Werner, Fritjof (undatiert): »Auswirkungen von Status und Geschlecht auf den Interaktionsablauf.« Unveröffentlichtes Manuskript, Freie Universität Berlin.

West, Candace (1979): »Females' Interruptions in Cross-Sex Conversation: Seldom Seen, Soon Forgotten.« Vortrag, September 1979, Tagung der American Psychological Association. Erscheint in Trömel-Plötz (Hrsg.).

– /Zimmerman, Don H. (undatiert): »Strangers When They Meet: A Study of Same-Sex and Cross-Sex Conversation Between Unacquainted Persons.« Unveröffentlichtes Manuskript.

Whittaker, James O./Meade, Robert D. (1967): »Sex of the Communicator as a Variable in Source Credibility.« *The Journal of Social Psychology* 72: 27–34.

Zimmerman, Don H./West, Candace (1975): »Sex Roles, Interruptions and Silences in Conversation.« In: Thorne/Henley (1975).

Zumbühl, Ursula (1980): *Die Unterrepräsentation der Frau in der Englischen Sprache.* Unveröffentlichte Lizentiatsarbeit, Universität Zürich.

– (1981): »Learning English and Sexism.« *Betrifft Erziehung* 5: 36–38.

Gesprächspartnerin und Gesprächspartner von Senta Trömel-Plötz waren:

Ursa Krattiger, Dr. phil. hist., geboren 1946 in Rheinfelden, Schweiz. Studium der Geschichte, Soziologie und der politischen Wissenschaften in Basel, Tübingen und Bern. Tätigkeit in der politischen Presse und in der kirchlichen Erwachsenenbildung; heute Reporterin und Programmgestalterin bei Radio DRS, Studio Basel, Abteilung Wort/Ressort Familie.

Martin Walder, Dr. phil., geboren 1946 in Zürich. Studium der Germanistik und Kunstgeschichte. Redaktor im Ressort Literatur und Kunst, Radio DRS, Studio Zürich.

Die Frau in der Gesellschaft

Band 3754

Band 3726

Band 3705

Fischer Taschenbuch Verlag

Die Frau in der Gesellschaft

Band 3769

Band 3770

Band 3745

Gerhard Amendt
Die bevormundete Frau
oder Die Macht der
Frauenärzte
Band 3769

Hansjürgen Blinn (Hg.)
Emanzipation und
Literatur
Texte zur Diskussion –
Ein Frauen-Lesebuch
Band 3747

Colette Dowling
Der Cinderella-Komplex
Die heimliche Angst
der Frauen vor der
Unabhängigkeit
Band 3068

Marianne Grabrucker
»Typisch Mädchen…«
Prägung in den ersten
drei Lebensjahren
Band 3770

Astrid Matthiae
Vom pfiffigen Peter
und der faden Anna
Zum kleinen Unterschied
im Bilderbuch
Band 3768

Ursula Scheu
Wir werden nicht als
Mädchen geboren – wir
werden dazu gemacht
Zur frühkindlichen
Erziehung in unserer
Gesellschaft
Band 1857

Alice Schwarzer
Der »kleine« Unter-
schied und seine
großen Folgen
Frauen über sich –
Beginn einer Befreiung
Band 1805

Dale Spender
Frauen kommen
nicht vor
Sexismus im
Bildungswesen
Band 3764

Karin Spielhofer
Sanfte Ausbeutung
Lieben zwischen
Mutter und Kind
Band 3759

Senta Trömel-Plötz
Frauensprache –
Sprache der
Veränderung
Band 3725

Senta Trömel-
Plötz (Hg.)
Gewalt durch Sprache
Die Vergewaltigung von
Frauen in Gesprächen
Band 3745

Hedi Wyss
Das rosarote
Mädchenbuch
Ermutigung zu einem
neuen Bewußtsein
Band 1763

Fischer Taschenbuch Verlag

Die Frau in der Gesellschaft

Band 3761

Band 3756

Band 3739

fi 404/1

Fischer Taschenbuch Verlag

Die Frau in der Gesellschaft

Texte und Lebensgeschichten

Herausgegeben von Gisela Brinker-Gabler

Band 2053

Band 3738

Band 3741

Lebensgeschichten

**Ruth Ellen
Boetcher Joeres
Die Anfänge der
deutschen Frauen-
bewegung:
Louise Otto-Peters**
Band 3729

**Eine stumme
Generation berichtet**
Frauen der 30er
und 40er Jahre
Herausgegeben von
Gisela Dischner
Band 3727

**Germaine Goetzinger
Für die Selbstver-
wirklichung der Frau:
Louise Aston**
Band 3743

**Diana Orendi Hinze
Rahel Sanzara**
Eine Biographie
Band 2258

Texte

**Frauenarbeit
und Beruf**
Herausgegeben
von Gisela
Brinker-Gabler
Band 2046

**Frauen gegen
den Krieg**
Herausgegeben
von Gisela
Brinker-Gabler
Band 2048

**Zur Psychologie
der Frau**
Herausgegeben
von Gisela
Brinker-Gabler
Band 2045

**Frau und
Gewerkschaft**
Herausgegeben
von Gisela
Losseff-Tillmanns
Band 2260

**Frauenemanzipation
und Sozialdemokratie**
Mit zahlreichen
Abbildungen
Herausgegeben von
Heinz Niggemann
Band 2261

Frau und Musik
Mit vielen Bildern
und Faksimiles
Herausgegeben
von Eva Rieger
Band 2257

fi 16/4

Fischer Taschenbuch Verlag

Emanzipation und Literatur

Texte zur Diskussion
Ein Frauen-Lesebuch
Herausgegeben von Hansjürgen Blinn

Die Diskussion über die Stellung der Frau und ihre Rolle in Gesellschaft und Familie, über ihre geistigen und sozialen Fähigkeiten wird in Deutschland seit der Frühaufklärung auch auf literarischem Feld geführt. Von der vehementen Verteidigung des weiblichen Zugangs zu den Künsten und Wissenschaften durch G. C. Lehms (1715) über die neuen Definitionen weiblichen Selbstverständnisses im Vormärz und in der Literatur der Jahrhundertwende bis zu den jüngsten literarischen Produktionen unserer Tage reicht die Bandbreite der hier vereinten Texte, die sich teils um ein neues Frauenbild und Geschlechterverhältnis bemühen, teils aber auch die tradierten Vorstellungen konservieren bzw. verteidigen. Daß die Diskussion über die Rolle der Frau zu

Emanzipation und Literatur
Texte zur Diskussion
Ein Frauen-Lesebuch

Herausgegeben von
Hansjürgen Blinn

Fischer
Die Frau in der Gesellschaft

Band 3747

jeder Zeit heftig geführt wurde, wird durch die Aufnahme auch gegenteiliger Positionen verdeutlicht, die das konventionell-konservative Frauenbild vertreten. Deshalb wurden auch misogyne Autoren wie etwa Nietzsche, Möbius und Weininger aufgenommen.

Fischer Taschenbuch Verlag